Matière
à rire

Raymond Devos

Matière à rire

L'intégrale

Olivier Orban

CETTE ÉDITION REGROUPE LES OUVRAGES :

Ça n'a pas de sens (© Denoël, 1968)
Sens dessus dessous (© Stock, 1976)
A plus d'un titre (© Olivier Orban, 1989)

Ouvrage publié
sous la direction de
Éric Laurent

Sommaire

PREMIÈRE PÉRIODE
(1977-1991)

DEUXIÈME PÉRIODE
(1969-1976)

TROISIÈME PÉRIODE
(1956-1968)

QUATRIÈME PÉRIODE

PREMIÈRE PÉRIODE
(1977-1991)

Le pied de vigne ou l'imagination de la matière

La métempsycose, cela existe !
Avant d'être ce que nous sommes,
nous avons tous été quelqu'un d'autre
ou quelque chose d'autre,
dans une vie antérieure.
Il y a des témoins.
Je peux vous en citer trois.
Il y a d'abord mon voisin de palier, le fruitier !
Eh bien, dans une vie antérieure,
il a été un figuier.
Puis sur le même palier, la fleuriste !
Elle a été « rosier » dans une autre existence.
Et le troisième témoin, c'est moi !
À la même époque, la tertiaire,
J'étais un pied de vigne.
Nous étions tous trois voisins d'espalier.
Nous menions une vie végétative.
A ma droite, le rosier !
A ma gauche, le figuier !
Moi, entre eux, je me tenais comme ça...

sur un pied... (Il s'y met.)
J'étais tout noueux, tout tordu,
tout maigrichon !
J'avais l'air d'un épouvantail...
Je faisais peur aux oiseaux...
Alors que le figuier, lui, les attirait !
Je me disais : Qu'a-t-il de plus que moi ce figuier,
à part ses figues ?
(Il n'y a là aucune arrière-pensée.)
C'était un figuier... Il avait des figues...
Je dis : « des figues ».
C'eût été un chêne, j'aurais dit : « des glands ».
Qu'est-ce qu'il avait de plus que moi,
ce figuier, à part ses deux figues ?
Il n'en avait que deux !
J'aurais dit : « trois », on aurait dit : il exagère !
Non ! Ce qu'il avait de plus que moi, ce figuier,
c'était des feuilles... de belles feuilles vertes !
C'est alors que l'idée me vint de me faire une feuille
bien à moi, qui ne ressemblerait à aucune autre feuille.
Aussitôt, je me suis mis à penser « feuille »...
Ah, l'imagination de la matière !
Combien de rêves de feuille il m'a fallu faire
avant d'en voir une se cristalliser, se matérialiser,
prendre forme !
Ah, la belle feuille !
Je la baptisais aussitôt « feuille de vigne ».
Je l'ai tout de suite placée au bon endroit, d'instinct !
Vous me direz : « Vous n'aviez rien à cacher ? »
Certes ! Mais je n'avais rien à montrer non plus !
Alors que le rosier arborait à chacune
de ses boutonnières

une rose... odorante... d'un beau rouge vif !
C'est alors que l'idée me vint de me faire une fleur
bien à moi, qui ne ressemblerait à aucune autre.
Aussitôt, je me suis mis à penser « fleur ».
Ah, l'imagination de la matière !
Combien de rêves de fleur il m'a fallu faire
avant d'en voir une se cristalliser, se matérialiser,
prendre forme !
Ah... la vilaine fleur !
Mi-figue, mi-raisin !... Bisexuée !
De nos jours, la bisexualité chez les fleurs,
personne n'y trouve à redire...
Mais à l'époque, être à la fois la fleur de la femelle
et la fleur du mâle (mal), c'était plutôt mal accueilli !
Elle était comme ça...
(Il reprend la même attitude que pour le pied de vigne.)
Toute nouée, toute tordue... toute maigrichonne...
Ah, ce n'était pas la fine fleur, mais...
c'était ma fleur...
— Je ne pouvais pas la renier ! —
Je l'ai glissée sous ma feuille...
Et c'est là que bien au chaud, à l'abri des regards,
ma fleur a fructifié...
Et par un beau matin ensoleillé, ma fleur s'est
métamorphosée en un beau grain de raisin...
Un seul, oui !
Mais...
(Il en indique la grosseur.)
Disons...
(Il ramène la grosseur de son raisin à de plus justes
proportions.)
Vermeille était sa couleur,

13

ronde sa forme, juteuse sa substance !
Ah, l'imagination de la matière !
J'avais, à partir d'un désir cent fois caressé...
fait naître charnellement ce superbe grain de raisin.
C'est alors que je vis arriver pour la première fois
une espèce de petit bonhomme barbu,
avec une hotte sur le dos.
Tout d'abord, j'ai cru que c'était le père Noël.
Et puis non, c'était saint Émilion...
Il a sorti un sécateur et clac ! (dans le vif du sujet).
On a beau être de bois...
... J'en ai eu le souffle coupé...
J'avais perdu de ma superbe.
Savez-vous comment a fini mon beau grain de raisin ?
Piétiné... écrasé sous les pieds d'un dénommé
Bacchus qui dansait la bourrée !
Et c'est ainsi que je suis devenu « vin ».
Évidemment, vous allez me dire :
« Monsieur, est-ce que toute cette histoire
de pied de vigne dans une vie antérieure
ne serait pas plutôt le fruit de votre imagination,
un jour où vous étiez dans les vignes du Seigneur ? »
Peut-être !
Mais alors... comment expliquez-vous que dans ma
famille,
depuis des générations et des générations,
on ne trouve que des vignerons...
et qu'ils ont tous un petit grain quelque part,
de la grosseur... d'une figue ?
D'ailleurs, si vous voyez mon arbre généalogique...
il est comme ça...
tout noueux,

tout tordu,
tout maigrichon !
Mais au bout de chaque branche...
il y a...
une rose !

Les enfants

Un jour...
je m'apprêtais à traverser la rue
et à côté de moi, il y avait une dame
qui s'apprêtait à le faire aussi
qui se tourne vers moi et qui dit :
— Oh, le beau petit garçon !
Moi, j'ai cru qu'elle s'adressait
à un enfant qui devait se trouver
derrière moi...
et que je devais cacher !
Pas du tout !
C'était de moi qu'il s'agissait !
Elle me dit :
— A ton âge, ton papa te laisse sortir tout seul ?
Je lui dis :
— Mais madame, il y a longtemps
que je n'ai plus mon papa.
Elle me dit :
— Oh, pauvre petit !... Donne-moi la main
je vais t'aider à traverser la rue.

Je lui dis :
— Mais madame, vous vous méprenez!
Je ne suis plus un enfant!
— Vraiment?
— Mais enfin, madame, voyez ma taille...
ma corpulence... Je suis gros!
Elle me dit :
— Oh mais, il y a des petits gros!
Je lui dis :
— Un petit gros, il est gros mais petit.
Moi, je suis gros mais grand.
Elle a fini par m'avouer que,
comme elle n'avait jamais eu d'enfants,
elle ne savait pas ce que c'était!
Je lui dis :
— Enfin, madame, à votre âge!
Elle me dit :
— Mais quel âge me donnez-vous donc?
Moi, je lui donnais entre trente et trente-cinq ans...
Elle me dit :
— Je viens tout juste d'en avoir cinq!
Je lui dis :
— Et à ton âge, ta maman te laisse sortir toute seule?
Elle me dit :
— Il y a longtemps que je n'ai plus ma maman.
Je lui dis :
— Pauvre petite... Donne-moi la main!
Puis je l'ai aidée à traverser la rue.
De l'autre côté de la rue, comme je lui
lâchais la main, elle a pris la mienne
et elle m'a accompagné jusque devant chez moi.
Devant chez moi, comme elle me lâchait la main,

je l'ai prise par le bras et je l'ai accompagnée
jusque devant chez elle!
Et ce petit jeu a duré des semaines et des semaines!
Vous me direz : « A quoi jouiez-vous? »
Tantôt à la dînette, tantôt au cerceau...
Le plus souvent à la marelle!
Jusqu'au jour où elle a voulu jouer
au papa et à la maman.
Là, je lui ai dit :
— Écoute! Nous sommes encore un peu
jeunes pour jouer à ce jeu-là!
Elle en était tout attristée.
Pour la consoler, je lui ai promis que
plus tard, quand on serait grands,
on se marierait!
En attendant... je lui ai offert
une poupée, pour qu'elle se familiarise
tout doucement!
Alors...
quand on dit qu'il n'y a plus d'enfants!
Des petits, peut-être!
Mais des grands...!

L'artiste

Sur une mer imaginaire, loin de la rive...
L'artiste, en quête d'absolu,
joue les naufragés volontaires...
Il est là, debout sur une planche
qui oscille sur la mer.
La mer est houleuse et la planche est pourrie.
Il manque de chavirer à chaque instant.
Il est vert de peur et il crie :
— C'est merveilleux !
C'est le plus beau métier du monde !
Et pour se rassurer, il chante :
Maman, les p'tits bateaux
Qui vont sur l'eau
Ont-ils des jambes ?
Mais oui, mon gros bêta...
et plouff, il tombe à l'eau !
Il est rappelé à la dure réalité de la fiction.
Lui, qui se voyait déjà en haut de l'affiche,
il se voit déjà en bas de la liste de ces chers disparus !

Il a envie de crier :
— Un homme à la mer !
Mais comme l'homme, c'est lui,
et que lui, c'est un artiste
et qu'il exerce le plus beau métier du monde,
il crie :
— Et le spectacle continue !
Il remonte sur sa planche pourrie.
Il poursuit sa quête de l'absolu.
(Chanté :)
Maman, les p'tits bateaux
Qui vont sur l'eau
Ont-ils des jambes ?
et plouff !
Il retombe à l'eau.
Il est ballotté comme une bouteille à la mer,
à l'intérieur de laquelle
il y a un message de détresse.
Il a envie de crier :
— Une bouteille à la mer !
Mais comme la bouteille, c'est lui,
et que lui, c'est un artiste
et qu'il exerce le plus beau métier du monde, il crie :
— L'eau est bonne !
... Un peu fraîche, mais bonne !
Il remonte sur sa planche pourrie...
Il a complètement perdu le nord.
Il se croit sur la mer du même nom,
la mer du Nord... Il fait la manche...
Toujours la quête de l'absolu !
(Chanté :)
Maman, les p'tits bateaux

Qui vont sur l'eau
Ont-ils des jambes ?
Et il retombe à l'eau.
Le public, qui est resté sagement sur la rive,
se demande si l'artiste n'est pas en train
de l'emmener en bateau.
Il se dit :
« Mais alors, quand est-ce qu'il se noie ? »
L'artiste, lui, s'aperçoit soudain
que la planche pourrie sur laquelle
il est remonté pour la énième fois
donne de la gîte sur tribord !
C'est-à-dire qu'elle penche du côté où il va tomber !
Il a envie de crier :
— Les femmes et les enfants d'abord !
Mais comme il est tout seul, il crie :
— Je suis le maître à bord !
Il ajouterait bien :
— Après Dieu !
Mais comme dans l'imaginaire, Dieu,
on ne risque pas de le rencontrer !...
(Dieu existe, certes... mais dans le réel !)
Pour Dieu, l'imaginaire, c'est une vue de l'esprit !
La fiction, ça le dépasse !
L'artiste sait qu'il n'a rien à attendre du Ciel.
Alors, au lieu de crier :
— Après Dieu !
il crie :
— Après moi, le déluge !
Et tandis que sa planche,
qui fait eau de toutes parts,
s'enfonce dans les eaux,

il n'a plus qu'une pensée :
« Sauver la recette! »
Il fait une annonce publicitaire :
— Mesdames et messieurs,
la planche pourrie sur laquelle j'ai eu
l'honneur de sombrer pour la dernière fois
devant vous ce soir était sponsorisée
par le ministère de la Culture!
Et il coule avec la subvention!
Il disparaît dans les flots
et il réapparaît aussi sec...
Il a de l'eau jusqu'à la ceinture...
Ses deux pieds touchent le fond de la mer.
Alors, le public :
— Ha! Ha!
Il s'est noyé dans un verre d'eau!
A l'évidence, la mer imaginaire sur laquelle
l'artiste s'est embarqué imprudemment
est à la hauteur de son imagination.
Elle manque de profondeur.
C'est une mer à marée basse.
Une mer de bas-fonds!
Une mer indigne d'un grand naufrage!...
Alors l'artiste, pour ne pas sombrer
dans le ridicule...
il fait la planche!
Il fait la planche pourrie.
Il a envie de crier :
— Une planche à la mer!
Mais comme la planche, c'est lui,
et que lui, c'est un artiste
et qu'il exerce le plus beau métier du monde,

il crie :

— Je suis le radeau de la Méduse à moi tout seul
et il se pourrait que cette fois-ci,
il n'y ait pas de survivants !...
Le public, imperméable jusque-là, se dit :
« C'est un spectacle cool...
Pas de survivants ?
Cela promet...
Cela laisse entrevoir une fin heureuse ! »
Alors, après avoir crié :

— Bis !

Il crie :

— Ter ! Ter !

Et c'est le miracle !
Devant le public médusé,
l'artiste transfiguré regagne la rive
en marchant sur les flots...
et il se noie dans la foule !...

La porte

Chaque fois que je fais mon « tour »,
à un moment j'invente une histoire.
Je dis au public :
— Si quelqu'un veut bien me donner un thème sur
lequel je puisse improviser...
Et un soir, dans la salle, un spectateur me crie :
— Moi, je vais vous en donner un.
Voilà ! Vous, Devos, l'artiste, quand vous n'êtes pas sur
votre planche qui oscille sur la mer (rappel du sketch
intitulé « L'artiste »), vous avez bien un pied-à-terre ?
Je lui dis :
— Oui monsieur !
— Eh bien, supposons que vous n'ayez pas payé votre
loyer depuis des semaines. Le propriétaire des murs
vous met à la rue Il vous dit : « Prenez la porte ! »
Qu'est-ce que vous faites ?
Je lui dis :
— Je la prends... et avec son chambranle !
(Parce que, sans chambranle, une porte ne peut ni

s'ouvrir ni se fermer, je vous le signale. Si vous prenez la porte, il faut emporter le chambranle avec !)

Bref ! Je prends la porte avec son chambranle et je sors dans la rue.

Le spectateur :

— Et alors ?

Je dis :

— Et alors, arrivé au milieu de la rue, je pose ma porte...

Il me dit :

— Et alors ?

— J'ouvre la porte. Je sors dans la rue.

Je prends l'air... Je fais quelques pas pour me dégourdir les jambes... Et comme le temps est à la pluie, je rentre. Je repasse le pas de la porte... et je me retrouve à la rue. Je dis : Tiens ? J'ai dû faire une fausse manœuvre. Je ressors dans la rue. Je reprends l'air... le même... Je refais quelques pas pour me dégourdir les jambes... les mêmes ! Et comme le temps est toujours à la pluie, je rentre. Je repasse le pas de la porte... et je me retrouve dans la même rue.

Le spectateur :

— Et alors ?

Je dis :

— Alors, je change de rue.

Je reprends ma porte... avec son chambranle... Tout à coup, j'entends frapper.

— Qui c'est ?

— Police !

J'ouvre. Un agent de police...

— Vous avez votre passe-port(e) ?

— !!

— Et votre permis de port de porte ?

Je dis :
— ! Non !
— Je vais être obligé de le mettre dans mon rapport(e).
Je lui dis :
— Mettez ! Mettez !
Il me dit :
— Quel est votre nom ?
Je lui dis :
— Il est sur la porte.
— Ah, il me dit, c'est vous, Devos ? N'allez pas en faire
une histoire !
Je lui dis :
— C'est trop tard, je suis en train de la faire...
Il me dit :
— Où habitez-vous ?
Je n'ai pas osé lui dire que j'habitais une porte... Pensez...
à un agent !...
J'ai dit :
— J'habite le petit hôtel qui est là !
— Ah, il me dit, c'est la porte à côté. Je vous accompagne.
Arrivé devant l'hôtel, je laisse ma porte au portier... avec
la clef... pour qu'il puisse la déplacer le cas échéant...
(Au public :)
Vous me suivez, là ?
Je loue une chambre et je vais me coucher...
Le spectateur :
— Et alors ?
Je dis :
— Et alors, le lendemain, je téléphone au portier.
Cinq minutes plus tard, ma porte est devant la porte de
ma chambre. Je n'ai plus que deux portes à traverser et je
suis chez moi. Je prends ma porte par la poignée (comme

une valise), pour ne pas me faire remarquer... Je descends dans le hall... Et le concierge me dit :
— Monsieur, vous avez oublié de remettre la clef de la chambre !
— Ah, je dis, non, je l'ai laissée sur la porte !
Il me dit :
— Oui, mais vous avez gardé la porte sur vous !
(J'avais emporté les deux portes !)
Alors, je lui rends la porte-clef...
et je sors avec ma porte-bagage.
(Au public :)
Là, il faut suivre, hein... Il faut suivre !
Le portier se précipite. Il me dit :
— Monsieur, on vient de me mettre à la porte.
Voulez-vous m'engager comme portier ?
Je lui dis :
— Mais mon pauvre ami, si je vous engage comme portier, je vais être obligé de vous remettre à la porte !
— Ah, il me dit, je n'avais pas pensé à ça...
Je lui dis :
— Si, si !... Ce que je peux faire pour vous, c'est vous prendre comme porteur...
— Ah, il me dit, c'est mon premier métier. Avant d'être portier, j'étais porteur.
Je lui dis :
— Qu'est-ce que vous portiez ?
Il me dit :
— Tout ce qui se porte !
Je lui dis :
— Vous pouvez porter ma porte ?
Il me dit :
— Volontiers !... Je la porte où ?

Je lui dis :

— N'importe où ! Peu importe !

Il prend ma porte sur son épaule.

— Oh, je lui dis, elle vous va bien.

Vous la portez mieux que moi !

Il me dit :

— C'est une prête-à-porter...

C'est ce que je porte le mieux !

Et nous voilà partis...

A un moment, il me dit :

— Vous savez que j'ai voulu faire comme vous... Mais au lieu de prendre la porte, j'ai voulu emporter le toit.

Je lui dis :

— Et alors ?

Il me dit :

— Comme le toit ne passait pas par la porte, j'ai voulu le passer par la fenêtre, mais ma femme s'y est opposée. Elle m'a dit : « Si tu franchis ce pas, je ne pourrais plus vivre avec toi car je ne saurais vivre sans toit ! » Elle m'a dit : « C'est le toit ou moi. Ou tu me prends, moi, ou tu prends le toit ! »

Je lui dis :

— Qu'est-ce que vous avez fait ?

Il me dit :

— J'ai fait le mur !

A un moment, je lui dis :

— Où on est ici ?

— On est à mi-chemin de « n'importe où ». On vient de passer « n'importe » et on va arriver à « où ».

Je lui dis :

— Bon, laissez-moi là ! Ça va très bien...

Il me dit :

— Vous pouvez me donner un autographe ?

Je dis :
— Volontiers ! Je le mets où ?
Il me dit :
— Sur le chèque !
Alors, je mets : « Au porteur... avec toute ma sympathie ! »
— Au revoir, monsieur. Portez-vous bien !
Je ne sais pas ce qu'il a voulu dire...
Et comme je m'apprêtais à reprendre ma porte,
J'entends derrière... des gloussements...
des rires étouffés...
J'ouvre. Et je vois une salle obscure...
avec des gens assis au premier rang...
tout comme je vous vois, mesdames et messieurs...
Et au milieu de la salle, un spectateur
qui se met à crier...
Des spectateurs :
— Et alors ?
J'ai dit :
— Alors... euh...
Je ne savais plus du tout
comment mon histoire se terminait.
Je ne savais même plus comment
elle avait commencé... Un trou de mémoire !
J'ai dit :
— Excusez-moi ! Je me suis trompé de porte !
Pfoff ! (geste de la refermer)
J'ai dit : Je vais sortir par la porte côté cour...
Fermée !
La porte côté jardin... fermée ! ?
La porte du fond... fermée !

Je dis : Tiens ? Ça doit être la fermeture annuelle des
portes. Je vais sortir par la porte
qui donne dans la salle...
Et alors que je croyais tourner la poignée de ma porte,
je me suis aperçu que c'était la porte qui tournait
mon poignet...
Là, j'ai compris que j'avais franchi un seuil.
Comme on « s'emmure » dans un mur,
Je m'étais « emporté » dans ma porte.
J'étais pétrifié dans mon chambranle...
Je ne pouvais plus ni m'ouvrir ni me fermer...
Savez-vous ce qui m'a sauvé, mesdames et messieurs ?
C'est la pluie... La pluie qui s'est mise à tomber.
Une pluie bienfaisante...
une pluie torrentielle... diluvienne !
En peu de temps, tout a été inondé.
J'avais de l'eau jusqu'à ma... serrure !
C'est alors que l'image de l'artiste sur sa planche...
(Rappel du sketch intitulé « L'artiste »)
... qui oscille sur la mer...
J'ai pris ma porte.
Je l'ai posée sur l'eau.
Je suis monté dessus...
Et je me suis laissé emporter par les flots
en priant le Ciel que ma porte ne s'ouvre pas !

Le savant et l'artiste

Quelquefois, on me dit, comme on dit à tous ceux qui ont
la prétention d'amuser les gens, on me dit :
— En dehors de faire le guignol,
qu'est-ce que vous faites ?
Parce que ça ne fait pas très sérieux !
Effectivement, je connais un fantaisiste, un danseur de
claquettes...
Parfois, chez lui, il se met devant sa glace.
Il prend un chapeau, une canne et puis...
(L'artiste danse les claquettes sur la musique de *C'est
magnifique* et termine le thème par un saut sur place.)
Ça fait léger !
D'autant que dans la pièce à côté, il y a un savant,
un savant avec un grand front...
Toute la journée, il est là... penché sur un microscope.
Il cherche à localiser un virus...
Ça, c'est important pour le bien de l'humanité !
Alors que dans la pièce à côté,
il y a l'autre guignol avec son chapeau et sa canne...

(Nouvelle danse des claquettes sur la même musique
qui se termine par les paroles de la chanson.)
Oh! la la!
(Grimaces de souffrance.)
Tout d'un coup, il ne se sent pas bien...
Il a dû attraper un virus mais il ne sait pas lequel,
alors, il cherche!
Alors que dans la pièce à côté, le savant,
il a trouvé son virus!
De joie, il prend un chapeau, une canne et...
(Sortie de l'artiste qui danse les claquettes
sur la même musique de *C'est magnifique.*)

La boule volante

L'artiste (présentant un foulard) :
Mesdames et messieurs,
voici un foulard représentant la mer...
(Chantant :)
La mer qu'l'on voit danser le long des golfes clairs...
Évidemment, il n'y a rien à l'intérieur...
(montrant l'envers et l'endroit)
comme vous pouvez le constater...
Voici, mesdames et messieurs, rien que par la puissance
de mon souffle...
Parce qu'il y a des magiciens qui vous promettent la
lune... Moi, je vous promets le soleil... rien que par la
puissance de mon souffle !
(Il place le foulard devant son visage, colle ses lèvres
contre le foulard et fait mine de souffler dessus. On voit
alors le foulard « se courber » comme si un ballon grossis-
sait dessous... L'artiste abaisse légèrement le foulard et
l'on voit « décoller » de ses lèvres et s'élever dans le ciel
un superbe « soleil » qu'il fait aussitôt redescendre derrière le foulard.)

Et voici un coucher de soleil sur la mer!

(Il fait lever son soleil de derrière la ligne d'horizon du foulard.)

Et voici un lever de soleil sur la mer!

(Mouvement inverse.)

Un coucher de soleil sur la mer!

(Mouvement inverse.)

A nouveau, un lever de soleil sur la mer!

(Tout en continuant le mouvement de « lever » et de « coucher » :)

Cela peut durer des jours et des nuits!

Voici un soleil qui disparaît à l'horizon...

(L'artiste fait passer la boule sous son aisselle gauche... tout en montrant que le foulard ne cache rien. Tandis que l'on sent que le « soleil » passe derrière son dos...)

Voici à nouveau un lever de soleil... vu sous un jour nouveau!

(On voit « resurgir » le soleil sur le côté droit.)

Voici, mesdames et messieurs...

(Il donne un coup de pied dans le « soleil » recouvert du foulard :)

... un coup de pied à la lune dans le soleil!

(Sur le coup, le « soleil », toujours recouvert du foulard, prend son essor et s'élève comme un ballon rouge.)

Et voici enfin, visible pour tous, un doute qui plane...

(Comme le soleil, qui a pris de la hauteur, passe au-dessus de lui, et légèrement en arrière... l'artiste, pour ne pas le perdre de vue, fait demi-tour et se trouve ainsi dos au public. Sa main gauche ayant lâché un des coins du foulard, il en profite pour prendre dans sa poche un faux nez (petite boule rouge) qu'il place sur son appendice nasal.)

(L'artiste rattrape de la main gauche le coin du foulard qui pendait et ramène le foulard sur sa tête. Puis, il se retourne lentement vers le public, le visage toujours caché :)
Voici un artiste envahi par le doute!
(Il fait apparaître la boule au-dessus du foulard.)
Voici à nouveau le coup du soleil levant!
(Jeu inverse :)
Le coup du soleil couchant!
(Abaissant la boule et montrant son nez coiffé de la petite boule rouge :)
Voici le coup de soleil sur le nez!
(Superposant la grosse boule rouge :)
Voici le même effet grossi plusieurs fois!
(Déplaçant la grosse boule sur le côté :)
Attention! Un soleil peut en cacher un autre!
(L'artiste retire alors son nez qu'il gardera dans la main gauche. Puis, descendant le foulard jusqu'à la hauteur de la ceinture, il montre que le soleil a disparu.)
Et voici enfin le soleil qui disparaît dans la mer, définitivement!
(Saluant :)
Merci beaucoup, mesdames et messieurs!

Où courent-ils ?

L'artiste (entrant) :
Excusez-moi, je suis un peu essoufflé !
Je viens de traverser une ville
où tout le monde courait...
Je ne peux pas vous dire laquelle...
je l'ai traversée en courant.
Lorsque j'y suis entré, je marchais normalement.
Mais quand j'ai vu que tout le monde courait...
je me suis mis à courir comme tout le monde,
sans raison !
A un moment, je courais au coude à coude
avec un monsieur...
Je lui dis :
— Dites-moi... pourquoi tous ces gens-là
courent-ils comme des fous ?
Il me dit :
— Parce qu'ils le sont !
!
Il me dit :
— Vous êtes dans une ville de fous ici...

vous n'êtes pas au courant?

Je lui dis :

— Si, des bruits ont couru!

Il me dit :

— Ils courent toujours!

Je lui dis :

— Qu'est-ce qui fait courir tous ces fous?

Il me dit :

— Tout! Tout!

Il y en a qui courent au plus pressé.

D'autres qui courent après les honneurs...

Celui-ci court pour la gloire...

Celui-là court à sa perte!

!

Je lui dis :

— Mais pourquoi courent-ils si vite?

Il me dit :

— Pour gagner du temps!

Comme le temps, c'est de l'argent...

plus ils courent vite, plus ils en gagnent!

Je lui dis :

— Mais où courent-ils?

Il me dit :

— A la banque.

Le temps de déposer l'argent qu'ils ont gagné sur un compte courant... et ils repartent toujours courant, en gagner d'autre!

Je lui dis :

— Et le reste du temps?

Il me dit :

— Ils courent faire leurs courses...

au marché!

!

Je lui dis :

— Pourquoi font-ils leurs courses en courant?

Il me dit :

— Je vous l'ai dit... parce qu'ils sont fous!

Je lui dis :

— Ils pourraient aussi bien

faire leur marché en marchant...

tout en restant fous!

Il me dit :

— On voit bien que vous ne les connaissez pas!

D'abord, le fou n'aime pas la marche...

Je lui dis :

— Pourquoi?

Il me dit :

— Parce qu'il la rate!

!

Je lui dis :

— Pourtant, j'en vois un qui marche!?

Il me dit :

— Oui, c'est un contestataire!

Il en avait assez de toujours courir comme un fou.

Alors, il a organisé une marche de protestation!

Je lui dis :

— Il n'a pas l'air d'être suivi?

Il me dit :

— Si! Mais comme tous ceux qui le suivent courent,

il est dépassé!

!

Je lui dis :

— Et vous, peut-on savoir ce que vous faites

dans cette ville?

Il me dit :

— Oui! Moi, j'expédie les affaires courantes.

Parce que même ici, les affaires ne marchent pas!

Je lui dis :

— Et où courez-vous là?

Il me dit :

— Je cours à la banque!

Je lui dis :

— Ah!... Pour y déposer votre argent?

Il me dit :

— Non! Pour le retirer!

Moi, je ne suis pas fou!

Je lui dis :

—! Si vous n'êtes pas fou,

pourquoi restez-vous dans une ville

où tout le monde l'est?

Il me dit :

— Parce que j'y gagne un argent fou!...

C'est moi le banquier!

Ceinture de sécurité

Mesdames et messieurs, je ne voudrais pas
vous affoler, mais des fous, il y en a!
Dans la rue, on en côtoie...
Récemment, je rencontre un monsieur.
Il portait sa voiture en bandoulière!
Il me dit :
— Vous ne savez pas comment
on détache cette ceinture?
Je lui dis :
— Dites-moi! Lorsque vous l'avez bouclée,
est-ce que vous avez entendu un petit déclic?
Il me dit :
— Oui, dans ma tête!
Je me dis : « Ce type, il est fou à lier! »
J'ai eu envie de le ceinturer...
mais quand j'ai vu que sa ceinture
était noire...
je l'ai bouclée!!

Tours de clefs

Moi-même, il y a des moments où je me demande
si j'ai tout mon bon sens !
Quelquefois, je me pose la question !
Parce qu'il m'arrive des choses
que je ne peux pas expliquer !
Comment expliquez-vous ça ?
Exemple :
Je rentrais de voyage...
Je mets ma voiture au garage qui est juste
en face de chez moi...
Je sors ma valise...
Distrait, je garde la clef de la voiture à la main
... et... j'ouvre la porte de ma maison
avec la clef de ma voiture...
!! Le temps de réaliser,
j'avais fait trente kilomètres !
Alors que la route n'était même pas glissante !
Je me suis dit :
« Bon ! Puisqu'en ouvrant la porte de ma maison
avec la clef de ma voiture,

j'ai fait trente kilomètres dans le sens de l'aller...
en fermant la porte avec cette même clef,
je vais faire trente kilomètres dans le sens du retour. »
Hop! (Geste de tourner la clef.)
Je referme la porte à double tour!
Au lieu de faire trente kilomètres,
j'en ai fait soixante!
Je me suis retrouvé à trente kilomètres
de ma voiture, mais de l'autre côté!
Je me suis dit :
« Bon, je vais donner un simple tour de clef
et je vais regagner mon point de départ. »
Hop! (Geste de tourner la clef.)
La maison qui cale!
Une maison qui venait de faire... combien?.
quatre-vingt-dix kilomètres au quart de tour,
comme sur des roulettes... elle cale!
On ne sait pas pourquoi!
Alors, obligé de faire les trente kilomètres
à pied pour aller rejoindre ma voiture
et pour constater, devant ma voiture,
que j'avais oublié la clef de ma voiture
sur la porte de ma maison!
Alors, j'ai essayé d'ouvrir la portière
de ma voiture avec la clef... de la valise!
La voiture qui se fait la malle!
Obligé de refaire les trente kilomètres
en sens inverse, la voiture à la main,
en la tenant par la poignée, comme une valise!
En redoutant de rencontrer le type
avec sa voiture en bandoulière!
(Rappel de « Ceinture de sécurité ».)

Il m'aurait posé des questions idiotes, ce type!
C'est certain!
Je n'ai plus eu qu'une chose à faire,
c'est de remorquer ma maison
jusque dans mon garage pour y faire
les petites réparations nécessaires...
... Ce n'est pas la peine que je continue,
les gens ne me croient pas!
Je le vois bien!
Et ils ont raison. Ils ont raison!
C'est tellement énorme... ce que je raconte là!
C'est gros comme une maison!
D'ailleurs, les gens sont tellement gentils...
Ils voudraient me croire...
Ils me le disent :
— Monsieur, vous n'auriez pas une preuve
de ce que vous avancez? Un témoin clef?
Et j'en ai un!
Il y a un spectateur qui est venu me voir,
il m'a dit :
— Monsieur, moi, j'ai vu votre maison
glisser sur la route!... Elle a croisé la mienne
qui glissait dans l'autre sens!
C'est tellement énorme...
que...
je ne l'ai pas cru !

Petits travers

L'artiste (ayant un lorgnon sur son nez) :
Derrière mes verres, je vois tout petit!
(Regardant autour de lui :)
Je vois un petit micro-micro!
Je vois un tout petit piano comme ça...
avec une toute petite queue...
Je vois un tout petit pianiste... comme ça...
avec...
Derrière mes verres, non seulement
je vois tout petit,
mais je vois tout de travers!
Dans la rue, je marche de travers;
je traverse de travers!
Il n'y a que dans les rues transversales
que ça marche à peu près droit!
Hier soir, je monte dans ma petite voiture...
Je mets mes verres de travers,
ma ceinture en travers.
Jusque-là, tout allait de travers...
mais bien!

Je fonce droit...
Et je vois à travers mon petit pare-brise
un petit car de police...
un mini-car... un quart de car...
En descend un petit gendarme à pied...
avec deux petits pieds...
Il brandit son petit bâton : Stop!
J'obtempère.
Ma petite voiture se met en travers.
Je vois dans mon petit rétro, derrière,
un petit camion...
(il en indique la dimension entre le pouce et l'index)
un petit poids lourd...
qui me prend à revers... Sloup!
... Je perds mes verres!
Et je vois... un immense agent de police,
avec un grand képi de travers...
deux gros yeux...
— Donnez-moi vos petits papiers!
d'une toute petite voix.
Je lui donne mes petits papiers...
Il sort son gros crayon vert et il écrit
sur une immense contravention...
mon petit nom!
— Un Vos!...
—? Non! De(ux)...
(L'artiste indique le chiffre de l'index et du majeur.)
Il me dit :
— C'est vous qui vous moquez de nos petits travers?
Mettez votre petit autographe!

J'ai pris son gros crayon vert... et j'ai écrit
sur son immense contravention... mon grand nom.
...
Et ça m'a coûté une petite fortune!!

Qui tuer?

Un jour,
en pleine nuit...
mon médecin me téléphone :
— Je ne vous réveille pas?
Comme je dormais, je lui dis :
— Non.
Il me dit :
— Je viens de recevoir du laboratoire
le résultat de nos deux analyses.
J'ai une bonne nouvelle à vous annoncer.
En ce qui me concerne, tout est normal.
Par contre, pour vous... c'est alarmant.
Je lui dis :
— Quoi?... Qu'est-ce que j'ai?
Il me dit :
— Vous avez un chromosome en plus...
Je lui dis :
— C'est-à-dire?
Il me dit :
— Que vous avez une case en moins!

Je lui dis :
— Ce qui signifie?
Il me dit :
— Que vous êtes un tueur-né!
Vous avez le virus du tueur...
Je lui dis :
— ... Le virus du tueur?
Il me dit :
— Je vous rassure tout de suite.
Ce n'est pas dangereux pour vous,
mais pour ceux qui vous entourent...
ils doivent se sentir visés.
Je lui dis :
— Pourtant, je n'ai jamais tué personne!
Il me dit :
— Ne vous inquiétez pas... cela va venir!
Vous avez une arme?
Je lui dis :
— Oui! Un fusil à air comprimé.
Il me dit :
— Alors, pas plus de deux airs comprimés par jour!
Et il raccroche!
Toute la nuit... j'ai cru entendre
le chromosome en plus qui tournait en rond
dans ma case en moins.
Le lendemain, je me réveille avec une envie de tuer...
irrésistible!
Il fallait que je tue quelqu'un. Tout de suite!
Mais qui?
Qui tuer?... Qui tuer?
Attention! Je ne me posais pas la question :
« Qui tu es? »

dans le sens : « Qui es-tu, toi qui cherches qui tuer? »
ou : « Dis-moi qui tu es et je te dirai qui tuer. »
Non!... Qui j'étais, je le savais!
J'étais un tueur... et un tueur sans cible!
(Enfin... sans cible, pas dans le sens du mot sensible!)
Je n'avais personne à ma portée.
Ma femme était sortie...
Je dis :
— Tant pis, je vais tuer le premier venu!
Je prends mon fusil sur l'épaule... et je sors.
Et sur qui je tombe?
Le hasard, tout de même!
Sur... le premier venu!
Il avait aussi un fusil sur l'épaule...
(Il avait un chromosome en plus, comme moi!)
Il me dit :
— Salut, toi, le premier venu!...
Je lui dis :
— Ah non! Le premier venu, pour moi, c'est vous!
Il me dit :
— Non! Je t'ai vu venir avant toi
et de plus loin que toi!
Il me dit :
— Tu permets que je te tutoie?
Je te tutoie et toi, tu me dis tu!
Je me dis : « Si je dis *tu* à ce tueur, il va me tuer! »
Je lui dis :
— Si on s'épaulait mutuellement?
D'autant que nous sommes tous les deux
en état de légitime défense!
Il me dit :
— D'accord!

49

On se met en joue...
Il me crie :
— Stop !... Nous allions commettre tous deux
une regrettable bavure...
On ne peut considérer deux hommes qui ont le courage
de s'entre-tuer comme des premiers venus !
Il faut en chercher un autre !
J'en suis tombé d'accord !
Là-dessus, j'entends claquer deux coups de feu
et je vois courir un type avec un fusil sur l'épaule...
Je lui crie :
— Alors, vous aussi, vous cherchez à tuer
le premier venu ?
Il me dit :
— Non, le troisième ! J'en ai déjà raté deux !
Et tout à coup, je sens le canon d'une arme
s'enfoncer dans mon dos.
Je me retourne.
C'était mon médecin...
Qui me dit :
— Je viens vous empêcher de commettre un meurtre
à ma place...
Je lui dis :
— Comment, à votre place ?
Il me dit :
— Oui ! Le laboratoire a fait une erreur.
Il a interverti nos deux analyses.
Le chromosome en plus, le virus du tueur,
c'est moi qui l'ai !
Je lui dis :
— Docteur, vous n'allez pas supprimer froidement
un de vos patients ?

Il me dit :
— Si! La patience a des limites.
J'en ai assez de vous dire :
« Ne vous laissez pas abattre! »
Je lui dis :
— Vous avez déjà tué quelqu'un, vous?
Il me dit :
— Sans ordonnance... jamais!
Mais je vais vous en faire une!

Qu'est-ce
qui vous arrive?

L'artiste :
Tout à l'heure,
en arrivant ici...
Je croise un type...
Il était comme ça !
(L'artiste se rapetisse de quelques centimètres.)
La veille, je l'avais rencontré...
Il était comme ça !
(Il reprend sa taille normale.)
Et là, je le vois...
Il était comme ça !
(Il se rapetisse à nouveau.)
Je lui dis :
— Qu'est-ce qui vous arrive ?
Il me dit :
— Ne m'en parlez pas !
Tout à l'heure, en arrivant ici,
je croise un type...
Il était comme ça !
(L'artiste se rapetisse de quelques centimètres de plus.)

La veille, je l'avais rencontré...
Il était comme ça!
(Il se redresse.)
Et là, je le vois comme ça...
(Il se rapetisse à nouveau de quelques centimètres.)
... effondré!
Je lui dis :
— Prenez une chaise!
Il me dit :
— Non! Je préfère rester debout!
Je lui dis :
— Qu'est-ce qui vous arrive?
Il me dit :
— Ne m'en parlez pas!
Je viens de croiser un type...
Il était comme ça!
(Il se met à quatre pattes.)
La veille, je l'avais rencontré...
Il était comme ça!
(Il s'abaisse de quelques centimètres.)
Et là, je le vois...
Il était comme ça!
(Il se redresse, mais toujours à quatre pattes.)
Je lui dis :
— Alors, ça va mieux?... La situation se redresse?
Il me dit :
— Non! Hier, j'étais comme ça...
(il s'aplatit à nouveau)
... parce que je cherchais quelqu'un!
Et aujourd'hui...
(il se redresse, mais toujours à quatre pattes)
je l'ai retrouvé!

Je lui dis :
—! Qui c'était?
Il me dit :
— C'était un type... Quand je l'ai croisé...
(il se met à plat ventre)
il était à plat!
La veille, je l'avais rencontré...
Il avait un certain relief!
Et là... il était... laminé!
Je lui dis :
— Qu'est-ce qui vous arrive, mon pauvre laminé?
Il me dit :
— Ne m'en parlez pas! Je viens de croiser un type...
(Là, l'artiste semble marquer une pause...
Après avoir regardé les spectateurs :)
Écoutez, mesdames et messieurs...
pour ceux qui auraient manqué le début de ce récit,
les retardataires... et qui me surprendraient
dans cette position dégradante... je vais faire
un rapide résumé des chapitres précédents :
En arrivant ici, je croise un type...
(Tandis que se déroule le résumé, la voix d'abord voilée
de lassitude devient progressivement inaudible.)
L'ARTISTE (alors qu'il ne s'exprime que par gestes) :
Bon! J'en arrive tout de suite au dernier chapitre...
Le type me dit :
— Est-ce que vous voyez quelqu'un là?
(Il désigne un point sur le plancher.)
Je lui dis :
— Où?
Il me dit :
— Là!..

Je lui dis :

— Là, je ne vois personne!

Il me dit :

— Hier, il était encore visible...

Et aujourd'hui, je l'ai perdu de vue!

(*noir*)

(L'artiste se remet debout.)

(*plein feu*)

L'ARTISTE :

— Et encore là... j'ai fait des coupures!

C'est la version raccourcie.

Si vous étiez venus hier, l'histoire était interminable.

Par exemple, j'ai coupé un chapitre

qui commençait de la façon suivante :

Je viens de croiser un type...

non seulement, il était comme ça... (très courbé)

mais de plus, il avait un œil fermé!

La veille, je l'avais rencontré...

il avait déjà un œil fermé...

mais il se tenait comme ça... (moins courbé)

Et là, je le vois... (de nouveau très courbé)

l'œil toujours fermé!

Je lui dis :

— Qu'est-ce qui vous arrive?

Il me dit :

— Ne m'en parlez pas!

Ils ont baissé la serrure!

C'est un chapitre que j'ai coupé...

Il y en a un autre que j'ai supprimé aussi

qui disait ceci :

Je viens de croiser une dame que je connaissais...

Je l'enlace! Elle était comme ça!

(Il indique l'extrême minceur de la taille.)
La veille, je l'avais enlacée...
Elle était comme ça!
(Il indique l'extrême grosseur de la taille.)
Et là, je l'enlace... Elle était comme ça!
(Extrême minceur de la taille.)
Je lui dis :
— Qu'est-ce qui vous arrive?
Elle me dit :
— Hier, ce n'était pas moi!
Je l'ai coupé aussi!
Par contre, il y a un chapitre que j'ai coupé
et que j'aurais mieux fait de garder :
Je croise un type qui sortait de chez son percepteur...
Il était comme ça...
(L'artiste se rapetisse de quelques centimètres.)
La veille, je l'avais rencontré alors qu'il entrait
chez son percepteur...
Il était comme ça!
(Il se redresse.)
Et là, je le vois...
(Il se rapetisse.)
Je lui dis :
— Qu'est-ce qui vous arrive?
Il me dit :
— Hier, lorsque je suis entré chez mon percepteur,
j'étais comme ça... (il se redresse)
parce que je croyais que j'avais droit à un abattement.
Je lui dis :
— Et ce n'était pas un abattement?
Il me dit :
— Non! C'était un... (il s'effondre) redressement!

Ça n'arrive qu'à moi

Les gens disent tous la même chose!
Ils disent tous, lorsqu'il leur arrive quelque chose :
« Ça n'arrive qu'à moi! »
De temps en temps, il y en a un à qui il n'arrive
rien, qui ne dit pas comme tout le monde.
Il dit : « Ça n'arrive qu'aux autres! »
Parce qu'il a entendu les autres dire :
« Ça n'arrive qu'à moi! »,
il croit que ça n'arrive qu'à eux (aux autres)!
Alors que peut-être, il n'y a qu'à lui que ça arrive
de penser que ça n'arrive qu'aux autres!
Encore que lorsqu'il s'en aperçoit,
il dit comme les autres :
« Ça n'arrive qu'à moi! »
Cela m'est arrivé... à moi!
Alors, si cela vous arrive...
je veux dire, si vous faites partie de ceux qui,
comme moi, disent : « Ça n'arrive qu'aux autres! »,
posez-leur la question, aux autres!
— Qu'est-ce qui vous arrive?

Ils vous répondront tous la même chose :
— Nous ne savons pas ce qui nous arrive,
mais ça n'arrive qu'à nous !
Par contre, si vous faites partie des autres,
de ceux qui disent : Ça n'arrive qu'à moi !
posez-vous la question... à vous :
« Qu'est-ce qui t'arrive ? »
Et vous verrez que ce qui vous arrive...
c'est ce qui arrive aux autres !
C'est ce qui arrive à tout le monde !
Et vous conclurez comme moi,
par cette petite phrase sibylline :
« Ce qui n'arrive qu'aux autres
n'arrive qu'à moi aussi ! »
Et vous vous sentirez solidaire !

Le prix de l'essence

L'artiste (parlant de son pianiste) :
Il rouspète !
Il est toujours en train de rouspéter !
L'essence augmente...
L'essence va encore augmenter...
(Au pianiste et à la cantonade :)
Oh ! Eh !
Vous y mettez un peu du vôtre, hein !
Au lieu d'acheter des 25 et 30 litres,
vous n'avez qu'à faire comme moi :
vous n'avez qu'à en prendre pour cent francs !
(Au public :)
Moi, cela fait des années que j'en prends
pour cent francs...
J'ai toujours payé le même prix !
Il me dit :
— Oui, mais vous allez de moins en moins loin !
(A l'adresse du pianiste :)
— Je vais où je veux !

Ma deux bœufs

J'ai failli être en retard...
parce que je suis venu en deux bœufs!
En deux bœufs...!
En France, on n'a pas de pétrole,
mais on a des idées!
Alors, j'ai troqué ma deux chevaux
contre une deux bœufs!
Vous l'avez peut-être aperçue,
devant la porte?
C'est une deux bœufs blancs
tachés de roux!
Quand on me demande :
— Qu'est-ce que vous avez comme voiture?
Je réponds :
— J'ai une deux bœufs!
Les gens sont surpris!
Ils s'attendent à me voir arriver
en Rolls-Royce... L'artiste!
Alors, quand ils me voient arriver
en deux bœufs, ils sont fort déçus!

Alors... les réflexions :
« Tiens! Voilà la paire de bœufs
du père Deveaux! »
Ça fait mal!...
Sur mon passage, les quolibets.
Les mamans à leurs petits :
Enfants, voici les bœufs qui passent!
Cachez vos rouges tabliers!
Alors, les enfants :
— Sauve qui bœufs!
Parce qu'une deux bœufs, ça pose des problèmes!
Exemple .
A un feu rouge, une deux chevaux s'arrête.
Pas une deux bœufs!
Parce que le rouge, ça l'excite!
Alors, elle fonce!
Quand c'est vert, elle broute!
Et pour faire repartir une deux bœufs
qui broute, ça fait : « Bœuf! Bœuf! Bœuf! »
Cet après-midi, sur mon passage,
il y a un irresponsable qui a crié :
— Suivez le bœuf!
Alors, il y a un tas de gens qui ont suivi
avec des pancartes où il y avait marqué :
« Mort aux vaches! »
Pour corser le tout, il y avait une affiche
de *La vache qui rit.*
On ne sait pas ce qui se passe
dans la tête des bœufs.
Mes bœufs ont-ils cru
que la vache se foutait d'eux?
Toujours est-il qu'ils ont foncé

dans le panneau, tête baissée!
Vous savez que pour retenir un bœuf...
Un bœuf, ça enfonce tout!
C'est comme un bulldozer!
Et encore, un bulldozer,
on peut l'arrêter!
Pour arrêter un bulldozer,
vous n'avez qu'à couper
l'arrivée d'essence...
Il n'y a qu'à couper!
Mais un bœuf...
Qu'est-ce que vous voulez couper?
Il l'est déjà!!

Les neuf veaux

Savez-vous ce qui s'est passé
lors de la dernière conférence
des Neuf sur l'Europe agricole?
Pendant que les neuf ministres de l'Agriculture
débattaient du prix du porc,
il y a un paysan mécontent
qui a fait entrer neuf veaux dans la salle.
Une confusion...!
On ne savait plus qui était qui!
A la fin de la conférence,
le paysan, au lieu de remporter ses neuf veaux,
dans la bousculade qui a suivi
n'en a remporté que huit!
Il a emmené un ministre avec.
On ne dit pas lequel!
Ce n'est qu'en arrivant sur le marché
qu'il s'en est aperçu.
Au moment de vendre les veaux,
il y en avait un qui était invendable.
C'était le... eh oui!

Parce qu'un ministre, ça ne se vend pas!
Ça s'achète parfois! Mais ça ne se vend pas!
Une fois (je l'avoue à ma grande honte),
je me suis vendu pour pas cher,
et quand j'ai voulu me racheter,
je me suis payé un prix fou!

Le rire primitif

A propos du rire, vous savez qu'on l'a échappé belle?
On l'a échappé belle!
Parce que le rire...
(comme chacun sait, ou ne sait pas)
le rire, c'est une énergie... une énergie contenue
qui se libère rapidement et, en se libérant,
elle (cette énergie) fait vibrer
les muscles les plus fragiles,
les plus vulnérables, qui se trouvent être
les zygomatiques...
(Il en fait la démonstration :)
Ha! Ha! Ha!
Eh bien, supposez que les muscles fessiers...
ceux que l'on appelle les fessiers,
soient plus vulnérables que les zygomatiques,
on rirait comme ça...
(Il est secoué par une « vibration » des muscles fessiers.)
On l'a échappé belle!
(Prenant une chaise :)
Vous voyez toute une salle qui rit ?

(Il s'assied et rit par le truchement des fessiers.)
Désopilant!
(Sursautant sur sa chaise :)
Je pouffe!
Un rire crispé... cela ferait...
(Il se raidit sur sa chaise.)
« Rire aux éclats », je ne vois pas très bien
à quoi cela correspond!
(Il se lève et remet la chaise là où il l'a prise.)
On l'a échappé belle!
Attention!
Nos ancêtres riaient comme ça!
Les primitifs!
L'homme des cavernes!
Le rire caverneux... non... ça n'a rien à voir!
Mais les primitifs, ceux qu'on appelait les primitifs,
ils riaient comme ça.
Je n'ai rien contre les primitifs...
(Oh!... Hé... Grand Dieu!)
Ils ont tout inventé!
La pierre taillée.
Qui est-ce qui a inventé la pierre taillée?
Un primitif!
Le feu.
Qui a inventé le feu?
Un primitif!
C'était peut-être l'innocent du village.
Un jour qu'il ne savait pas quoi faire
de ses dix doigts, il a pris deux pierres,
une dans chaque main...
(aux innocents les mains pleines!)

66

Il a frotté les deux pierres l'une contre l'autre...
Zim ! Zim !
Et ça a tout de suite fait des étincelles !
Alors, le chef, un primitif aussi...
(primitif mais chef..., ce n'est pas incompatible !)
... tout d'abord, il n'a vu que du feu,
c'est-à-dire qu'il n'a vu que la fumée !
Mais comme il n'y a pas de fumée sans feu,
il a dit :
— Allez chercher le sorcier !
Le sorcier est arrivé...
(un sacré primitif aussi !)
Il a dit :
— Qu'est-ce qu'il y a ?
Alors le chef a dit :
— C'est l'innocent !
Il a dit à l'innocent :
— Refais devant le sorcier
ce que tu nous as fait tout à l'heure !
Et l'innocent, avec ses deux petites pierres :
Zim ! Zim !
Il a refait une petite flambée...!
Le sorcier a dit :
— Feu de Dieu !... Ça sent le roussi !
Il a joué avec les amulettes !
Il faut le brûler !
Le chef a dit :
— Avec quoi ?
Alors, l'autre innocent a dit :
— Avec ça !
(Il fait le geste de frotter deux pierres
l'une contre l'autre.)

Zim! Zim!
Et il a mis le feu au bûcher
qu'on venait de dresser pour lui!
Autour du bûcher, les primitifs...
ils devaient se taper le derrière par terre!
Alors, les réflexions :
« Heureusement qu'il n'a pas inventé la poudre!
Parce qu'en plus de le brûler,
il aurait fallu le faire sauter! »
Il y en a un qui devait se taper le derrière
plus fort que les autres...
ça lui a durci les fessiers...
Les fessiers sont devenus moins vulnérables
que les zygomatiques... Le rire lui est monté à la gorge
et il a fait :
— Ha! Ha!
Il avait inventé le rire sonore!
On venait de passer du rire muet au rire parlant!
Les primitifs... ils ont tout inventé!
Tout!
Et moi, qui suis évolué...
(répondant à quelque contestataire :)... si!
Qu'ai-je inventé?
(Après réflexion :)
Ah si! Parce que l'histoire...
telle que je viens de vous la conter...
(attitude primitive :)
c'est moi qui l'ai inventée!!

Le grimacier

A force de faire des grimaces,
il arrive ce qu'on appelle
un relâchement des zygomatiques,
c'est-à-dire... Crac!
Un claquage musculaire!
Obligé de tout remonter à la main!
Ça donne une expression arbitraire,
comme ça... (Démonstration.)
Jamais vous ne verrez cette expression
nulle part!
Elle ne correspond à aucun sentiment.
Je peux même dire n'importe quoi dessous...
Ce que les gens voient ne correspond pas
à ce qu'ils entendent!
Parce que je suis un grand grimacier!
J'ai même représenté la France
au Festival international de la grimace!
Il y avait là tous les grands grimaciers du monde...
Moi, j'ai fait des grimaces bien de chez nous!
Je ris...

Je pleure...
La haine! La colère!
Parce que la grimace, c'est international!
Il n'y a pas de frontière à la grimace.
Par exemple, si je tire la langue,
— excusez-moi, mesdames et messieurs —
c'est compris de tous!
Parce qu'une langue, c'est une langue!
C'est la même pour tout le monde!
Alors que si vous parlez la vôtre,
on dit :
— Qu'est-ce qu'il dit?
Alors, on me dit :
— Mais monsieur, représenter la France
par des grimaces, c'est facile!
Pas du tout!
Avant, c'était facile, parce que la France
avait un profil de médaille.
Pour la représenter, il suffisait
de montrer son bon profil!
Tandis que maintenant, pour représenter
la France, il faut au moins ça...
(Affreuse grimace.)
C'est la France défigurée!
C'est pour cela que chaque fois
qu'il y a un Festival international
de la grimace et qu'il faut y représenter
dignement la France,
on envoie un clown...
un grimacier...!

J'ai le faux rire

J'ai le faux rire !
Ha ! Ha !
Quelquefois, on me dit, le plus sérieusement du monde :
— Pourquoi, sur scène, portez-vous une perruque ?
C'est faux ! Ou alors, c'est une fausse perruque !
Ce sont mes vrais cheveux, mesdames et messieurs,
mes cheveux de tous les jours que je me suis laissé
pousser comme on se laisse pousser la barbe !
Pourquoi ?
Parce que dessous, j'ai un crâne chauve, tout bosselé !
J'ai voulu enfoncer une porte ouverte.
Je suis rentré dedans la tête la première.
Non seulement c'était une fausse porte,
mais en plus, elle était fermée !
Je me suis fait mal !
Depuis, j'ai sur le haut du crâne une bosse
en forme de chapeau pointu... Turlututu !
— Môssieur ?
— Oui, môssieur ?
— Pourquoi sur la piste vous maquillez-vous ?

Vous avez l'air d'un vrai clown!
C'est faux!
C'est dans la vie que j'ai l'air d'un vrai clown!
Si vous voyiez mon visage de tous les jours,
il n'est pas présentable!
Là, vous ne pouvez pas vous en rendre compte
parce que j'ai un fond de teint!
Mais sous le fard, j'ai deux grandes paupières
blanches
surmontées de deux sourcils en accent
circonflexe!
Sous mon faux nez...
(parce que le nez que je porte est faux,
c'est un nez postiche, en carton-pâte!)
... dessous, j'ai un gros nez rouge lumineux!
Sous mes faux cils, là, j'ai deux petites larmes
aux yeux qui dégoulinent sur une grande bouche
fendue de là à là... (il fait le geste,
d'une oreille à l'autre),
si bien qu'on ne sait jamais
si je ris ou si je pleure!
Ha! Ha!
J'ai le faux rire!
— Môssieur?
— Oui, môssieur?
— Pourquoi sur la piste vous déguisez-vous?
Vous avez l'air d'un vrai clown!
C'est faux, c'est dans la vie que je me déguise.
Si vous voyiez mon costume de tous les jours,
il n'est pas présentable!
Là, vous ne pouvez pas vous en rendre compte
parce que j'ai mon costume de scène par-dessus,
mais sous mon pantalon bleu, j'en ai un rose bonbon

qui dégouline sur deux grands pieds plats immenses!
Là, vous ne pouvez pas les voir parce qu'ils sont
dans mes petits souliers!
J'ai mis mes grands pieds plats dans les petits!
Sous mon petit nœud où les petits pois sont verts,
j'en ai un gros où les petits pois sont rouges!
Il n'y a que le faux col qui soit vrai!
Ha! Ha!
Tellement je ris, j'en ai mal à mon faux ventre!...
Parce que je suis un faux gros ventre, parfaitement!
J'ai la fausse bosse du ventre,
comme Polichinelle
avait la fausse bosse au dos.
Le drame, c'est que lorsque je rentre la fausse
bosse du ventre,
j'ai la fausse bosse du dos qui sort!
De ventru, je deviens bossu!
Faux ventre, faux dos! (Démonstration de l'artiste.)
Faux ventre, faux dos!
Et quand ça glisse, faux cul!
(Ah, fausse note!)
— Môssieur?
— Oui, môssieur?
— Pourquoi sur la piste vous contrefaites-vous?
— Mais je ne me contrefais pas, môssieur!
Je fais le chameau!
— Alors, qu'est-ce que vous attendez pour vous mettre à
quatre pattes?
— J'attends les deux pattes de devant, môssieur!
Moi, je ne suis que les deux pattes de derrière.
Vous n'auriez pas vu passer une tête de chameau
sur ses deux pattes avant?

— Ah si! J'ai bien vu passer un chameau,
mais il était complet!
— Ça ne fait rien, môssieur,
je prendrai le suivant!

Le clairon

L'artiste (prenant sur le piano un clairon) :
Je vais vous faire une petite sonnerie !
L'attaque !
L'attaque !
Si vous n'avez pas ça (faciès),
vous ne pouvez pas attaquer...
Il faut jouer du violon !
Il faut se mettre en condition de l'attaque !
(Il joue les premières mesures
puis termine en pleurnichant.)
Excusez-moi !
Chaque fois que je sonne l'attaque,
je repense à mon grand-père !
Parce que mon grand-père a rendu son dernier
souffle dans ce clairon !
Sur le champ de bataille, s'il vous plaît !
Il sonnait l'attaque... et...
l'ennemi a attaqué...
Il a pris un boulet dans le pavillon...
Sloup !

Il a avalé l'embouchure...
Gloup!
Et il a rendu l'âme...
Rhaah!
Lorsqu'on a rapporté son clairon à sa veuve,
elle a dit :
— Mais quelle idée aussi d'aller faire
de la musique dans un moment pareil?
Alors, mon père a repris le flambeau.
Parce que mon père a fait toutes les guerres
en tant que clairon.
D'ailleurs, pour mon père,
la guerre, c'était une belle sonnerie...
Il les a toutes faites!
Il a sonné toutes les attaques de la guerre
14-18, et toutes les retraites
de la guerre 39-45!
Et il est mort à la retraite
d'une attaque dans son lit!
Le destin!
Attention :
Il y a sonnerie et sonnerie!
Il ne faut pas se tromper de sonnerie...
Exemple :
Ouvrez le ban... (Il le joue sur son clairon.)
Fermez le ban... (Il le joue également.)
C'est la même chose!
Alors, le soldat qui n'a pas entendu
qu'on ouvrait le ban
quand on le ferme, il croit qu'on l'ouvre!
Alors, il attend qu'on le ferme!
Quand on l'ouvre à nouveau,

il croit que c'est la fermeture
et il rentre chez lui!
C'est comme ça qu'on perd les guerres!
Parce que les clairons...
(j'allais dire : ils sont tous un peu
sonnés. Excusez-moi!)
En ce qui concerne mon voisin, c'est vrai!
Mon voisin, c'est mon professeur de clairon...
Déjà, pendant la guerre, il était porte-drapeau.
Il a tellement pris l'habitude de brandir un drapeau,
que depuis qu'il n'a plus de drapeau,
il ne brandit plus!
Il est hébété!
Parce qu'un homme qui ne brandit plus,
il est hébété.
Quelquefois, j'entends sa femme
qui lui crie :
— Mais brandis autre chose!
Il lui dit :
— Non! C'est un drapeau ou rien!
Elle lui dit :
— Accroche un drap blanc au bout d'un manche à balai et
brandis-le!
Alors lui :
— Capituler?... Jamais!
De plus, il n'a pas d'oreille!
Il n'entend pas ce qu'il joue!
Alors, quand il me donne une leçon,
il me dit :
— Écoutez!
(L'artiste joue une note filée puis
porte l'embouchure à son oreille,

se servant du clairon comme d'un cornet
acoustique.)
On perd un temps fou !

Prêter l'oreille

« Mesdames et messieurs,
si vous voulez bien me prêter une oreille attentive... »
Quelle phrase!
Voulez-vous me prêter l'oreille?
Il paraît que quand on prête l'oreille,
on entend mieux.
C'est faux!
Il m'est arrivé de prêter l'oreille à un sourd,
il n'entendait pas mieux!
Il y a des phrases comme ça...
Par exemple, j'ai ouï dire qu'il y a des choses
qui entrent par une oreille
et qui sortent par l'autre.
Je n'ai jamais rien vu entrer par une oreille
et encore moins en sortir!
Il n'y a qu'en littérature qu'on voit ça.
Dans Rabelais, nous lisons que
Gargamelle a mis Gargantua au monde
par l'oreille gauche.
Ce qui sous-entend que par l'oreille droite...

il devait se passer des choses !
Des cris et des chuchotements !
De quoi vous faire dresser l'oreille !
Alors, on me dit :
— Mais monsieur, quand on parle de choses qui entrent
par une oreille et qui ressortent par l'autre,
on ne parle pas de choses vues
mais de choses entendues.
J'entends bien !
Un son peut entrer par une oreille
mais il n'en sort pas !
Par exemple, un air peut très bien entrer
dans le pavillon de l'oreille.
Une fois entré, il ne sort plus !
Je prends un air au hasard,
un air qui me traverse... la tête :
Viens dans mon joli pavillon !
Eh bien, dès qu'il est entré dans le pavillon,
il n'en sort plus ! C'est fini !
C'est ce qu'on appelle une rengaine.
Une rengaine, c'est un air qui commence
par vous entrer par une oreille
et qui finit par vous sortir par...
les yeux !

Ouï-dire

Il y a des verbes qui se conjuguent
très irrégulièrement.
Par exemple, le verbe OUÏR
Le verbe ouïr, au présent, ça fait :
J'ois... j'ois...
Si au lieu de dire « j'entends », je dis « j'ois »,
les gens vont penser que ce que j'entends est joyeux
alors que ce que j'entends peut être
particulièrement triste.
Il faudrait préciser :
« Dieu, que ce que j'ois est triste ! »
J'ois...
Tu ois...
Tu ois mon chien qui aboie le soir au fond des bois ?
Il oit...
Oyons-nous ?
Vous oyez...
Ils oient.
C'est bête !
L'oie oit. Elle oit, l'oie !

Ce que nous oyons, l'oie l'oit-elle ?
Si au lieu de dire « l'oreille »,
on dit « l'ouïe », alors :
l'ouïe de l'oie a ouï.
Pour peu que l'oie appartienne à Louis :
— L'ouïe de l'oie de Louis a ouï.
— Ah oui ?
Et qu'a ouï l'ouïe de l'oie de Louis ?
— Elle a ouï ce que toute oie oit...
— Et qu'oit toute oie ?
— Toute oie oit, quand mon chien aboie
le soir au fond des bois,
toute oie oit :
ouah ! ouah !
Qu'elle oit, l'oie !...
Au passé, ça fait :
J'ouïs...
J'ouïs !
Il n'y a vraiment pas de quoi !

Le petit poussin

Récemment, je suis entré
dans une auberge pour y dîner et sur la carte,
il y avait marqué : « Poussin rôti ».
Et... j'ai commandé un poussin rôti.
J'ai vu arriver un petit poussin...
dans une assiette... Hamm!!!
Je n'en ai fait qu'une bouchée
dans mon gros ventre!
Un petit poussin!
Vous avez déjà vu un petit poussin?
C'est mignon à croquer!
C'est une petite boule jaune...
Ça fait : cui-cui...
Il n'était pas cuit!
Et je n'en ai fait qu'une bouchée
dans mon gros ventre!
Ça aurait été une vieille poule, encore...
Bon!
Une dure à cuire... elle a vécu!
(Elle a fait son temps!)

Mais un petit poussin...!
J'aurais mieux fait d'aller me faire cuire un œuf!
Oh, ça ne vaut guère mieux!
Chaque fois qu'on va se faire cuire un œuf,
c'est comme si on envoyait
un poussin se faire cuire!
Parce que, qu'est-ce qui fait le poussin?
C'est l'œuf!
Et encore... on ne sait plus!
Il y a ce fameux dilemme que chacun connaît
Qu'est-ce qui fait l'œuf?
C'est la poule! Bon!
Jusque-là, il n'y a rien à dire.
On est tous d'accord.
Mais qu'est-ce qui fait la poule?
... C'est l'œuf!
Alors, la question est :
Qui a commencé?
Est-ce l'œuf le père de la poule,
ou la poule la mère de l'œuf?
Ça ne peut pas être le coq!
Les coqs, eux, ne pondent pas d'œufs!
Quoiqu'il n'y ait pas de poules sans eux! (œufs)
Sans eux... les coqs!
Comme il n'y a pas de coqs sans elles... (ailes)
Sans elles, les poules!
Évidemment! Parce que sans ailes,
il n'y aurait ni coqs,
ni poules, ni poussins!
Et ce serait tant mieux!
Parce que j'aurais mangé autre chose!
J'aurais mangé du veau...

Un petit veau!
Vous avez déjà vu un petit veau?
Un vieux bœuf... bon!
Passe encore. Il a vécu...!
Mais un petit veau...
Vous avez déjà vu une petite tête de veau...?
A la vinaigrette!
J'aurais mieux fait de manger un œuf,
parce que, comme on dit,
qui mange un œuf
mange un bœuf!

Alimenter
la conversation

Mesdames et messieurs,
avez-vous remarqué qu'à table les mets
que l'on vous sert vous mettent les mots à la bouche ?
J'en ai fait l'observation
un jour que je dînais seul.
A la table voisine...
il y avait deux convives qui mangeaient
des steaks hachés...
Et tout en mangeant,
ils alimentaient la conversation.
Au début du repas,
tandis que l'un parlait,
l'autre mangeait... et inversement !
L'alternance était respectée.
Et puis...
les mets appelant les mots
et les mots les mets...
ils se sont mis à parler et à manger
en même temps :
— Ce steak n'est pas assez haché, disait l'un.

— Il est trop haché pour mon goût, disait l'autre.
Les mots qui voulaient sortir
se sont heurtés aux mets qui voulaient entrer...
(Ils se télescopaient!)
Ils ont commencé à mâcher leurs mots et
à articuler leurs mets!
Très vite, la conversation a tourné au vinaigre.
A la fin, chacun ayant ravalé ses mots
et bu ses propres paroles,
il n'y eut plus que des éclats de « voie » digestive
et des « mots » d'estomac!
Ils ont fini par ventriloquer...
et c'est à qui aurait le dernier rot!
Puis l'un d'eux s'est penché vers moi.
Il m'a dit :
— Monsieur, on n'écrit pas la bouche pleine!
Depuis, je ne cesse de ruminer mes écrits!
Je sais...
Vous pensez :
« Il a écrit un sketch alimentaire,
un sketch haché! »
Et alors?
Il faut bien que tout le monde mange!

Le mille-feuille

L'artiste (essayant de fermer sa veste) :
Regardez...
(Il tente de boutonner sa veste sans y parvenir.)
Je peux presque la boutonner.
J'ai terriblement maigri...
Avant, les pans m'arrivaient ici...
(Il recule les deux pans de sa veste de plusieurs
centimètres.)
Et aujourd'hui... tenez !
(Il rapproche les deux pans qui ne sont pas très loin de se
toucher. Il refait le mouvement comme un tailleur se
mesurerait la taille.)
J'ai terriblement maigri !
A la suite d'un pari que j'ai fait
et que je ne regrette pas...
Figurez-vous que récemment, à la fin d'un bon repas,
tandis que l'on apportait les pâtisseries,
quelqu'un me dit :
— Pourquoi n'écririez-vous pas un monologue sur la
faim... la faim dans le monde ?

J'ai dit :

— Parce que ce ne serait pas drôle !

Il me dit :

— Si ! Si c'est vous qui crevez de faim, les gens vont mourir de rire !

J'ai dit :

— S'il n'y a que ça pour les amuser, d'accord ! Je m'y mets et tout de suite !

J'ai repoussé les pâtisseries et j'ai quitté la table.

Comme j'avais un peu oublié ce que c'était que d'avoir faim, j'ai fait maigre...

J'ai jeûné... j'ai jeûné...

Cela s'est vu tout de suite.

L'entourage :

« Tiens ? Le vieux jeûne ! »

Dès que je me suis senti le ventre creux...

(de l'intérieur),

j'ai compris que la faim était proche !

Je suis rentré chez moi et j'ai écrit

le commencement de la faim.

J'ai commencé par la faim :

« Il était une fois... la faim ! »

Et pendant toute l'histoire,

je n'ai fait que parler de la faim... la faim... la faim...

Si bien qu'à la fin, j'ai été pris d'une telle fringale...

J'ai fourré mon manuscrit dans ma poche.

Je me suis précipité chez le pâtissier le plus proche, et devant la pâtisserie, il y avait un pauvre qui mendiait :

— Monsieur, s'il vous plaît ?

Je lui dis (ce que je réponds toujours en pareil cas) :

— J'ai déjà donné !

— Oh ! il me dit, pas à moi !

Je suis un nouveau pauvre,
je ne suis encore sponsorisé par personne!
Je lui dis :
— Que ne le disiez-vous!
Je lui donne une pièce en lui disant :
— Surtout, dites bien partout que c'est moi qui vous l'ai
donnée!
Il me signe un reçu pour mes impôts... et il s'engouffre à
l'intérieur de la pâtisserie.
Je jette un coup d'œil derrière la vitre... et je vois... parmi
des pâtisseries de toutes sortes... un mille-feuille... épais
comme ça... avec de la crème entre chaque feuille, qui
débordait...
nappé de sucre glace blanc...
Aussitôt, j'entends une voix intérieure qui me dit :
« Tu ne vas tout de même pas manger ce mille-feuille à
toi tout seul? »
Et puis, une autre voix intérieure, encore plus profonde,
qui me dit : « Chiche! »
(Oh, j'en étais bien capable!)
Et puis, une troisième voix intérieure que je ne me
connaissais pas :
« Tu vas partager ce mille-feuille en trois.
Tu en donneras deux tiers au tiers monde et tu garderas
le troisième pour toi! »
Là, je me suis dit :
« Je ne voudrais pas marchander...
mais deux tiers pour le tiers monde, est-ce que cela ne
fait pas un tiers de trop?
Et puis... est-ce que cela leur parviendra? »
Pour peu qu'il y ait un intermédiaire peu scrupuleux, qui
se moque du tiers monde comme du quart, qui détourne

un des deux tiers à des fins personnelles, je préférerais manger les trois tiers en entier!

Au moins, je saurais où ça va!

Et puis la question s'est posée :

Où manger un pareil mille-feuille?

On ne peut pas manger un pareil mille-feuille devant tout le monde! Ce serait indécent.

Il faut se cacher!

Mais où? Où se cacher?

Dans une église?... Peut-être.

Oui, dans une église!

Oui, mais si le curé me surprend?

... Je ferai semblant de feuilleter...

(Il fait le geste de tourner les pages d'un livre pieux... tout en humectant son doigt censé être plein de crème...)

Non!... Derrière un pilier?

Oui, mais il y a Dieu là-haut qui voit tout...

Dieu :

— Alors, on joue les Don Camillo?

Moi qui te prenais pour la crème des hommes...

Moi :

— Seigneur, ce ne sont que de pauvres feuilles!

Lui :

— Oui! Mais il y en a mille!

Pense à ceux qui ont faim, homme de peu de foi...

Pour ta pénitence, tu me copieras cent fois le mot faim... et sans fin, le mot foi!

J'ai pensé : « Je ferais peut-être mieux de prendre une religieuse... »

Et tout à coup, qui je vois derrière la vitre?

(Je vous le donne en mille!)

Une religieuse... une vraie... authentique... nappée de ... (se reprenant) coiffée de... deux gaufrettes...

(se reprenant) deux cornettes en...
Enfin... elle désignait mon mille-feuille du doigt!
Alors, j'ai frappé à la vitre :
— Hé, ma sœur! Non, non!
Il est à moi, ce gâteau...
Vous pouvez faire une croix dessus!
Comme elle semblait ne pas comprendre, j'ai essayé de l'influencer... mentalement :
« Non, non! Pas ce mille-feuille!
Tu ne vas pas prendre ce mille-feuille!
Tu vas prendre une tarte...
Tu vas la prendre, la tarte! »
Pour plus de sécurité, je suis entré dans la pâtisserie et j'ai entendu la religieuse :
— Donnez-moi vingt-quatre nonnettes!
c'est pour les pauvres de la paroisse.
La vendeuse :
— Et vous, madame?
La dame :
— Pour mes pauvres à moi, je voudrais douze éclairs au chocolat!
Et dans un coin, il y avait mon pauvre... qui disait :
— Est-ce que je pourrais avoir...?
La vendeuse :
— Une seconde, s'il vous plaît!
Et vous, madame?
— Je voudrais vingt babas au rhum, c'est pour mes pauvres...
Et mon pauvre, dans son coin :
— Est-ce que je pourrais avoir...?
La vendeuse :
— Une seconde, s'il vous plaît!

Et vous, madame?

La dame :

— Pour mes pauvres, je voudrais des chaussons aux pommes!

La vendeuse :

— Combien?

— Quinze paires!

Et dans son coin, mon pauvre :

— Est-ce que je pourrais avoir...?

La vendeuse (excédée) :

— Une seconde, non!

Vous voyez bien que tout le monde s'occupe de vous!

Et vous, monsieur?

— Moi, je voudrais ce mille-feuille-là!

Et je vois, de l'autre côté de la vitre, deux grands yeux qui me regardaient...

un petit visage d'enfant... blême... (amaigri)...

Cela m'a rappelé des images insoutenables... que je croyais effacées de mon esprit...

Là, j'ai dit :

« On ne rit plus

Là, on ne peut plus rire! »

La vendeuse :

— C'est pour manger tout de suite?

J'ai dit :

— Non, c'est pour offrir!

J'ai pris le mille-feuille. Je l'ai payé et je suis sorti... Je l'ai donné au gosse.

(Après un certain silence qui devrait être chargé d'émotion :)

Ce qui m'a fait le plus plaisir... c'est que le gosse est allé se cacher derrière moi pour le manger!

D'autant que les gens s'étaient arrêtés!

Une maman disait à sa petite fille :

— Tu le reconnais ? C'est le comique qui fait la grève de la faim... pour nous distraire !

Et la petite fille :

— Maman, qu'est-ce que ça mange, un comique ?

Alors là, l'homme de spectacle que je suis a repris le dessus ! J'ai sorti mon manuscrit de ma poche...

J'ai mordu dedans à pleines dents...

(Petite pantomime de celui qui dévore un mille-feuille.)

— Oh, qu'il est bon !

Et j'ai mangé tout mon manuscrit, feuille après feuille... sauf la dernière !

Alors, les gens qui veulent toujours connaître le mot de la fin :

— Pourquoi ne mangez-vous pas la dernière feuille ?

J'ai dit :

— Eh !

Et la part du pauvre ?

La chute ascensionnelle

L'artiste (jonglant avec trois petites boules rouges) :
Avant, je jonglais avec trois boules de trois kilos...
Et puis, j'ai pris une boule sur la tête!
Alors, j'ai réduit le matériel.
A un moment, je lançais une boule de trois kilos
à trois mètres de hauteur,
et au moment où elle devait me tomber sur la tête,
je faisais ça... (un écart)
et la boule tombait là! (à côté de ses pieds).
Un soir, je lance ma boule de trois kilos
à trois mètres de hauteur...
Au moment où elle devait me tomber sur la tête,
je fais ça... (il fait un écart) et je la prends dessus!
Je me suis tassé de trois centimètres!
Tenez!
(Il va chercher la boule et la montre.)
La voilà!
Ce ne sont pas des paroles en l'air!
Alors, on a dit :
— Oui... Depuis que Devos a pris une boule

sur la tête, il n'est plus comme avant...
il est mieux !
Et c'est vrai ! !
Grâce au ciel !
Parce que avant, j'étais un mécréant !
Je ne croyais ni à Dieu ni à Diable !
Je me permettais de questionner le Ciel :
— Dieu... si tu es là-haut,
envoie-moi une preuve de ton existence !
Et Lui... (signe qu'il l'a bien reçu)
Vlaff !
(Il laisse tomber la boule sur le sol.)
Irréfutable !
C'est comme si le Ciel m'était tombé sur la tête !
Quand je me suis retrouvé à genoux,
j'ai compris que j'avais la foi !
Une foi inébranlable !
Parce que même avec Dieu,
il ne faut pas tenter le Diable !
Alors, on a dit...
(Que n'a-t-on pas dit !)
— Oui... Si Dieu a envoyé une boule sur la tête
de Devos, c'est pour qu'on parle de Lui !
... Pas de moi... de Dieu !
Moi, je n'en ai pas besoin !
Eh bien, mesdames et messieurs,
depuis que j'ai pris
cette boule sur la tête,
je lévite...
... (précisant) je lévite... du mot léviter...
la lévitation... je m'élève... je quitte le sol...
je m'élève dans les airs... de ça, à peu près...

(il montre la hauteur avec la main à l'horizontale).

Alors, les gens :

— Pourquoi ne montez-vous pas plus haut ?

C'est que si j'arrive à vaincre la pesanteur, je ne la supprime pas... et Dieu merci !

Parce que si on supprimait la pesanteur,

cette boule... (il la ramasse)

au lieu de tomber comme une pierre,

elle s'élèverait dans les airs... comme un ballon !

Et moi avec !

Je tomberais en haut !

Et là-haut, il n'y a pas de fond !

C'est l'éternelle chute !

Parce que, lorsqu'on tombe dans un gouffre,

il y a un fond...

On le dit : « J'ai touché le fond. »

Ou bien on se raccroche à une racine, je ne sais
quoi... Mais là-haut ?

A quoi voulez-vous vous raccrocher ?

A une nébuleuse ?...

Je tomberais en haut... la chute ascensionnelle !

Les gens :

— Où est Devos ?

— En pleine ascension !

L'irrésistible ascension de Devos !

— Que fait-il là-haut ?

— Il tourne autour de sa boule, comme un satellite... Il
est à son apogée !

— Quand redescendra-t-il parmi nous ?

— Dieu seul le sait !

Devos super-star !

L'inaccessible étoile !

Alors, lorsque je serais devenu invisible,
les controverses :
— S'est-il envolé vers la gloire
ou est-il tombé dans l'oubli ?
Alors, les uns, les inconditionnels :
— Devos existe... je l'ai rencontré !
Les autres, les mécréants :
— Devos, si tu es là-haut...
envoie-nous une preuve de ton existence !
Alors moi...
(Il laisse tomber lourdement la boule sur le sol.)
La voilà, la preuve !

Un ange passe

On dit parfois que j'extravague...
que je délire...
Pourtant, il n'y a pas plus raisonnable que moi !
Il n'y a pas d'esprit plus cartésien que le mien !
Je ne fais que rapporter les faits
tels que je les observe.
Il est évident qu'il y a observer et observer !
Cela dépend du sens que l'on donne au mot « observer ».
Exemple :
Quand on demande aux gens d'observer le silence...
au lieu de l'observer, comme on observe
une éclipse de lune,
ils l'écoutent... et tête baissée, encore !
Ils ne risquent pas de le voir, le silence... !
Parce que les gens redoutent le silence.
Ils le redoutent !
Alors, dès que le silence se fait,
les gens le meublent.
Quelqu'un dit :
— Tiens ? Un ange passe !

alors que l'ange, il ne l'a pas vu passer!
S'il avait le courage, comme moi,
d'observer le silence en face,
l'ange, il le verrait!
Parce que, mesdames et messieurs,
lorsqu'un ange passe, je le vois!
Je suis le seul, mais je le vois!
Évidemment que je ne dis pas que je vois
passer un ange,
parce qu'aussitôt, dans la salle,
il y a un doute qui plane!
Je le vois planer, le doute!...
Évidemment que je ne dis pas que je vois
planer un doute parce qu'aussitôt,
les questions :
— Comment ça plane, un doute?
— Comme ça! (Geste de la main qui oscille.)
— Comment pouvez-vous identifier un doute
avec certitude?
A son ombre!
L'ombre d'un doute, c'est bien connu...!
Si le doute fait de l'ombre,
c'est que le doute existe...!
Il n'y a pas d'ombre sans doute!
Et l'on sait le nombre de doutes au nombre d'ombres!
S'il y a cent ombres, il y a cent doutes.
Je ne sais pas comment vous convaincre?!
Je vous donnerais bien ma parole,
mais vous allez la mettre en doute!
Le doute... je vais le voir planer...
Je vais dire :
— Je vois planer un doute.
Aussitôt, le silence va se faire...

Quelqu'un va dire :
— Tiens ? Un ange passe !
Et il faudra tout recommencer !
A propos de l'ange, aussi, on m'en pose
des questions insidieuses :
— Dites-moi, votre ange là,
de quel sexe est-il ?
Alors là... (geste de la main qui oscille),
je suis obligé de laisser planer un doute,
parce que je n'en sais rien !
— D'où vient-il ?
Il va vers sa chute !
Parce que l'ange, attiré par la lumière des projecteurs
s'y précipite...
Ébloui, l'ange s'y brûle les ailes et l'ange choit !
Et un ange qui a chu est déchu !!
Mesdames et messieurs... à la mémoire de tous les anges
qui sont tombés dans cette salle,
nous allons observer une minute de silence...
(L'artiste voyant « passer » un ange, les gens rient.)
(L'artiste avec un geste de la main qui oscille :)
Il n'y a que des doutes qui planent !

L'inconnu
du 11 Novembre

A propos de minute de silence,
le 11 Novembre dernier,
j'étais sous l'Arc de Triomphe.
Le président de la République
était en train de ranimer la flamme du tombeau.
Toute l'armée française
était sur le pied de guerre...
au repos !
Tout à coup, à côté de moi,
j'observe un soldat qui ne m'était pas inconnu...
!!...
Profitant de la minute de silence,
je lui dis...
(parce que l'on peut en dire, des choses,
pendant une minute de silence) :
— Dites-moi, votre visage ne m'est pas inconnu ?
Il me dit :
— Ça m'étonnerait ! Personne ne me connaît !
Moi-même, je ne me connais pas !

Je lui dis :

— Pourtant, vous faites bien partie d'un bataillon ?

Il me dit :

— Oui, mais j'y suis inconnu !

...!!

Je lui dis :

— Vous êtes inconnu au bataillon ?...

Pourtant, vous avez bien un nom ?

Il me dit :

— Oui. On m'appelle « Hep ! ».

Je lui dis :

— Hep ?... Ce n'est pas un nom !

Il me dit :

— Non, c'est un diminutif !

Mon véritable nom, c'est : « Hep ! Toi là-bas, oui toi ! »

!!...

Et puis, la minute de silence se termine.

Je relève la tête...

Il n'était plus là !

...

Et puis, tout à coup,

je crois le reconnaître.

Je lui crie :

— Hep ! Toi là-bas, oui toi !

...

Le président de la République se tourne vers moi...

Il me dit :

— Moi ?

Je lui réponds :

— Non, pas toi !

... Je ne l'avais pas reconnu !

Il y a quelqu'un derrière

L'artiste est seul sur scène.
(Après s'être retourné rapidement plusieurs fois :)

C'est drôle...!
Tout à coup, j'ai eu l'impression
qu'il y avait quelqu'un derrière moi!
Cela m'arrive parfois
quand je suis tout seul.
Tout à coup, j'ai l'impression
qu'il y a quelqu'un derrière moi.
Je me retourne... et puis,
il n'y a personne!
Cela arrive à d'autres aussi!
Je ne sais plus qui me disait
qu'il connaissait un monsieur qui,
lorsqu'il était tout seul,
avait toujours l'impression
qu'il y avait quelqu'un derrière lui.
Alors, il se retournait tout le temps...
Et finalement, il n'y avait jamais personne!

Et il ajoutait :

— Il doit être détraqué!

Je lui dis :

— Détraqué, c'est vite dit!

D'abord, comment savez-vous qu'il n'y avait
personne derrière lui, puisqu'il était tout seul?

Il me dit :

— Parce que j'étais là!

Je lui dis :

— Donc, il y avait quelqu'un!

Il me dit :

— Il ne pouvait pas me voir.

J'étais derrière!

Je lui dis :

— Oui! Mais ça justifiait son impression

Et à part vous, derrière lui,

il n'y avait personne?

Il me dit :

— Non, j'étais tout seul!

Je lui dis :

— Ah oui!... Mais alors, qui me prouve
que ce n'est pas vous qui avez eu l'impression
qu'il y avait quelqu'un devant vous?

— Hé! Cela justifierait tout!

Vous avez eu l'impression qu'il y avait
quelqu'un devant vous, lequel forcément
vous donnait l'impression qu'il y avait
quelqu'un derrière, puisque vous y étiez!

Il avait du mal à me suivre, hein!

Il me dit :

— D'abord, s'il n'y avait eu personne devant,
je l'aurais vu!

Je lui dis :
— C'est justement quand il n'y a personne devant
qu'on ne la voit pas!
Là, il ne me suivait plus du tout!
Et pourtant, j'avais toujours l'impression
qu'il était derrière moi.
A un moment, je me retourne...
et puis, il n'y avait personne!...
Ça justifie ce que je viens de vous dire.
Vous me suivez, là?
Alors, écoutez...!
(Directement au public :)
S'il vous arrive, comme à moi en ce moment,
d'avoir l'impression qu'il y a quelqu'un derrière vous,
ne vous retournez pas!
Parlez-lui.
(S'adressant, sans se retourner, à quelqu'un qui
est censé être derrière lui :)
— Je sais que vous êtes derrière moi, vous savez...
Vous pouvez rester; ça ne me dérange pas!
Maintenant, ce que vous y faites...
(Interrogeant le public :)
Qu'est-ce qu'il fait?
Il fait des grimaces...
C'est ce qu'ils font tous,
quand ils sont derrière vous,
ils font des singeries... les primitifs!
Si vous permettez, je voudrais vérifier une chose!
Parce que là, j'ai l'impression qu'il y a
quelqu'un derrière moi...
Je me demande, si je me retournais...
Est-ce que j'aurais l'impression

qu'il y a quelqu'un devant?
(Il se retourne.)
C'est drôle!
J'ai toujours l'impression qu'il y a
quelqu'un derrière!

Supporter l'imaginaire

La force de l'imaginaire!
On s'imagine que l'imaginaire,
c'est léger... c'est futile!
alors que c'est primordial!
Seulement, il faut faire attention!
Lorsqu'on a la prétention, comme moi,
d'entraîner les gens dans l'imaginaire,
il faut pouvoir les ramener dans le réel,
ensuite... et sans dommage!
C'est une responsabilité!
Parce que vous entraînez les gens dans
l'imaginaire et puis, il y en a qui vont
plus loin que vous! Et vous rentrez tout seul!
Pendant un certain temps, sur scène,
je mimais un monsieur qui a soif et qui boit...
et qui fume!
Je commençais par mimer les objets...
Pour bien mimer les objets,
il faut les sentir, de telle sorte
qu'ils finissent par exister...

aux yeux des autres, pas aux miens!
(Moi, je ne suis pas dupe. Je suis l'artiste!)
Je commence par mimer un monsieur qui se roule
une cigarette... (Il mime tout ce qui suit :)
Le papier... le tabac...
Je passe les détails...
Il se les roule lui-même!
On voit la cigarette, là?
Merci beaucoup!
La langue, on la voit?
Boîte d'allumettes...
(Il mime celui qui, par deux fois, craque une allumette
sortie de sa boîte, allumette qui casse.)
(A la troisième fois, il allume réellement une cigarette.
La rejetant loin de lui :)
Rhahh!
Là, je suis allé trop loin!
Je recommence...
C'est un monsieur qui a soif et qui boit
... et qui a cessé de fumer parce que
ce n'est pas bon pour sa santé!
Je commence par mimer les objets...
On voit bien le verre, en transparence?
La bouteille... on la sent bien?
Elle est flagrante!
Moi, j'ai tellement l'habitude
que j'arrive à voir l'étiquette.
Vous, vous ne pouvez pas la voir...
Forcément, elle est là...
(Il retourne rapidement sa main.)
Là, il faut faire vite,
sans cela, on voit tout!

Je commence par me servir un verre de vin...
(Il le mime puis mime celui qui boit.)
Il est bon... et puis, il est frais !
Alors, quand il fait chaud dans la salle,
les gens... (il se passe la langue sur les lèvres).
Au quatrième verre, j'arrête !
Parce qu'il y a des gens qui se lèvent
et qui se rendent au bar !
Il y en a d'autres qui montent
sur le plateau pour trinquer avec moi !
Cela m'est arrivé...
Un jour, un monsieur du premier rang...
il monte sur le plateau...
il me tend son verre... enfin,
il me tend la main...
Je la lui sers... enfin... je la lui remplis.
Il la boit.
Il me dit :
— C'est un bon cru !
Je lui dis :
— Je le crois !
Il me dit :
— Allez, on remet ça !
Je lui dis :
— Une seconde !
L'imaginaire, c'est comme tout !
Il ne faut pas en abuser !
Parce que tout à l'heure...
(geste de monter à la tête).
Le temps que je fasse ça, je le vois qui fait ça...
(geste de rattraper quelque chose.)

Je lui dis :
— Qu'est-ce qu'il y a?
Il me dit :
— Heureusement que je l'ai rattrapée!
Je lui dis :
— Quoi?
Il me dit :
— La bouteille!
Quand vous avez fait ça... (il le refait)
vous l'avez lâchée!
Il y croyait, à l'imaginaire!
Il me rend la bouteille...
Ce n'était plus la même!
Elle avait augmenté de volume...
Parce que, comme il avait la main
plus large que la mienne...
(Moi, j'ai une main qui tient à peu près un litre...
Voyez!... La sienne faisait au moins un litre et demi!)
Comme j'y gagnais, je n'ai rien dit!
Lui, il n'a vu que du feu.
Il buvait toutes mes paroles,
et comme je parlais beaucoup,
à un moment, je le vois qui titubait...
Moi, je titubais aussi...
(Mais moi, je n'étais pas dupe. Je suis l'artiste!)
Je lui dis :
—Dites donc! Vous êtes venu en voiture ici?
C'est vous qui conduisez?
Il me dit :
— Oui!... C'est moi qui porte ma voiture
en bandoulière!
(Rappel de « Ceinture de sécurité ».)

Je lui dis :
— Écoutez! Il faut être raisonnable...
Il faut regagner votre siège!
Il me dit :
— D'accord!
Comme il ne tenait plus debout,
je lui glisse le mien.
Il s'y laisse choir... bien!
Rien à dire!
Il me dit :
— Allez, montez! Je vous ramène!
Moi, je n'étais pas dupe :
mais je suis monté quand même!
A un moment, il regarde sa main...
Je lui dis :
— Qu'est-ce que vous regardez? C'est
la carte routière?
Il me dit :
— Non! C'est la carte des vins...
C'est pour éviter les bouchons!
Il me dit :
— Allez, en route!
Quand j'ai vu comment il conduisait...
je lui dis :
— Attention!
J'ai l'impression qu'il y a quelqu'un devant!
Il me dit :
— Moi, j'ai plutôt l'impression qu'il y a
quelqu'un derrière!
Je lui dis :
— C'est vous qui avez raison!
C'est parce que je regardais dans le rétroviseur!
Dites donc! Il y a un gendarme qui nous suit...

Il y a un gendarme qui nous suit!
Arrêtez! Surtout, ne vous retournez pas!
Laissez-moi lui parler!
(S'adressant à quelqu'un derrière :)
Gendarme! Je sais que vous êtes derrière moi,
vous savez! Non, non, vous pouvez rester!
Ça ne me dérange pas!
Je sais que d'où vous êtes, vous devez avoir
l'impression de voir devant vous une voiture
qui fait ça... (geste zigzag)
et vous vous dites que c'est parce que
le conducteur... (geste qu'il est éméché).
Le temps que je fasse ça...
je vois l'autre qui fait ça... (geste de rattraper
la bouteille).
Je lui dis :
— Cachez la bouteille!
Ce n'est pas le moment de la montrer...
Je dis au gendarme :
— Tout ça, c'est de l'illusion!
C'est moi qui ai entraîné ce spectateur
dans l'imaginaire... Or, ce spectateur
ne supporte pas l'imaginaire!
Et à ma grande stupeur, j'entends la voix
d'un gendarme me répondre :
— Que vous soyez dans l'imaginaire, c'est normal,
vous, vous êtes l'artiste!
Mais moi, je suis gendarme et je ne suis pas dupe!
Alors là, j'ai dit au spectateur :
— Écoutez!... Je crois que nous sommes allés
trop loin dans l'imaginaire!
Il faut faire machine arrière et en vitesse!

Il me dit :
— D'accord !
Il met le moteur en route... il met en marche arrière....
Crrr !
J'entends comme un bruit de képi écrasé !
Un choc ! Plus de voiture !
Il n'y avait plus que le siège et moi dessus, évidemment !
Moi, j'en suis sorti indemne...
(Je n'étais pas dupe... Je suis l'artiste !)
Mais le spectateur... Moi, j'ai l'impression
qu'il y est resté, dans l'imaginaire...
Parce que je n'ai retrouvé ni le verre... ni la bouteille !

Les ombres d'antan

(La lumière s'éteint brutalement.)
L'ARTISTE (allumant une bougie) :
Les plombs ont sauté!
LE PIANISTE : Mais non! C'est par économie!
L'ARTISTE (se promenant, la bougie allumée à la main) :
C'est par économie! C'est par économie!
Épargnons! Épargnons!
C'est le mot d'ordre du ministre des Finances :
« Épargnez! Épargnez! Et je vous épargnerai! »
Alors, pour faire des économies d'électricité,
ils ont réduit au minimum les feux de la rampe.
Moi-même, qui ne suis pas une lumière,
je me suis mis en veilleuse...!
J'économise! J'économise sur tout!
J'économise ma salive...
je ne dis plus qu'un mot sur deux.
Exemple : Quand on me demande comment ça va,
au lieu de répondre « très bien »,
je réponds « très » et le bien qui me reste,
je cours le déposer à ma banque!

Regardez!
Oh, la belle obscurité! Oh, que c'est beau!
Il y a longtemps que je n'avais vu
une telle obscurité!
On ne sait plus ce que c'est que l'obscurité.
A force de vouloir faire la lumière
sur tout, on ne distingue plus rien!
Écoutez! Je croyais connaître cet endroit...
Eh bien, à la faveur de la pénombre,
j'y découvre des choses...
Regardez!... regardez ce coin sombre!
(L'artiste indique le côté cour :)
Tout à l'heure, à la lumière,
il passait inaperçu!
(Se dirigeant vers la cour :)
Où est-il passé?
(Revenant au centre :)
Ah! Ce que c'est beau!
Ce sont les ombres d'antan!
On n'en fait plus des comme celles-là!
Les ombres, pour bien les voir,
il faut les regarder à la lueur d'une bougie!
(Citant Brassens :)
Moi, mes amours d'antan, c'était de la grisette,
Margot la blanche caille et Fanchon la cousette!
Où sont les plombs?
A la cave...?
Ah ben, voilà la cave, tiens!
(L'artiste mime l'ouverture d'une trappe
par laquelle il descend :)
Je ne vois pas très bien, mais enfin...
(Il mime la descente d'un escalier tournant, s'appuyant
d'une main contre la paroi.)

116

Je ne vois pas très bien les marches!
A dire vrai, je ne les vois pas du tout!
Il fait froid!
Il fait froid et humide...
ça suinte de partout!
Atchoum!!
(Se tournant vers la trappe fictive :)
La porte, s'il vous plaît!
(Se promenant dans la pièce :)
C'est une cave, ça?
(Arrivant près du piano :)
Ah!... il y a des bouteilles!
(Revenant vers le centre et levant sa bougie :)
Oh!... c'est une grotte!
(Promenant sa bougie :)
Il y a des fresques sur les murs.
(Levant sa bougie :)
Oh! mais c'est plein de têtes de bison,
là-haut!
Il y a des inscriptions là?
(Il promène sa bougie sur une paroi fictive.)
« Attention à la peinture! »
Ça ne date pas d'hier, ça!
Il y a des graffiti paléolithiques...
Et là?... « L'imagination au pouvoir. »
Ça date!
Et là...?
Oh! mais il y a des ossements?
(L'artiste relève sa jambe de pantalon et éclaire
son mollet.)
Oh, un tibia!
(Il relève l'autre jambe et l'éclaire.)

J'ai le même !
(S'approchant du piano :)
Qu'est-ce que c'est que ça ?
C'est un sarcophage ?
(La lueur de la bougie éclaire le pianiste assis au piano.)
Oh, un crâne !
Ça, c'est l'homme de Cro-Magnon !
Quelle belle matière à réflexion !
(Se tournant vers le fond cour :)
Ah, voilà le compteur !
(Il s'en approche et manœuvre une manette fictive.
La lumière revient.)
(Hébété, il regarde autour de lui et aperçoit le pianiste.)
— Vous êtes le pianiste de ce piano ?
(Les gens rient, il les « découvre ».)
Qui sont ces gens ?
LE PIANISTE : C'est un spectacle !
L'ARTISTE : Ah ! C'est un spec-ta-cle !
J'ai dû me tromper d'endroit... J'ai dû faire une fausse
manœuvre.
(Il repart à l'endroit du compteur fictif et en manœuvre la
manette en sens contraire. L'obscurité revient.)
L'ARTISTE (cherchant à s'orienter) : J'ai dû descendre
trop bas !
(Il repère l'escalier et en mime la montée jusqu'à l'arri-
vée sur le palier.)
Je suis déjà venu ici... je suis venu ici...
Je connais cet endroit !
Ah, c'est ici que j'ai fait mes débuts !
Je mimais le funambule, sur ce fil.
Il y avait un escalier, là !
(Musique.)

(L'artiste mime la montée sur la plate-forme,
puis quelques pas sur le fil...)
Je n'ai plus l'habitude...
Je ne vois plus le fil...
Je suppose qu'il est là...
C'est dangereux...
parce que je m'appuie sur une simple
supposition !
Je suppose qu'il est là...
(son pied glisse sur le sol devant lui),
mais il pourrait aussi bien
être ici...
(son pied glisse sur le côté)
ou là...
(son pied glisse de l'autre côté. S'appuyant dessus :)
Tenez !
C'est une question d'imagination !
L'imagination, c'est fabuleux !

L'apparition
de la parente

L'ARTISTE (s'adressant à quelqu'un en coulisse côté cour) :
Comment?... La dame est là?
Bravo!
(Au pianiste :)
La dame est là!
(Devant son air interrogatif :)
C'est une dame que j'ai invitée.
Elle est arrivée.
(A la dame :)
Une seconde, madame, je vous présente tout de suite!
(Au public :)
Mesdames et messieurs, je vais vous présenter
une dame. C'est une proche parente à moi,
une proche parente. Elle s'appelle madame Close.
Dans le temps, elle tenait une agence de voyages.
(Après avoir jeté un coup d'œil en coulisse, baissant
le ton :)
Je vous signale tout de suite qu'elle est assez extra-
vagante.
Figurez-vous qu'il y a quelque temps,

elle a donné une très grande réception chez elle.
Elle m'y a invité... Je m'y suis rendu...
Elle m'a reçu dans l'entrée :
— Venez que je vous présente à mes invités!
Elle m'a fait entrer dans un salon éclairé aux bougies...
où il n'y avait personne! Mais... personne!!
Et là, elle m'a présenté un tas de gens :
— Je vous présente monsieur Untel!
L'ARTISTE (serrant une main imaginaire) : Enchanté!
— Madame Unetelle!
— Oh...! (Même jeu. Baisemain.)
Il y avait un monde là-dedans!
Au bout d'un certain temps
que je jugeais raisonnable, j'ai dit :
— Madame il est tard. Il faut que je me rende au
théâtre... le public m'attend.
Elle me dit :
— Oh... j'aimerais tellement le connaître, votre public!
Je lui dis :
— Madame, à la première occasion, je vous le pré-
senterai!
L'occasion se présentant, je vais vous la présenter...
Il y en a pour deux minutes :
Entrez, madame!
Venez!... Venez!...
(Il va la chercher en coulisse et tend son bras qui dispa-
raît derrière le rideau côté cour.)
(Au public :) Elle n'ose plus!
(Il prend par le bras une « présence » concrétisée par le
spot d'une poursuite et revient au centre de la scène.)
L'ARTISTE (à la dame fictive) : Je vous présente le public,
madame !

(Au public :)

La parente en question!... La parente, pas l'apparente!

(Lorsque le public applaudit, l'artiste dit à la dame :)

C'est pour vous... ils vous applaudissent!

Vous êtes contente?

(La parente lui dit quelque chose à l'oreille.)

Ah non!

(Explication au public :)

Elle veut chanter!

Non! Non! Il faut être raisonnable. Venez!

(La tenant toujours par le bras, il amorce une sortie.)

(Au pianiste :)

Dites? Voulez-vous avoir l'obligeance de raccompagner cette dame en coulisse, s'il vous plaît?

LE PIANISTE (se levant et « prenant » le bras de la dame) : Bien sûr! Venez, madame!

(Le pianiste se dirige vers la coulisse côté jardin.)

L'ARTISTE (avec un petit signe de main) : Je vous téléphone, madame!

(Comme le pianiste et la dame vont pour sortir :)

L'ARTISTE (au public) : Vous voyez qu'il croit n'importe quoi!

La quatrième dimension

Attention! Madame Close existe...
Madame Close existe,
je l'ai rencontrée...
dans un univers parallèle...
dans ce que l'on appelle
la quatrième dimension!
Parce que cette quatrième dimension,
tout le monde en parle et puis personne
n'y est jamais entré, finalement!
Parce que c'est un milieu très fermé.
Si vous n'avez pas de relations,
vous n'entrez pas, là-dedans!
Moi, j'y suis entré par accident...
Figurez-vous qu'un jour, j'étais chez moi...
Tout à coup, j'entends : *uitte!*
C'était une lettre que le postier
venait de glisser sous la porte.
Je l'ouvre...
C'était une invitation de madame Close
à une réception qu'elle donnait

le soir même en sa maison.
Je n'avais rien d'autre à faire.
Je me dis : « Je vais y aller ! »
Je m'habille, je sors...
Je passe chez la fleuriste
pour y acheter quelques fleurs...
chez la crémière pour y acheter
quelques petits-beurres et petits fours.
Et j'arrive devant la maison Close
dont la porte était ouverte...
Et là, j'entends la voix de la concierge
qui me dit :
— Monsieur, la maison Close est fermée !
Je lui dis :
— Pourtant, la porte est ouverte, madame !
— Oui ! Mais la maison est close...
— Écoutez... j'ai une invitation de madame Close...
— Quelle madame Close ?
— C'est une proche parente à moi. Dans le temps,
elle tenait une agence de voyages.
Elle me dit :
— C'est au 36e étage !
Je lui dis :
— Merci, madame !
Je vais prendre l'ascenseur...
(Il mime la scène.)
J'ouvre la grille de l'ascenseur...
Je rentre dans l'ascenseur...
Je referme la grille,
je vais pour appuyer sur le bouton...
Il n'y en avait pas !
Pas de boutons dans un ascenseur ?

Je me dis :
« Ça doit s'expliquer.
Il y a une explication à tout !
Tant pis, je vais prendre l'escalier. »
Je sors de l'ascenseur,
je vais pour prendre l'escalier...
et je m'aperçois que l'escalier
ne dépassait pas le plafond !
Je me dis :
« Ça doit s'expliquer.
Il y a une explication à tout ! »
Je vais voir dehors...
et je m'aperçois que l'immeuble
n'avait pas d'étages...
Eh bien, ça expliquait pourquoi,
dans l'ascenseur, il n'y avait pas de boutons !
Je dis à la concierge :
— Madame la concierge,
il n'y a pas de 36e dessus !
— Mais le 36e, ce n'est pas au-dessus
c'est en dessous !
Effectivement, l'escalier qui ne montait pas
descendait...
J'arrive dans les 36e dessous.
Je tombe sur un mur au milieu duquel
il y avait un trou de serrure.
Intrigué, j'y glisse un œil.
Qu'est-ce que je vois ?
Mon œil qui était passé de l'autre côté !
Je me dis :
« Ce n'est pas possible ! »
J'enfonce mon doigt dans la serrure,

je me le fourre dans l'œil!
Je retire ma main... et je m'aperçois
que mon doigt était resté dans la serrure...
Je me dis :
« C'est peut-être mon doigt, la clef? »
A l'aide des doigts qui me restaient,
je tourne mon doigt dans la serrure...
Il n'allait pas!
Ce n'était pas le bon doigt!
J'essaie l'autre... Trop gros!
Tout le trousseau de doigts y est passé...
Aucun doigt n'allait!
Machinalement pour réfléchir,
je m'appuie contre le mur et... *uitte!*
Je passe au travers!
Vous ne pouvez pas savoir ce que c'est que
de passer à travers un mur!
La jouissance qu'on éprouve!
Parce que la quatrième dimension,
ce n'est pas autre chose!
C'est passer au travers de...
A travers tout!
C'est le voyage dans l'espace!
Et je me retrouve chez moi!
Tout à coup, j'entends : *uitte!*
C'était une lettre que le postier
venait de glisser sous la porte!
Je l'ouvre...
C'était une invitation de madame Close
à une réception qu'elle donnait
le soir même en sa maison.
Donc, je n'avais pas rêvé!

126

Là, je me suis dit :

« Non seulement je peux voyager dans l'espace,
mais en plus, je peux voyager dans le temps! »
Alors, comme j'avais le temps, je me dis :
« Je vais y aller! »
Je vais pour sortir et...
je m'aperçois que ma porte d'entrée
était fermée à clef... mais de l'extérieur!
Intrigué, je glisse un œil
dans le trou de la serrure.
Qu'est-ce que je vois?
Mon œil qui était passé de l'autre côté!
Cela ne m'a pas tellement surpris,
parce que ce n'était pas la première fois!
J'enfonce mon doigt...
je me le refourre dans l'œil!
Comme quoi, on fait toujours les mêmes bêtises!
Et là, je réalise que puisque
je suis dans la quatrième dimension,
je n'ai pas à passer par la porte;
je n'ai qu'à traverser le mur,
comme tout le monde!
Uitte!
Je passe à travers le mur!
Dehors, le ciel était dégagé...
je m'en souviendrai toujours,
parce que je me suis fait l'observation suivante :
« Tant mieux! Tant qu'à faire qu'à voyager dans le
temps, il vaut mieux que le temps soit beau! »
J'arrive devant la fleuriste...
Uitte! Je passe au travers comme une fleur!
La crémière... comme dans du beurre!

J'arrive devant la poste, je la franchis...
comme une lettre!
Et j'arrive devant la maison Close
dont la porte était fermée...
donc, la maison était ouverte!
Et je tombe sur qui? sur la concierge...
une créature de rêve... à trois dimensions!
Je vais pour l'étreindre...
Uitte!... Je passe au travers!
Là, je me suis dit :
« Voyager dans le temps, c'est bien!
Mais il faudrait pouvoir s'arrêter
l'espace d'un instant! »
Et je tombe dans les 36e dessous...
(musique blues) sur madame Close qui me dit :
— Venez que je vous présente à mes invités!
Elle me fait entrer dans un salon éclairé aux bougies
et là, elle me présente un tas de gens :
— Je vous présente monsieur Untel!
— Je le connais bien! Comment allez-vous?...
— Ça va, merci!
— Madame Unetelle!
— Mes hommages, madame!
J'ai serré et baisé des mains...
Il y avait un monde, là-dedans!
— Bonjour! Content de vous voir...
Je vous verrai tout à l'heure!
Au bout d'un certain temps
que je jugeais raisonnable, je lui dis :
— Madame, il est tard.
Il faut que je me rende au théâtre!
Le public m'attend.

Elle me dit :
— Mon pianiste va se faire un plaisir
de vous raccompagner jusqu'au théâtre !
(Le pianiste se lève...
prend le bras de l'artiste
et le dirige vers la coulisse.)
L'ARTISTE (s'éloignant côté jardin, à la dame) :
— Je vous téléphonerai...!

Le bout du tunnel

Mesdames et messieurs,
si vous le permettez
je vais vous montrer le bout d'un tunnel...
Rares sont ceux qui dans le réel
ont vu le bout d'un tunnel!
D'ailleurs, dans un tunnel,
il n'y a que le bout d'intéressant!
Le reste, c'est un trou noir...
Le tunnel est ici!
(Il balaie de sa lampe encore éteinte le plateau
dans toute sa largeur.)
Est-ce que vous voyez le tunnel,
mesdames et messieurs? Non.
(A la cantonade :)
Envoyez le tunnel, je vous prie!
(La scène est soudain plongée dans l'obscurité.)
Là vous le voyez?... Merci beaucoup!
(L'artiste allume sa lampe électrique.)
Le tunnel est ici. L'entrée est là... et le bout est là-bas!
Un type veut voir le bout du tunnel. Bon!

Il entre dans le tunnel...
Il le traverse...
Arrivé au bout du tunnel, il est déçu...
Il dit : Ce bout de tunnel ressemble étrangement
à une entrée!
Il demande au lampiste :
— Le bout du tunnel, c'est bien ici?
Le lampiste lui dit :
— Non! Ici, c'est l'entrée du tunnel!
— Alors, où est le bout du tunnel?
— A l'autre entrée!
— Mais j'en viens!
— Eh bien, il faut y retourner!
Le type se dit : « Si j'avais su que le bout du tunnel
était à l'entrée... je n'aurais pas fait toute
cette traversée pour rien! »
Il repart.
Ce qu'il ignore, c'est que la traversée du tunnel
est plus longue dans ce sens-là que dans l'autre...
Ne me demandez pas pourquoi,
je ne saurais vous le dire!
Arrivé au milieu du tunnel,
comme il n'en voit pas encore le bout
et qu'il n'en distingue déjà plus l'entrée...
il se pose avec angoisse la question :
« Me serais-je égaré? »
Il sort de sa poche le plan du tunnel détaillé...
et il constate que pour le bout du tunnel...
c'est **tout** droit!
On ne peut pas se tromper!
Il n'y a qu'à longer les murs et marcher à tâtons.
Comme il a un vocabulaire restreint,

Il dit :

— Zut! J'ai oublié d'emporter mes tâtons!

Avec quoi vais-je marcher?

Il ignore que « marcher à tâtons »,

c'est mettre un bras devant l'autre

sans regarder où on met les pieds...

Tout à coup, il entend venir un train...

(Au public :)

Vous entendez venir le train, mesdames et messieurs?

Bon, je vais vous le faire entendre...

(Il en fait l'imitation sonore en exécutant quelques pas de claquettes... Il termine par un coup de sifflet strident...)

Tutt!

Vous avez entendu venir le train,

mesdames et messieurs?

LE PUBLIC : Oui!

L'ARTISTE : Merci beaucoup!

Le train passe...

(Balayant rapidement de sa lampe le plateau dans toute sa largeur.)

Il est passé!... C'est un rapide!

Avez-vous vu passer le train,

mesdames et messieurs?

Je vais vous le repasser au ralenti...

(Il passe sa main sur le faisceau de la lampe-torche qu'il retire rapidement, donnant ainsi la vision que peut avoir un voyageur sur un quai de gare, la nuit, regardant défiler devant lui les fenêtres éclairées d'un train qui ne s'arrête pas...)

On peut même distinguer les gens à l'intérieur!

Et à l'intérieur du train, il y a un voyageur

qui voit au milieu du tunnel un lampiste
qui fait ce que je fais..
Il ne saura jamais pourquoi.
Alors, le type continue son chemin bêtement,
en mettant un pied devant l'autre sans regarder
où il met les bras...
Et soudain, il aperçoit dans la pénombre, là-bas,
un petit point lumineux...
(Il le crée avec sa lampe.)
Il dit :
— Ça y est! C'est le bout du tunnel...
J'en reconnais l'entrée!
Il prend quelques photos souvenirs... Flashes!
(L'artiste « mitraille » le « bout » du tunnel avec le faisceau de sa lampe-torche.) Et il sort en disant : Ça y est!
J'ai vu le bout du tunnel!
Comme personne ne le croit, il dit :
— Demandez au pianiste de Devos...
il est témoin de la scène... il a tout vu!
C'est même lui qui a les photos!
(Éclairant de sa lampe le visage du pianiste :)
C'est vrai? C'est vous qui avez les photos?
LE PIANISTE : Oui! Vous voulez les voir?
L'ARTISTE : Les photos?... J'aimerais bien!... Merci!
(Tandis que le pianiste, muni de sa lampe-torche, va se placer à la cour... l'artiste éteint sa lampe et va se placer côté jardin.)
LE PIANISTE : Le type entrant dans le tunnel.
(Il projette son rayon lumineux sur l'artiste qui entretemps a pris la pose.)
LE PIANISTE (après avoir éteint sa lampe) : Le même, l'air égaré, regardant son plan...

(Il éclaire à nouveau l'artiste qui lui-même éclaire sa main avec sa propre lampe. Les deux lampes s'éteignent.)

LE PIANISTE : Le train qui passe au ralenti...

On peut même distinguer les gens à l'intérieur!

(Le pianiste éclaire, par flashes, le visage de l'artiste censé représenter celui de différents voyageurs. A chaque « figure », l'artiste change d'expression... Après cinq figures caractéristiques de voyageurs...)

LE PIANISTE : Le type sortant du tunnel!

(L'artiste prend une dernière pose.)

LE PIANISTE (au public) : Vous voyez qu'il croit n'importe quoi!

(Le plein feu revient sur scène.)

L'esprit faussé

L'ARTISTE (au pianiste) :
On a tous un peu l'esprit faussé...
Vous savez comment on en arrive
à avoir l'esprit faussé ?
Je vais vous le dire...
Par exemple :
Au début, je voulais mettre une cravate...
Ma femme me disait :
— Quelle cravate veux-tu mettre ?
Veux-tu mettre cette cravate-ci
ou cette cravate-là ?...
Je lui disais :
— Tiens, je vais mettre cette cravate-ci !
Elle me disait :
— Mais pourquoi ?...
Cette cravate-là est tellement mieux !
Et je mettais cette cravate-là !
Et puis un jour, j'ai compris !
Quand ma femme m'a dit :
— Quelle cravate veux-tu mettre ?

Veux-tu mettre cette cravate-ci ou cette cravate-là?
comme je voulais mettre cette cravate-ci...
je lui ai dit :
— Je voudrais mettre cette cravate-là!
Elle m'a dit :
— Oh, pourquoi? Cette cravate-ci
est tellement mieux!...
Et j'ai mis cette cravate-ci... (jubilant),
c'est-à-dire celle que je voulais!
(Au pianiste :) Vous comprenez?
LE PIANISTE :!! Oui! Oui!
L'ARTISTE : Il n'a pas compris...
Je veux dire par là qu'on en arrive à demander
le contraire de ce que l'on veut!
C'est comme ça qu'on a l'esprit faussé!
Bon, autre exemple :
Je voulais acheter une paire de bretelles...
La vendeuse me dit :
— Quelles bretelles voulez-vous?
Voulez-vous cette paire de bretelles-ci
ou cette paire de bretelles-là?
Comme je voulais cette paire de bretelles-ci,
je lui ai dit :
— Donnez-moi cette paire de bretelles-là!
Et elle m'a vendu celle-là!
(Ce faisant, il montre la sienne.
Le pianiste se penche pour voir.)
Ce n'est pas celle-ci! Ah, non!
Parce que lorsque je suis rentré,
ma femme m'a dit :
— Oh! Pourquoi as-tu acheté cette paire de bretelles-ci?
Je lui ai dit :

— Mais je ne voulais pas cette paire de bretelles-ci!...
Je voulais cette paire de bretelles-là,
mais la vendeuse m'a vendu celle-ci!
Elle me dit :
— Qu'est-ce qu'elle a, celle-là?
LE PIANISTE (se penchant) : Qu'est-ce qu'elle a?
L'ARTISTE : En parlant de la vendeuse!
Elle a repris cette paire de bretelles-ci
et elle m'a rapporté celle-là... (jubilant),
c'est-à-dire celle que je voulais!
(Au pianiste :) Vous comprenez?
LE PIANISTE (sans conviction) :!!... Oui! Oui!
L'ARTISTE : Autre exemple :
Je voulais acheter une bicyclette...
La vendeuse me dit :
— Quelle bicyclette voulez-vous?
Voulez-vous cette bicyclette-ci ou cette bicyclette-là?
Je lui dis :
— Quelle différence y a-t-il entre cette bicyclette-ci
et cette bicyclette-là?
Elle me dit :
— Il y a une différence de selle.
LE PIANISTE :!!
L'ARTISTE : Je lui dis :
— Donnez-moi cette bicyclette-ci
avec la selle de celle-là!
Elle me dit :
— Mais la selle de cette bicyclette-là
ne va pas sur cette bicyclette-ci...
Comme la selle de cette bicyclette-ci
ne va pas sur cette bicyclette-là!
LE PIANISTE : ...!!

L'ARTISTE : Je lui dis :
— Vous n'avez pas d'autres bicyclettes que celles-ci ?
Elle me dit :
— Si !... Mais elles n'ont pas d'autres selles que celles-là !
LE PIANISTE : !
L'ARTISTE : Alors, je lui ai posé la question subsidiaire :
— Ont-elles des sonnettes ?
Elle me dit :
— Sur cette bicyclette-ci,
vous avez cette sonnette-là qui fait *si*...
Et sur cette bicyclette-là,
vous avez cette sonnette-ci qui fait *la*...
Alors, histoire de plaisanter, je lui dis :
— Vous n'auriez pas une sonnette qui fasse *do bémol* ?
Elle l'a très mal pris !
LE PIANISTE : Ah oui ?
L'ARTISTE : Ah oui ! Très mal !
Elle m'a dit :
— Monsieur, voulez-vous cette bicyclette-ci
ou cette bicyclette-là ?
Je lui ai dit :
— Donnez-moi... un vélomoteur !
Elle me dit :
— Lequel, le rouge ou le vert ?
Je lui dis :
— Le rouge !
Et je suis sorti avec le vert,
parce que je suis daltonien !
LE PIANISTE : Vous êtes daltonien ?
L'ARTISTE : Je suis daltonien. J'ai toujours été
daltonien... Ah oui !
Tout petit, j'étais déjà un petit daltonien.

Il y a beaucoup de daltoniens...
Je connais un daltonien pervers.
Chez lui, tout le processus était inversé.
Il voyait comme tout le monde... Un malade!
Tous les écologistes sont daltoniens!
Ils voient vert partout!
Et quand ils ne voient pas vert,
ils voient rouge!
Si bien que lorsqu'ils vont voter...
ils croient voter vert et...
(sous-entendu : ils votent rouge!)
(Rires du pianiste et du public.)
L'ARTISTE : Ils votent blanc!!!

Le savoir choir

Son pianiste ayant chu de son tabouret,
l'artiste (au public) :
Vous avez vu comme il a chu ?
(Au pianiste :)
Quand on ne sait pas choir... on ne choit pas !
(Au public :)
Les gens ne savent plus choir !
Ils savent s'asseoir...
mais ils ne savent plus choir !
Ils s'imaginent que choir, c'est déchoir...
Choir n'est pas déchoir !
Un homme qui a chu n'est pas déchu...
à condition qu'il choie bien !
Comme disait mon père :
— Où que tu chois, chois bien !
Parce que mon père savait ce que c'était
que de choir...
Il avait été Auguste de « ch » oirée (rectifiant)
de soirée dans un « ch » irq... (cirque)
sous un chapiteau !

Il faisait ce que l'on appelle des entrées de chute.
Cela consistait à entrer, à se laisser choir
et à crier, d'une voix de perroquet :
— Bonsoir, messieurs-dames... Bonsoir, messieurs-
dames !
On l'appelait le père Choir, mon père !
Il avait pas mal chu dans la « ch »... sciure...
— c'est un mot dangereux ! —
et (évidemment) il aurait voulu
que je choie mieux que lui !
Tout petit, il m'incitait à choir...
Il me disait :
— Allez. Chois, mon chou-chou, dans la sciu-sciure !
Il laissait choir son mouchoir de soie.
Il disait :
— Chois comme ce mouchoir de soie... mon chou !
Chois léger !
Qu'est-ce qu'il a pu me faire choir !!
Non seulement, il me faisait choir chez moi,
mais il m'envoyait choir chez les autres !
Ce n'est pas que l'on choie mal chez les autres,
mais l'on choit mieux chez soi !
Parce que l'on choit sans retenue !
on choit pour soi...
Tandis que chez les autres, avant de choir,
il faut mettre des gants :
— Vous permettez que je choie ici ?... Boum !
Ou bien préférez-vous que je choie là ?... Boum !
Quand on a toujours chu dans la « chi »...
dans les copeaux... enfin... des tout petits copeaux...
comme des... chiures de mouches...
(Rectifiant :)

Quand on a toujours chu dans la sciure et que,
soudainement, il faut choir sur le tapis,
on ne choit pas dans son élément!
On choit plus haut... que son rang!
Et quand vous avez mal chu,
on vous le fait savoir :
— Vous avez vu comme il a chu, ma chère?
ou :
— Il manque de savoir-choir!
Combien de fois ai-je entendu :
— Il manque de savoir-choir!
Parce que dans un certain milieu,
choir, cela s'apprend!
Il y a des cours du choir!
Je les ai « ch » uivis!
Ils vous apprennent à choir... en trois « ch » oirs!
Il y a d'abord le pré-choir.
C'est l'instant qui précède le moment où l'on choit.
Deux, vous avez le choir proprement dit.
Alors là, on choit où l'on peut.
On n'a pas le choix!
Et trois, une fois chu, vous avez l'après-choir!
Moi, j'ai eu des après-choirs difficiles!
Je ne pouvais même plus m'asseoir!
Comme au bout de trois « ch » oirs,
je n'étais toujours pas fichu de bien choir,
j'ai laissé... tomber!
Et un « ch »... jour, mon père, le père Choir, me dit :
— Chois un peu devant moi que je vois
où tu en es sur le plan choir!
Moi, je n'étais pas chaud... mais je chois!

Il me dit :

— Ce n'est pas que tu chois mal, mais tu chois raide !
Chois souple... chois comme un chat !
Regarde un chat choir... chois comme lui
et tu choiras bien !
Parce qu'un chat sait choir...
Un chien aussi sait choir,
mais moins bien qu'un chat !
Un soir, j'ai vu un chat choir sur un chien,
un chiot, un chow-chow...
un petit chiot de chow-chow !
A la suite de tout un concours de circonstances...
C'est-à-dire que le chat avait vu choir un
perroquet de son perchoir...
(Il faut remonter plus haut,
sans cela on ne comprend pas.)
Le perroquet avait vu choir un mouchoir d'un séchoir...
C'était le mouchoir de soie du père Choir
qui séchait...
Le perroquet, voyant le mouchoir choir,
avait chu d'où il était perché...
Le chat, voyant le perroquet choir,
s'était lan « ch » é...
— Je n'ai pas un cheveu, là ? —
(L'artiste mime le cheveu qu'il enlève de sa bouche.)
C'est là que le chat a chu sur le chiot !
Sous le poids du chat, le chiot a chu...
Eh bien, le chow-chow a moins bien chu que le chat-
chat !
Chi ! Chi !
Attendez, le plus chouette, c'est la chute !
Savez-vous où le perroquet pour « ch » uivi
par le chat est venu s'échouer ?

143

Dans les pieds du père Choir qui faisait son entrée,
qu'il est venu s'échouer le perroquet!
Le père Choir, au lieu de faire une entrée de chute,
a fait une chute d'entrée...
et il s'est mal re « ch » u!
Au lieu de choir sur son « ch » éant...
il a chu sur sa mâchoire!
Il ne pouvait plus dire quoi que « ch » e « ch » oit!
Finalement, c'est le perroquet qui,
perché sur le père Choir,
a crié :
— Bon « ch » oir, messieurs-dames!
Bon « ch » oir, messieurs-dames!

A se tordre

X et Z s'approchent de l'artiste. X lui dit quelque chose à l'oreille.

L'ARTISTE : Bon! Eh bien! Allez-y!

(Au public :)

Monsieur est un mime... Il voudrait vous mimer quelque chose. Qu'allez-vous nous mimer?

X : La douleur!

L'ARTISTE : Ah bon! Parce que la dernière fois, il a voulu nous mimer la rotation de la terre. Pour faire un tour sur lui-même, ça a demandé vingt-quatre heures!

(Il mime la rotation de la terre en tournant sur lui-même tel un discobole au ralenti.)

Mais la douleur n'est pas éternelle! Allez-y! Souffrez devant ces messieurs-dames!

(X mime la douleur.)

L'ARTISTE : Vous avez fini de souffrir? Bon! Je vais vous mimer la douleur à mon tour.

(Il mime la douleur.)

X (le regardant) : Dites! Ce n'est pas la même douleur que la mienne?

L'ARTISTE : Nous ne souffrons pas du même endroit!

X : Moi, je mime quelqu'un qui a pris une balle dans le dos!

L'ARTISTE : Et moi, une balle perdue!

X : Et où est-elle?

L'ARTISTE : Ben... eh... je la cherche!

(Tous deux miment leur souffrance lorsque Z intervient.)

Z : Vous permettez?

L'ARTISTE : Je vous en prie.

(Z à son tour mime la douleur. Il se baisse en se tenant les fesses.)

L'ARTISTE : Que vous est-il arrivé?

Z : J'ai pris une balle dans le...

L'ARTISTE : ... Elle est très mal placée... Il ne fallait pas fuir.

(Tout à coup, Z se redresse et hurle de douleur.)

L'ARTISTE : Monsieur! Les grandes douleurs sont muettes!

(A ce moment-là, le pianiste éclate d'un rire tonitruant. Tous trois s'arrêtent de mimer et l'observent.)

L'ARTISTE : Mais, ma parole, ça amuse monsieur!

LE PIANISTE : Ah! Ah! Ah! Ah!

L'ARTISTE : On se tord de douleur... et monsieur se tord de rire!

LE PIANISTE : Ah! Ah! Ah! Ah!

L'ARTISTE : Alors, de nous voir souffrir... c'est tout l'effet que ça vous fait?

(Le pianiste, secoué par le fou rire, « accroche » le couvercle du clavier... qui lui retombe sur les doigts. Il se tord alors de douleur en secouant sa main, tandis que les autres s'esclaffent!

146

Le pianiste sort un revolver et tire trois coups de feu en direction des trois autres.

L'artiste, X et Z prennent alors les positions de mime adoptées précédemment et restent figés.)

LE PIANISTE (au bout de quelques secondes) : Eh! Oh! Arrêtez! C'est du mime!

L'ARTISTE (se redressant) : Il faut le dire! Mais, dites-moi, vous faites beaucoup de bruit pour du mime.

LE PIANISTE : Je ne peux pas faire autrement!

L'ARTISTE : Si c'est du mime, mettez un silencieux!

Ça peut se dire,
ça ne peut pas se faire

On dit qu'un mime sait tout faire.
C'est faux !
Un mime ne peut pas tout faire.
Exemple :
Un jour...
je devais mimer un personnage
qui n'avait rien à faire...
Eh bien... je n'ai rien pu faire !
Parce que ne rien faire,
ça peut se dire.
Ça ne peut pas se faire !
En outre, je ne pouvais pas le dire
que je ne pouvais rien faire,
parce que le personnage qui n'avait rien à faire...
en plus n'avait rien à dire !...
Le directeur de la salle me l'avait bien spécifié.
Il m'avait dit :
— Pensez bien à ce que vous avez à faire !
C'est-à-dire, en fait : « Ne pensez à rien ! »

Et il avait ajouté :
— Surtout, ne le dites pas!
Et moi, je lui avais donné ma parole de mime
que je ne dirais rien.
Je suis entré sur scène
et j'ai commencé à ne rien faire...
sans rien dire!
Ça n'a l'air de rien...
mais il faut le faire...!
Il ne suffit pas de le dire...
Et paradoxalement, plus je ne faisais rien,
plus les gens, dans la salle, disaient :
— Qu'est-ce qu'il fait?
Parce que le public... lui, n'est pas fou!
Il voyait bien que je faisais quelque chose...
mais comme c'était rien,
il se demandait ce que j'étais venu faire.
Les critiques, eux, par contre,
voyaient bien que je ne faisais rien,
et que je le faisais bien!
Seulement, ils s'attendaient à plus.
Et moi qui déjà ne faisais rien,
je ne pouvais pas faire moins.
Alors, au bout d'un moment, dans la salle,
les gens qui ne voyaient rien
ont commencé à trouver à redire :
— Il pourrait au moins faire un geste,
avoir un bon mouvement!
Ce que voyant...
j'ai fait le seul geste que pouvait se permettre
quelqu'un qui n'a rien à faire...
sans que l'on puisse dire : « Il en fait trop! »
J'ai fait... (Geste d'impuissance.)

Les gens :
— Qu'est-ce qu'il a dit?
Alors là, j'ai rompu le silence.
J'ai dit :
— Mais je n'ai rien dit!
Qu'est-ce que j'avais dit là!
Le directeur :
— Rideau!
Non seulement je paye un mime à ne rien faire
et il ne le fait pas!
Mais en plus, il ne tient pas sa parole, il parle!
Et il a ajouté :
—Tenez! Vous n'êtes même pas bon à rien!
Le lendemain, dans la presse,
qu'en ont dit les critiques?
Eh bien, comme je n'avais rien fait,
ils n'ont rien dit...
mais... en bien!

Le cavalier
sur sa monture

Lorsque j'ai entrepris de faire du mime,
j'ai commencé par mimer la marche sur place...
(Il en fait la démonstration.) Voyez!
Très vite, j'ai compris que cela ne me menait pas loin,
pour ne pas dire nulle part!
En fait, je piétinais...
Alors, je me suis adjoint une monture et j'ai mimé :
« Le cavalier sur sa monture »,
ce que je vous propose de faire...
Alors,
à partir de la ceinture,
le haut, c'est l'homme...
une moitié d'homme!
Et sous la ceinture,
c'est le cheval... entier!
enfin... (montrant la hauteur de la ceinture)
coupé ici... mais entier en dessous!
Bref!
Alors...
à partir de la ceinture,

le haut, c'est l'intelligence,
l'esprit qui domine!
Et sous la ceinture,
c'est la bête!
Le tout est de bien attacher sa ceinture...
Parce que vous avez des spectateurs,
la ceinture, ils se la nouent autour du cou,
comme un licou,
ce qui leur fait deux grandes jambes
sous une petite tête!
En conséquence, ils courent vite...
mais ils ne pensent pas beaucoup!
Ah... ne faites pas comme ce spectateur il y a huit jours
— la bête lui était montée à la tête! —
il se prenait pour un cheval,
un cheval-mime, mais un cheval...
Tout ce qui était en dessous, c'était l'intelligence,
l'esprit qui domine!
Et tout ce qui était au-dessus, c'était la bête!
La bête humaine, mais la bête!
Alors là, on assiste à ce spectacle déprimant d'un
spectateur qui rentre au paddock avec sa monture
sur le dos. C'est pitoyable!
Non! Il faut penser comme un homme
et marcher comme une bête!
Quand la bête est matée...
on en fait ce que l'on veut!
Voyez! (Il en fait la démonstration.)
Voilà une bête qui est bien montée!
(Note à l'adresse de ceux qui pourraient avoir mauvais
esprit : « Restons au-dessus de la ceinture, voulez-
vous? »)

Voyez!... le haut doit ignorer ce que fait le bas.
C'est ça, la classe!
Alors, on dit : « Son numéro est hippique! »
Dernière recommandation : ne faites pas
comme ce spectateur, hier soir, dans le hall...
Pour épater la galerie, tenez-vous bien!
il a voulu se mettre debout sur sa monture!
L'impossible exploit!
Le haut a chu à hue!
Le bas à dia!
Double chute, double fracture!
Les deux mimes brancardiers se sont précipités
à son secours...
Mais comme ils mimaient la marche sur place,
ils ne sont jamais arrivés...
(Désignant la coulisse :) Ils sont toujours là!
Par chance, dans la salle,
le médecin de service était aussi vétérinaire!
Il a réduit les deux fractures
jusqu'à ce qu'elles ne fassent plus qu'une facture...
que j'ai reçue!
Bref!
Le haut étant remis sur pied et le bas sur pattes,
le spectateur est rentré chez lui
en cavalier manchot sur cheval unijambiste!
(Musique : *Charge de la cavalerie légère.*)
(L'artiste sort en sautillant sur une jambe
et en tenant son bras comme s'il était en écharpe.)

Le dompteur Jekyll
et son lion Hyde

Cette nuit, j'ai rêvé que j'étais le dompteur
Jekyll et son lion Hyde.
Je rentrais dans la cage aux fauves dans la peau
du dompteur et j'en sortais dans celle du lion.
Je vais vous raconter très brièvement la chose...
Le dompteur Jekyll :
petits cheveux noirs gominés...
fine moustache noire...
Il met sa pelisse en peluche...
Il sort de chez lui...
(Déjà, on sent qu'il a bouffé du lion !)
Il arrive au cirque,
il se rend au vestiaire.
Il retire sa pelisse en peluche.
Il met sa tunique... jaune... poussin !
Il brosse ses petits cheveux noirs,
sa petite moustache noire...
Il rentre sur la piste et il dit :
— Mesdames et messieurs,
vous êtes venus pour assister au repas du fauve,

vous allez être servis!
Faites entrer le lion Hyde!
Le lion Hyde :
GRRR!
Crinière de lion...
Grosse moustache de lion...
Peau de lion...
Tout en fauve!
Il tourne en rond dans sa cage carrée.
On sent qu'il y a longtemps
qu'il n'a pas bouffé du dompteur.
Il sort de sa cage carrée pour entrer dans la cage ronde.
Dès qu'il est dans la ronde, il cherche à en sortir...
Pantomime du lion qui cherche à sortir de sa cage...
(Pantomime de l'artiste.)
Remarquez que, comme la cage est ronde,
il tourne en carré!
Pendant que le lion cherche à sortir de sa cage,
le dompteur, lui, cherche à y entrer!
Pantomime du dompteur qui cherche
à entrer dans la cage!
Pantomime du fauve qui cherche à en sortir!
Pantomime du dompteur qui cherche à entrer...
Le fauve trouve la sortie, ouvre la porte...
et le dompteur entre.
Pantomime du dompteur qui va mettre sa tête
dans la gueule du fauve.
(Pantomime.)
Et au dernier moment, le dompteur Jekyll
se dégonfle... Il se dégonfle littéralement...
Il rapetisse à vue d'œil!
Devient tout petit, tout petit!

Le lion, voyant le dompteur pas plus grand
qu'un poussin... Miamm!
Dans son gros ventre!
Un tout petit dompteur!
(Rappel du « Petit Poussin ».)
Ça aurait été un vieux dompteur...
Bon, il a vécu!
Mais un tout petit dompteur...!
Avant de glisser dans les entrailles du fauve,
il a le temps de crier :
— Et le spectacle conti...
Gloupp!
Le lion repu, au lieu de gagner le bestiaire,
regagne le vestiaire.
Il retire sa crinière de lion.
Il brosse ses petits cheveux noirs gominés.
Il enlève sa grosse moustache de lion.
Il brosse sa fine moustache noire.
Il retire sa peau de lion
et il revêt sa pelisse en peluche.
Et le dompteur Jekyll rentre chez lui!
Sitôt la porte fermée,
il retire ses petits cheveux noirs gominés :
dessous, il a une crinière de lion!
Il décolle sa petite moustache noire...
Il a une grosse moustache de fauve!
Et avant de retirer sa pelisse en peluche,
il va ouvrir la fenêtre pour aérer un peu,
parce que ça commence à sentir le fauve!

Métempsycose

La métempsycose, ça existe !
Avant d'être ce que je suis...
j'ai sûrement été quelqu'un d'autre
dans une vie antérieure.
Autrement, comment expliquer que moi
qui n'ai jamais appris à jouer du piano,
je puisse en jouer parfois ?
J'ai dû être un pianiste
et sûrement américain !
Sans ça, comment expliquer que lorsque
je rentre dans un night-club,
je me mette à marcher comme ça...
(Tout en mastiquant du chewing-gum,
il se rend au piano.)
Je prends son chapeau à un type,
son cigare à un autre,
je dis au pianiste :
— Tire-toi de là, c'est ma place !
Je m'installe et...
(L'artiste chante en anglais *Ain't she sweet* tout en

s'accompagnant. Au fur et à mesure qu'il chante, sa voix devient nasillarde...)

S'interrompant soudain :

... Alors que je ne parle pas anglais !

J'ai dû être un animal, aussi,

dans une vie antérieure !

Un mouton.

J'ai dû être un mouton !

Autrement, comment expliquer que la nuit,

lorsque je suis revêtu

de mon pyjama de laine,

je fasse bée !

Et ma femme qui habituellement,

pour s'endormir, compte les moutons,

dans ces moments-là, elle compte sur moi !

J'ai dû être un ange, aussi !

Enfin, j'ai voulu l'être...

mais on sait que qui veut faire l'ange

fait la bête !

Je me voyais déjà avec deux grandes ailes

blanches dans le dos,

une petite auréole au-dessus de la tête,

chantant les louanges du Seigneur !

Et un jour que du Seigneur,

j'étais dans les vignes,

je ne sais pas ce qu'il m'a pris.

Je me suis mis à chanter :

— Bog ! bog ! bog ! bog ! etc.

(Il chante un extrait de *La poule* de Pierre-Petit en s'accompagnant au piano.)

(Après le premier motif, il se lève et mime la démarche de la poule qui cherche un ver, le trouve... et l'avale !)

Bog! Un petit ver...!
(L'artiste, se souvenant du « Petit Poussin »,
s'effondre, en larmes.)
Un petit ver... dans mon gros gésier!
Ça aurait été un grand ver... bon!
Il a fait son trou...
Mais un petit ver...!
Vous avez déjà vu un petit ver?
Et puis, en passant devant une flaque d'eau,
j'y ai vu mon reflet...
Ah... je suis tombé de haut!
Ce que je prenais pour deux grandes ailes
d'ange dans le dos,
c'étaient deux petites ailes de poule!
Ridicules!
L'auréole... sur le côté?
Une crête!
Tout d'abord, je me suis dit :
« Bon! Un ver de trop! »
Mais quand j'ai vu le croupion,
je n'avais plus aucune illusion à me faire!
Un ange avec un croupion,
ça ne s'est jamais vu...
Même dans une vie postérieure!

Les objets inanimés

Une nuit...

je ne dormais pas...

j'attendais un coup de fil de l'objet de mes désirs,

qui refusait obstinément de devenir ma chose...

Elle s'était entichée d'un autre objet...

une armoire à glace... primitive...

Bref, je ne dormais pas!

Et tout d'un coup, j'entends des bruits curieux...

C'étaient les pieds de la table qui craquaient...

Entre parenthèses, c'était une table qui m'avait été

offerte par l'objet de mes désirs,

celle qui refusait obstinément de devenir ma chose.

C'est pour vous dire qu'il y a une relation

entre la chose et l'objet.

Bon!

Les pieds de cette table craquaient.

J'avais beau me dire que c'était le bois qui travaillait,

tout de même... à deux heures du matin,

ce n'était pas une heure pour travailler le bois!

Et la question s'est posée à mon esprit :

« Objets inanimés, avez-vous donc une âme ? »
ce fameux vers de Lamartine que chacun connaît :
« Objets inanimés, avez-vous donc une âme...
Qui s'attache à notre âme et la force d'aimer ? »
Ce sont des vers de douze pieds (je les ai comptés) !
Je me suis dit que pour répondre, honnêtement,
à la question :
« Objets inanimés, avez-vous donc une âme ? »,
le seul moyen était de devenir objet moi-même !
C'est ce que j'ai fait.
Je suis devenu un peigne.
Pourquoi un peigne ?
Parce que c'est la première chose
qui me soit passée par la tête !
Donc, une nuit, pendant mon sommeil,
je retirai de ma poitrine une côte...
une côte première...
Écoutez ! A ceux qui trouveraient ce récit
extravagant, je répondrai que des côtes retirées,
on en a vu d'autres !
Il y a eu des précédents !
C'est tout de même à partir d'une côte d'Adam
que Dieu créa la femme !
Eh bien moi, c'est à partir d'une de mes côtes
que j'ai créé un peigne !
C'est aussi simple que ça !
C'est difficile à admettre, je sais...
Moi-même, à mon réveil, quand je me suis vu,
moi homme bien en chair
à côté de moi peigne tout en os,
j'ai douté...!
J'ai même eu recours à la radioscopie !

Je suis allé voir Chancel!

Tout de suite, il m'a dit :

— Mais il vous manque une côte, Deveau?

(parce qu'il est subtil!)

Vous avez eu un accident?

Je lui ai répondu :

— Non, Jacques, c'est de naissance!

Sans préciser qu'il s'agissait de celle d'un objet!

En sortant de la radioscopie, je suis allé présenter

mes hommages à celle qui refusait obstinément

de devenir ma chose...

Elle me reçoit en peignoir...

Elle me dit :

— Quel est l'objet de votre visite?

J'ai failli lui répondre :

— Je suis venu pour la chose...

J'ai rectifié aussitôt :

— Je suis venu pour vous, cher objet

de qui j'ai attendu toute la nuit

un coup de fil qui n'est pas venu...

Elle me dit :

— Non! En ce moment, ma ligne est en dérangement.

Excusez-moi!

Je suis tout ébouriffée...

Elle ouvre son sac...

Elle dit :

— Tiens?... J'ai perdu mon peigne!

Vous voyez la relation objet-objet, là?

Je lui passe le mien.

Tandis qu'elle se coiffait (geste du peigne qui va et vient),

j'éprouvais une sensation curieuse...

C'est comme si je lui passais la main dans les cheveux!
Et elle me dit :
— Il y a chez vous quelque chose qui m'échappe!
Et dans le même temps, le peigne est tombé!
J'ai simplement ressenti une légère vibration
dans les dents...
parce que chez le peigne,
ce sont toujours les dents qui prennent!
Vous voyez la relation homme-objet, là?
J'ai ramassé mon peigne...
je l'ai glissé dans son sac...
et je suis rentré chez moi.
Quelle nuit...
quelle nuit j'ai passée, en tant que peigne,
au fond de ce sac de femme!
Ah, mesdames, l'intérieur de votre sac...
quel fouillis!
Charmant, au demeurant...
l'intérieur d'un sac de femme...
Les parois de satin rose...
le petit mouchoir de dentelle... teinté de rouge à lèvres...
le cliquetis des clefs...
le froissement des billets doux...
le poudrier... la houppette...
Oh, la houppette! Ah, la houppette!
Bon! On ne va pas passer la nuit sur la houppette!
Les parfums... les arômes!
J'ai vécu au fond de ce sac de femme
les heures les plus éblouissantes
de mon existence... de peigne!
Le lendemain, on sonne.
C'était l'objet de mes désirs qui me dit :

— Je viens vous rapporter le peigne
que vous avez oublié dans mon sac.
Elle l'ouvre...
Les parfums de la nuit... Ahh!
Je lui dis :
— Non! Gardez-moi encore près de vous!
J'étais si bien à l'intérieur de votre sac!
Elle me dit :
— Que faisiez-vous à l'intérieur de mon sac?
Je lui dis :
— J'attendais de votre part... un coup de peigne
qui n'est pas venu!
Elle me dit :
— Vous vous portez bien, vous, en ce moment?
Je lui dis :
— Oui! Et vous?
Elle me dit :
— Pas mal! Sauf que depuis quelque temps,
la nuit, j'ai les pieds qui craquent!
J'ai repensé à la table.
J'ai dit :
— Ce n'est rien! C'est le bois qui travaille!
Qu'est-ce que j'avais dit là!!!
Elle a crié :
— Je ne suis pas de bois!
Elle a sorti mon peigne de son sac et... Clac!
(Il porte la main à sa poitrine.)
J'ai ressenti une douleur dans la poitrine.
La colère est montée. J'ai saisi la table
par les pieds... Je l'ai prise à bras-le-corps...
Elle a dit :
— Ah, ce que c'est bon quand tu me prends!

Vous voyez la relation femme-objet, là?
J'ai eu juste le temps de déposer la table
et de recevoir l'objet de mes désirs
qui m'est tombé dans les bras... inanimé!
C'est ainsi qu'elle est devenue
ma chose!
Mais... les choses n'étant que ce qu'elles sont,
depuis que mes désirs sont sans objet,
la nuit, lorsque je sens que le moral va craquer,
je fais tourner la table et j'interroge :
— Objets inanimés, avez-vous donc une âme...
Qui s'attache à notre âme et la force d'aimer?
Un coup pour oui!
Deux coups pour non!
La réponse vient d'un seul coup :
OUI, mais dans la langue de bois!

Mésaventure
extraterrestre

A propos d'objets non identifiés,
vous avez tous entendu parler de la mésaventure
extraterrestre survenue à un jeune homme
de Cergy-Pontoise?
Je rappelle les faits :
Le jeune homme était dans sa voiture...
Soudain, il a vu une (petite) boule rouge.
C'était un OVNI.
Il est devenu vert!
Il a entendu la voix d'une créature :
— Alors, petit bonhomme, tu montes?
Avant qu'il ait pu dire ouf!
il était dans l'OVNI!
Il est allé faire un petit voyage dans l'ailleurs!
Huit jours!
Ensuite, il est rentré chez lui, tranquillement :
— Salut!
!!...
Un peu facile, non?
Quel prétexte, messieurs!

Qui m'empêche, moi, de disparaître
sans laisser d'adresse?
Au bout de huit jours, je rentre chez moi :
— Salut!
Ma femme :
— Que t'est-il arrivé?
— OVNI!
— Alors, raconte!
— Élémentaire... J'étais dans ma voiture...
Tout à coup... j'ai vu la chose...
Ça a été comme un coup de foudre!
J'étais ébloui!
— Quelle forme avait-elle?
— Elle était... rondelette... euh... non!
disons boulotte!... Enfin... c'est-à-dire
qu'elle était ronde comme une boule, quoi!
— Et toi?
— Moi, j'étais rond aussi!... enfin, non!
... J'étais plutôt perplexe!
— Mais c'était quoi... une lumière?
— Oh, une lumière!... Ou alors, elle l'avait mise
en veilleuse, parce que...
— Ensuite?
— Ensuite, elle m'a fait des appels de phare...
— Qui?
— Eh bien... la créature...
— Et puis?
— Et puis, j'ai perdu la boule (précisant)... de vue...
— Et?...
— Et... c'est là que... j'ai pénétré dans l'inconnu(e)...
...
(Le sixième sens des femmes! elles subodorent...)

— Dis donc! Ton OVNI, là... Ne serait-ce pas
plutôt une extraterrestre, par hasard?

—!!... Tout ce que je peux te dire...
c'est que c'était...
terrestre... et... extra!
OVNI soit qui mal y pense!

Les poches
sous les yeux

Dans la salle, hier, après chaque histoire,
il y a un monsieur qui me disait :
« Et alors...? »
J'étais obligé de continuer, d'improviser,
et quand j'avais fini, il disait :
« Et alors...? »
Je racontais une histoire surréaliste... surréaliste...
Un soir dans ma loge, il y a un monsieur qui vient me
voir accompagné de son petit garçon...
Il me dit :
— Monsieur, pour retenir toutes vos histoires,
vous devez avoir une mémoire prodigieuse!
Je lui dis :
— Non, j'ai des poches sous les yeux!
J'y glisse mes textes...
ainsi, j'ai toujours mes textes sous les yeux...
si bien que lorsqu'un mot me manque
ou que j'ai un trou de mémoire, je fais ça
(geste de tirer la paupière entre le pouce et l'index)
et je lis dans le texte.

Et le monsieur me dit :

— C'est comme moi! Je ne perds jamais
mes lectures de vue. Tenez, regardez!

Il retourne les poches qu'il avait sous les yeux...

Elles étaient pleines de bouquins!

Je lui dis :

— Ce sont des livres de poche que vous avez là!

Il me dit :

— Non, monsieur, des dictionnaires!

Dans la poche droite, j'ai le *Petit Larousse illustré*.

Dans la gauche là, j'ai le *Grand Larousse
encyclopédique*!

Je lui dis :

— Ça se voit! Vous n'avez pas les deux yeux
du même volume.

Je lui dis :

— Mais vous n'avez pas les *Robert*?

Il me dit :

— Non! Les *Robert*, c'est ma femme qui les porte!

Je lui dis :

— Ah, elle a aussi des poches sous les yeux?

Il me dit :

— Oh non! Elle, ce ne sont pas des poches, vous pensez...

C'est beaucoup plus grand que ça...

c'est beaucoup plus volumineux...

Comment on appelle ça... Oh...

(Il ne trouve pas le mot. Il regarde dans sa poche)...

des valises! Dans la valise droite, là,

elle met le *Petit Robert*

et dans la gauche, le *Grand Robert*!

Je lui dis :

— Et ça rentre?

170

Il me dit :
— En forçant un peu, oui!
Je lui dis :
— Ainsi, ce que vous ne trouvez pas dans vos
Larousse, vous le cherchez dans ses *Robert*...
et vice versa...
Alors là, le gosse a éclaté :
— Dites donc, vos surréalités, vos inepties,
c'est fini, oui! Non mais quoi?
Des poches sous les yeux, passe encore!
Mais des *Larousse* dans les poches
et des *Robert* dans des valises...
vous ne trouvez pas que c'est un peu gros, non!
Si je vous disais que ma petite sœur
a des pochettes-surprises sous les yeux,
qu'elle y fourre ses chocolats glacés
et que comme elle ne veut pas grossir,
elle se contente de les manger des yeux
et quand ses chocolats glacés fondent...
c'est en larmes...!
Là, le père a dit :
— C'est surréaliste, ce que dit mon fils...
Je lui dis :
— En tout cas, ce qui est sûr, c'est que votre gosse
il n'a pas la langue dans sa poche!
Il m'a dit :
— Justement si, monsieur! Seulement,
il ne veut pas admettre l'évidence!
Il a dit à son gosse :
— Montre un peu au monsieur
ce que tu as dans la poche de ton œil!
Et le gosse m'a fait : « Tiens! » (geste « mon œil »)

et j'ai surréalisé qu'il me tirait la langue!

Et à ce moment-là, le spectateur dans la salle :

— Et alors?

J'ai dit :

— Eh bien, quand il a fermé l'œil,

il s'est mordu la langue!

Le spectateur :

— Et alors?

J'ai dit :

— Et alors, quand il a tourné sept fois la langue

avant de parler, il a tourné de l'œil!

Le spectateur :

— Et alors?

J'ai dit :

— Et alors... j'ai un trou...

— Un trou de mémoire?

— Non! Un trou dans la poche!

Je zappe

Hier soir, après dîner, ma femme me dit :
— Qu'est-ce qu'on donne ce soir à la télé ?
Je lui dis :
— Il y a deux films.
Sur une chaîne, il y a *Thérèse* dans un genre pieux...
enfin, classé pieux !
Et sur l'autre chaîne, il y a *Emmanuelle* dans
un genre tout à fait différent, classé X !
Elle me dit .
— Eh bien moi, je vais me coucher... Pas toi ?
Je lui dis :
— Non, je crois que je vais rester encore un peu pour voir
le film.
Elle me dit :
— Lequel ?
Je lui dis :
— *Emma*... (rectifiant)... le pieux...
le pieux, avec un X !
Elle me dit :
— Bon, tu me raconteras !

173

Je lui dis :
— C'est ça !
Elle sort. Je ferme soigneusement la porte derrière elle.
J'allume ma télé. Je prends mon zappeur...
parce que j'aime zapper...
Oh, que j'aime zapper !
J'aime passer d'une chaîne à l'autre !
Je dis : Voyons *Thérèse* puisque c'est ce que j'ai
décidé mais auparavant, je vais jeter un petit coup
d'œil sur *Emmanuelle* par acquit de conscience...
pour m'en faire une petite idée.
Et je zappe sur *Emmanuelle*.
Rhahh !... La belle femme !
Elle était chez son médecin qui lui dit :
— Qu'est-ce qui vous arrive ?
Elle lui dit :
— J'ai une crise de foie...
Il lui dit :
— Dévêtez-vous, je vais vous palper !
Elle commence à retirer lentement ses effets...
Oh, j'ai dit, je vois le genre. Allez, tout de suite
au pieux !... Au film !
Je zappe sur *Thérèse*.
En extase... !
Elle était chez son confesseur qui lui dit :
— Qu'est-ce qui vous arrive ?
Elle lui dit :
— J'ai une crise de foi !
Il lui dit :
— Il faut prendre le voile. Voilez-vous !
J'ai dit : Le temps qu'elle le mette, moi, je vais
les mettre sur *Emmanuelle*.

Je zappe sur *Emmanuelle*.

Elle avait tout dévoilé!

Alors là, je me suis dit : Il faut que tu choisisses...

Ou tu vois le « voilé » ou tu vois le « dévoilé »!

Voilà! Alors, le « voilé » ou le « dévoilé »?

Ah, j'ai dit, vois-les... Vois les deux!

Et j'ai zappé avec une telle rapidité que les images
n'arrivaient plus à suivre!

A un moment, elle se sont superposées.

Quand j'ai vu le visage de Thérèse
sur le corps d'Emmanuelle, j'ai dit :

Oh! Oh! Où tu vas là? Si Thérèse te trouble
à ce point, reste sur Emmanuelle!... Enfin...!

Et c'est juste au moment où je venais de zapper
sur Emmanuelle que ma femme est entrée...

— Je n'ai pas sommeil...

Aussitôt, j'ai zappé sur Thérèse.

Ma femme me dit :

— Tu regardes toujours Thérèse là?

Je lui dis :

— Plus que jamais!

Elle me dit :

— Tu n'as pas bonne mine! Qu'est-ce qui t'arrive?

Je lui dis :

— J'ai une crise de fois!

Elle me dit :

— De quel « foie »?

Je lui dis :

— Des deux « fois »... enfin, on n'a pas deux foies...

J'ai une crise de ce foie-ci... (il le désigne),
le foie que l'on peut palper, et puis de l'autre foi,

l'impalpable! J'ai mal aux deux « mots » à la fois.
J'ai mal à mon foie et à ma foi...
Elle me dit :
— Tu as déjà eu mal à tes « fois » ?
Je lui dis :
— Bien des fois, autrefois, mais jamais aux deux
« fois » à la fois! Tandis que là, pour la première fois,
je souffre de ce foie-ci et de cette foi-là...
tu comprends?
Heureusement qu'elle ne m'écoutait pas!
Elle regardait Thérèse...
Elle me dit :
— Mais pour qui Thérèse prie-t-elle?
Je lui dis, en toute bonne foi :
— Pour le repos du corps d'Emmanuelle!
Elle me dit :
— Pourquoi? Qu'est-ce qu'elle à fait
de son corps, Emmanuelle?
Là, de mauvaise foi, j'ai dit :
— Comment veux-tu que je te le dise? Tu ne m'as pas
laissé voir le film!!

Une de perdue

L'artiste (à son pianiste) :
Vous n'avez pas vu ma femme ?
J'ai perdu ma femme !
Je l'ai perdue une fois de plus !
Cent fois, je l'ai perdue,
et cent fois, je l'ai retrouvée !
Il y a un destin.
Il y en a qui perdent leur femme du premier coup...
et c'est pour toujours...
c'est pour la vie ; c'est définitif !
Moi, à chaque fois il faut que je recommence !
Rien qu'ici, je l'ai perdue dix fois...
Et dix fois, je l'ai retrouvée !
Il n'y a aucune raison pour que la onzième soit la bonne !
La première fois que j'ai perdu ma femme,
je l'ai perdue par inadvertance
et je l'ai retrouvée par hasard !
La seconde fois...
je l'ai perdue par hasard...
et je l'ai retrouvée par inadvertance !

La troisième fois...
je ne l'ai perdue ni par inadvertance ni par hasard,
et je l'ai retrouvée... par erreur !
Ce jour-là, ma femme m'a dit :
— Quel plaisir peux-tu prendre à me perdre ?
Je lui ai dit :
— Aucun ! Mais quand je te retrouve, quelle joie !
Elle m'a dit :
— Chaque fois que tu me perds et que tu me cherches,
j'ai toujours peur que tu en retrouves une autre !
Je l'ai rassurée :
— Mais non ! Il n'y a que toi que j'aime retrouver !
Depuis, on ne se quitte plus !
On se perd !
Et plus on se perd, plus on se rapproche !
A tel point que si je reste quelques jours
sans la perdre... elle me manque !
Je sais que de son côté, c'est réciproque.
Parfois, elle me dit :
— Tu ne m'aimes plus !
Je lui dis :
— Pourquoi dis-tu cela !
Elle me dit :
— Parce que depuis quelque temps,
tu ne cherches plus à me retrouver !
Je lui dis :
— Mais si ! C'est parce qu'en ce moment,
je n'ai pas la tête à te chercher !
Cet été, je l'ai emmenée au bord de la mer...
dans un petit coin perdu... favorable !
J'ai passé toutes mes vacances à la chercher...
Dès que je l'avais trouvée, je la reperdais...

Je la recherchais, etc.
Dans ma hâte, il m'arrivait même de la chercher
avant de l'avoir perdue... et de la retrouver
sans même l'avoir cherchée!
Ah! On a passé de bons moments, tous les deux!
Le dernier jour, je lui ai fait une fleur...
Je l'ai perdue en mer,
corps et biens...
Et je l'ai retrouvée,
saine et sauve (à terre)!
Pourtant, je suis sûr d'avoir crié :
« Un HOMME à la mer! »
Mais les sauveteurs, ils n'écoutent que leur courage :
ils plongent!
Ils ont ramené une femme...
Bon, c'était la mienne... je n'ai rien dit.
Mais tout de même!
(Changeant de ton :)
Tout de même... j'étais content!
C'est vrai!
Je l'ai épousée pour le meilleur et pour le pire...
et chaque fois que je la perds pour le pire,
je la retrouve pour le meilleur...!

Dernière heure

Figurez-vous qu'il y a quelques jours,
on sonne à la porte de la maison.
C'était ma belle-mère...
Elle me dit :
— Je sens que ma dernière heure est arrivée,
je voudrais la passer chez vous !
Moi, je me dis :« Une heure, c'est vite passé... »
Je lui dis :
— Entrez, belle-maman !
Pauvre belle-maman !
Je dois dire que j'aurai passé une partie de ma vie
à la semer !
Je l'ai semée partout !
Je l'ai semée sur un quai de gare...
dans la foule...
Je l'ai même semée dans un champ !
(Sans jeu de mots !)
Alors, en l'accueillant...
je ne faisais que récolter ce que j'avais semé !
Bref !

Je lui dis :

— Entrez, belle-maman! Installez-vous!

Une heure se passe.

Rien!

Je lui dis (montrant sa montre) :

— Belle-maman, l'heure tourne!

Elle me dit :

— Vous êtes pressé?

Je lui dis :

— Moi, non! Mais vous...

Vous allez vous mettre en retard!

— Oh, elle me dit, je ne suis pas à une seconde près!

Elle chausse ses lunettes et elle se met

à lire les nouvelles de dernière heure!

Alors là, je lui ai dit :

— Belle-maman, ce n'est pas très honnête, ce que vous

faites! Quand on a convenu d'une heure, on s'y tient!

C'est vrai!

D'autant que je croyais que sa dernière heure,

elle ferait soixante minutes,

une durée normale, quoi!

Tandis que là, elle n'en finissait plus,

sa dernière heure!

D'autant qu'elle me dit :

— Qu'est-ce qu'on joue ce soir à la télé?

Je lui dis :

— *Les cinq dernières minutes*, belle-maman!

Elle me dit :

— Oh, c'est plus qu'il ne m'en faut!

Et elle s'installe devant le poste.

181

Quand elle a vu que c'était l'histoire
d'un monsieur qui essayait de semer
sa belle-mère, elle me dit :
— J'ai déjà vu le film. D'ailleurs, il est temps
de passer de l'autre côté !
Je lui dis :
— Voilà une sage résolution, belle-maman !
Faites ! Passez donc !
Et elle est passée dans la chambre d'à côté !
Depuis, on est là...
On ne sait plus sur quel pied danser !
De temps en temps, on allume des bougies
pour créer l'atmosphère...
pour l'inciter au recueillement !
Dans ces moments-là, vous vous surprenez
à marmonner des phrases ambiguës :
— Tiens ? Il y en a une qui ne va pas tarder
à s'éteindre ! Forcément ! Cela fait
plus d'une heure qu'elle se consume !
Alors, les heures passent !
Onze heures !
— Vous prendrez bien un bouillon, belle-maman ?
Non ?... Ah !?...
Une heure plus tard :
— Et un bain de minuit, bien glac... Non ?
— Non, mais je fumerais bien une cigarette,
la dernière !
— Ah !! Va chercher le paquet !
Et tout le paquet y est passé !
De plus, elle ironise :
— Oh, je ne sais plus où mettre mes cendres.

Forcément, le cendrier est plein!
Je n'ose pas le vider!
On va encore dire
que j'essaie de semer
ma belle-mère!

Je me suis fait
tout seul

Mesdames et messieurs,
je dois vous dire tout d'abord
que je me suis fait tout seul
et...
que je me suis raté.
Je me suis raté, quoi!
J'ai d'autant plus de mérite à l'avouer
que ça ne se voit pas tellement!
Encore que personne ne m'ait jamais dit :
— Vous vous êtes réussi!
En réalité,
je me suis fait plus moche que je ne suis!
Tout au début,
tandis que je me faisais,
je voyais bien que je ne me faisais pas bien.
Mais comme à chaque fois que je disais que
je me faisais mal,
les gens disaient : « C'est bien fait! »
j'ai continué à me faire mal
en croyant bien faire.

Et puis,
quand j'ai vu la tournure que je prenais,
j'ai tout arrêté.

Et je me suis laissé dans l'état où vous me voyez !
Alors, on a dit : « Non seulement, il est raté,
mais en plus, il n'est pas fini ! »
Eh bien, j'aime mieux cela !
J'aime mieux ne pas être fini !
Un homme fini,
il est fini !
On a beau me dire : « Il est réussi ! »
Je réponds : « Oui ! Mais il est fini ! »
Au fond, je préfère être inachevé,
comme une symphonie !
Il y a de belles symphonies inachevées.
Encore que personne ne m'ait jamais dit :
« Vous êtes une belle symphonie inachevée ! »
L'avantage, quand on s'est raté,
c'est qu'ensuite, on peut tout rater impunément,
personne ne vous en fait grief !
On se sent sûr de soi, on est serein !
Exemple :
A l'école, le jour de l'examen,
tous mes petits camarades avaient peur
de ne pas réussir !
Moi, je n'avais pas peur !
Ils se présentaient, tout tremblants, à l'examen.
Moi, j'étais confiant !
J'étais sûr de rater !
Et ça ne ratait pas !
L'examen, je le ratais haut la main !
J'ai toujours réussi à rater tous mes examens.

Je ne sais pas comment vous expliquer.

Pour un raté...

rater, c'est estimer avoir réussi là où les autres
considèrent qu'ils ont raté !

Exemple :

Chaque fois que je fais un pas en avant
et que je le rate,
j'ai la sensation de progresser !

Encore que personne ne m'ait jamais dit :
« Sur le plan raté, vous avez fait des progrès ! »

Et pourtant, j'en ai fait !

Je rate mieux qu'avant !

Avant,
je ratais une fois sur deux !

Maintenant,
je rate à tout coup !

Finalement,
il n'y a qu'une chose que je sache bien faire :
c'est rater !

Si bien que,
si c'était à refaire,
s'il fallait que je me refasse,
je me raterais de la même façon !

Parce que, dans le fond,
on ne se refait pas !

Doublé par ses doubles

Une nuit, je suis réveillé en sursaut par des coups
frappés à la porte d'entrée...
J'ouvre.
C'était mon voisin de palier...
Il avait un drap autour du cou.
Il me dit :
— Venez vite! On a volé mes doubles...
Je lui dis :
— Vos doubles?
Je ne comprenais pas...
Il me dit :
— Venez!
Il m'invite à entrer chez lui...
Il ouvre la porte de la penderie...
Il me dit :
— Regardez!
Il y avait des piles de draps bien alignées sur
des rayons...
Je lui dis :
— Que vous a-t-on pris?

Il me dit :
— Mes doubles !
Je lui dis :
— Les doubles de vos draps ?
Il me dit :
— Non ! Mes doubles à moi !
Les doubles de ma personnalité !
Je lui dis :
— Expliquez-vous, parce que...
Il me dit :
— Eh bien, voilà...
Comme tout un chacun, je me dédouble.
C'est-à-dire que... soudain,
je me vois devant moi,
aussi net que si je me contemplais
dans la glace de cette penderie...
Jugez de mon émoi !
Je lui dis :
— Oui ! Votre double aussi doit être ému !
Il me dit :
— Oui ! Puisqu'il est moi ! C'est un double émoi,
en somme.
Je lui dis :
— Et alors ?
Il me dit :
— Alors, je me trouve tellement laid
que je n'ai plus qu'une pensée :
me défaire de ce double affreux...
Le faire disparaître de ma vue !
Je lui jette un drap sur la tête.
Je le plie en deux, puis en quatre,
et je vais l'enfouir au fin fond de ma penderie,

afin que nul ne le voie!
J'avais ainsi séquestré
une demi-douzaine de mes doubles...
lorsque, cette nuit... je suis réveillé en sursaut
par des coups frappés à la porte de ma penderie...
J'ouvre.
Mes doubles avaient disparu!
Je lui dis :
— Vous manque-t-il des draps?
Il me dit :
— Oui! Autant que de doubles!
Je lui dis :
— C'est simple! Vos doubles se sont fait la paire
avec vos draps!
J'ai cru qu'il allait s'évanouir.
Je lui dis :
— Reprenez vos esprits! Après tout,
ce n'était que des doubles!
Il vous reste l'original, Dieu merci!
Vous pouvez toujours vous refaire...
et en plusieurs exemplaires!
Il me dit :
— Oh! A mon âge, monsieur, on ne se refait pas!
D'ailleurs, a-t-il ajouté,
si c'est pour se refaire aussi laid...
mieux vaudrait s'abstenir!
Je lui dis :
— Je ne voudrais pas vous faire de peine, monsieur,
mais vos doubles...
ils n'étaient pas plus laids que vous!
Regardez-vous, mon vieux!
Ça a eu le don de le mettre hors de lui!

Il m'a regardé...

Je l'ai entendu murmurer :

— Il faut que je me défasse de ce double affreux!

Il m'a jeté le drap qu'il avait autour du cou sur la tête.

Il m'a plié en deux et je me suis retrouvé plié en quatre
au fond de sa penderie! Entre deux draps!

Et qu'est-ce que je découvre?

Que la penderie avait un double fond et que tous les
doubles de ses draps étaient au fond!

Alors, j'ai voulu en aviser mon voisin.

J'ai frappé contre la porte de la penderie,
et c'est précisément le bruit que faisaient les coups
qui m'a réveillé...

J'étais bien entre deux draps, mais dans mon lit!

Alors, me direz-vous, toute cette histoire de doubles
n'était qu'un mauvais rêve?

Non! Parce qu'en réalité, quelqu'un frappait
à la porte d'entrée à coups redoublés.

Je vais ouvrir.

C'était mon voisin de palier.

Il avait un drap autour du cou...

Il me dit :

— Venez vite! On a volé mes doubles!

Je lui dis :

— Vos doubles?

Je ne comprenais pas.

Il me dit :

— Venez!

Il m'invite à entrer chez lui.

Il ouvre la porte de la penderie...

Il me dit :

— Regardez!

190

Il y avait des piles de draps bien alignées
sur des rayons...
La suite, vous la connaissez...
C'est exactement le double de l'histoire
que je viens de vous raconter !
Les gens ne se lassent pas de cette histoire.
Je peux la raconter une demi-douzaine de fois...
Les gens :
— Encore ! Encore !
Il n'y a que lorsqu'ils crient « encore ? »
que je la modifie.
Le début reste identique :
Une nuit, je suis réveillé en sursaut par des coups
frappés à la porte d'entrée.
J'ouvre...
C'était mon voisin de palier.
Il avait un drap autour du cou...
Il me dit :
— Venez vite ! On a volé mes doubles !
Je lui dis :
— Je le sais !
Il me dit :
— Ah ?
(Il était un peu décontenancé. Il s'est repris très vite.)
Oui, mais ce que vous ne savez pas,
c'est que je les ai retrouvés !
— Ah ?
Il me dit .
— Venez !
Il m'invite à entrer chez lui
et au lieu d'ouvrir la porte de la penderie,
il ouvre la fenêtre.

Il me dit :
— Regardez!
Je me penche, et je vois... noués les uns aux autres,
six draps... blancs comme des linges...
qui se balançaient dans la clarté lunaire!
Je dis à mon voisin :
— Que s'est-il passé?
Il me dit :
— Je voulais me pendre...
et j'ai été doublé par mes doubles!

Le vent de la révolte

Quelquefois on me dit :
— Monsieur, est-ce que les histoires que vous racontez
ne vous empêchent pas de dormir?
Je dis :
— Si, mais comme ce sont des histoires à dormir debout,
je récupère!
Un soir, j'étais couché...
Ma femme avait ouvert la radio pour écouter
les nouvelles et j'entends :
Il est minuit.
Tout est tranquille.
Dormez braves gens!
Rassuré, je me suis endormi.
Et j'ai fait un rêve...
J'ai rêvé que le vent de la révolte s'était levé,
que la Révolution était en marche
et que j'en avais pris la tête
dans un moment d'étourderie.
Je défilais... tout seul...
dans les rues désertes...

en brandissant au bout d'une pique
une tête de ci-devant...
La tête de qui?
Alors là, chacun y met la sienne.
Chacun est libre de brandir la tête
qui ne lui revient pas!
Moi, j'avais pris une liste de têtes...
et celle qui était en tête,
je l'avais rayée de la liste.
J'avais tranché arbitrairement!
Je brandissais celle-là...
J'aurais préféré en brandir une autre!
Parce que mon ci-devant n'avait pas tout à fait
la tête de l'emploi; il était hilare!
Si bien que chaque fois que je le secouais,
il donnait l'impression de rire à gorge déployée...
Bref! je défilais...
Au début, je chantais...
Ah, ça ira! Ça ira! Ça ira!
Et puis, le doute venant,
j'ai chanté :
Est-ce que ça ira? Est-ce que ça ira?
et puis à la fin, tout à fait convaincu,
j'ai dit : Ça n'ira pas!
Une intuition!
De temps en temps...
je me retournais pour voir si je n'étais pas suivi,
parce que la radio avait beau annoncer :
Il est minuit.
Tout est tranquille.
Dormez braves gens!,
un soir de révolution, les rues ne sont pas sûres :

ce sont de véritables coupe-gorges!
Et tout à coup, j'entends :
— Hep, vous deux!
C'était un gendarme à pied...
Il me dit :
— Qu'est-ce que vous faites là?
J'ai dit :
— La Révolution!
Il me dit :
— Et lui, là-haut?
Je lui dis :
— Il m'épaule!... enfin... je le soutiens!
Il me dit (me faisant signe de m'approcher) :
— Je peux parler devant lui?
Je lui dis :
— Alors là... j'en réponds!
Il me dit :
— Voilà! Je suis des vôtres... Je suis un gendarme à pied réfractaire. J'ai bien une pique mais je n'ai pas de tête. Depuis que l'on a supprimé la peine capitale, dès qu'il y a une tête de libre, on se l'arrache!
Vous ne savez pas où je pourrais trouver une tête comme la vôtre... enfin... comme celle de votre ci-dessus ci-devant?
Je lui dis :
— A cette heure-ci, tous les guichets sont fermés.
C'est pour emporter?
Il me dit :
— Non, c'est pour brandir tout de suite!
Je lui dis :
— Écoutez, moi, à votre place, je me rendrais à la préfec-

ture de Police, je réveillerais le préfet et je lui dirais que pendant qu'il dormait, le vent de la révolte s'est levé, que la Révolution est en marche et que c'est un gendarme à pied qui en a pris la tête dans un moment d'indiscipline ! Croyez-moi, en haut lieu, il y a des têtes qui vont tomber. Il n'y aura qu'à se baisser pour les brandir !

Il me dit :

— Génial ! J'y cours...

Je lui dis :

— Attention, hein, pas de bavures !

Il me dit :

— Non, tout dans la légitime défense !

Et il est parti en brandissant le V de la victoire !

Et la radio, inlassablement :

Il est minuit.

Tout est tranquille.

Dormez braves gens !

Tout à coup, j'entends comme un bruit de grelots,

et je vois venir vers moi une espèce de fou,

qui marchait à reculons et en diagonale.

Il brandissait au bout d'une épée

une tête de ci-devant qui regardait derrière !

Au moment où nos deux cortèges arrivaient

à la même hauteur, il me dit :

— Dommage que nous ne soyons pas plus nombreux

à brandir des têtes, la révolution aurait plus de gueule !

Je lui dis :

— C'est la tête de qui... que vous brandissez ?

Il me dit :

— De Damoclès !

Je lui dis :

— Damoclès ? Celui qui avait toujours une épée suspendue au-dessus de sa tête ?

Il me dit :

— Oui, il en avait assez de sentir toujours cette menace planer au-dessus de lui. Alors moi, j'ai pris son épée... je lui ai coupé la tête... Eh bien, monsieur, depuis que Damoclès a son épée sous sa tête, il se porte mieux! Hein, Damoclès?

Et Damoclès de répondre :

— Oui! Mais il n'y a plus de suspense...!

Je dis :

— C'est lui qui vient de dire ça?

Il me dit :

— Oui, monsieur! On a beau trancher la tête des gens, on ne leur coupera jamais la parole!

Et il est parti en brandissant le V de la victoire.

Et la radio, inlassablement :

Il est minuit...

Toutes les demi-heures, dites-donc!

Il est minuit.

Tout est tranquille.

Dormez braves gens!

J'ai dit :

— Il est toujours minuit, alors!

J'ai pensé :

« Minuit... Ça doit être l'heure H...

L'heure H pour couper les têtes!

Comme pour le débarquement, la nuit promet d'être le jour le plus long! »

Là, j'ai eu une pensée pour ma femme.

Elle doit se dire :

« Qu'est-ce qu'il est encore allé brandir ailleurs? »

Je me suis mis à évoquer le bon vieux temps...

(Chanté :)
Douce France...
Cher pays de mon enfance... bercé de...
Et puis, j'ai entendu un bruit de bottes.
(Chanté :)
Nous en avons plein l' dos, plein l'sac,
Plein l' fond des godillots,
Plein l'fond des gamelles et des bidons! *(bis)*
Je me retourne et je vois...
une bande de va-nu-pieds qui brandissaient
au bout de leurs piques des godillots,
des gamelles et des bidons!
Ils réclamaient des têtes!
Ils n'avaient pas les moyens de se payer la tête
de quelqu'un, les pauvres!
Je dis à l'un d'entre eux qui brandissait déjà
le V de la victoire :
— Qu'est-ce qu'il se passe?
Il me dit :
— Comment, vous ne savez pas?
Le gouvernement vient de nationaliser la Révolution!
Je lui dis :
— Quoi? la Révolution est aux mains des forces de
l'ordre? C'est contraire à la Constitution! Il faut faire
quelque chose!
Il me dit :
— Vous, monsieur, qui avez une tête de plus que nous...
Voulez-vous être notre porte-parole?
J'ai dit :
— Volontiers!
Citoyens, citoyennes...
Et vous godillots, gamelles et bidons...
et j'ai fait mon autocritique :

198

— Méfiez-vous des porte-parole!... Ils disent tout haut ce que les autres pensent tout bas!
Tous :
— Il a raison! Il parle comme un chef! Il manie la carotte et le bâton de main de maître. Suivons-le aveuglément!
Ils ont accroché des carottes au bout de leurs bâtons et ils m'ont emboîté le pas :
(Chanté :)
Nous en avons plein l' dos... etc.
Vous savez que lorsque vous avez
toute l'opinion publique derrière vous
qui vous pousse à agir... qui vous talonne...
avec toutes ces carottes qui s'agitent devant vous...
et leurs fans derrière... vous avez beau dire
à ceux qui vous suivent :
— Eh! Oh! Faut pas pousser!
on est très vite dépassé par les événements!
A un moment, je ne pouvais plus suivre...
J'ai voulu crier :
— Ralliez-vous à mon panache blanc!
La langue m'a fourché... j'ai crié :
— Ralliez-vous à ma carotte rouge!
Stupeur dans les rangs!
Il y en avait qui avaient entendu :
« Ralliez-vous à ma calotte rouge! »
Alors :
— A bas la calotte!
Il y en a même un qui avait entendu :
« A bas la culotte! »
Un des Sans... (indécent)
... un des Sans-Culottes!
Il s'est mis à chanter... (*Le zizi* de Pierre Perret) ;

199

Tout! Tout! Tout! Vous saurez tout sur le zizi,
Le vrai, le faux, le laid, le beau...
Je lui dis :
— Le zizi, vous ne croyez pas que cela fait un peu léger
pour une révolution?
Il me dit :
— Mais monsieur, il faut penser aussi à la révolution
culturelle!
Et puis, il y a un chanteur,
qui s'était engagé pour la circonstance,
qui s'est mis à chanter :
La République nous appelle...
Sachons vaincre ou sachons périr...
Un Français doit vi-i-vre pour elle...
Pour elle, un Français doit mourir!
Là, je suis intervenu.
J'ai dit :
— Écoutez! Puisqu'il y a UN Français qui doit mourir
pour elle, nous sommes beaucoup trop...
Il n'y a qu'à en désigner un...
et les autres pourront rentrer chez eux!
Tous :
— Il a raison!
J'ai dit...
— Qui se dévoue?
Tous :
— Vous!
J'ai dit :
— Pourquoi moi?
Ils m'ont dit :
— Parce que nous sommes tous des révolutionnaires
clandestins... Nous défilons au noir !

J'ai dit :

— Puisque je suis le seul révolutionnaire en situation
régulière... je fais don de ma personne!

Tous :

— Bravo! A mort notre bienfaiteur!

Ils m'ont hissé sur leurs épaules et m'ont porté
en héros jusqu'à la place de la République...
en chantant :

Dansons la carmagnole... Vive le son... Vive le son!

J'étais tellement ballotté, tiraillé à droite et
à gauche... à un moment, j'ai craqué...

J'ai crié :

— Arrêtez!... Arrêtez!...

J'ai dit la parole du poète :

— Ne me secouez pas... Je suis plein de larmes!

Là, il y a eu un moment d'intense émotion...

Les gens ont sorti leur mouchoir...

Ils se sont mis à pleurer... sauf mon ci-devant, lui...
(Masque hilare... secoué de rires.)

Chacun y est allé de sa larme...

Quelqu'un m'a dit :

— Monsieur, voulez-vous être notre porte-larmes?

J'ai dit :

— Volontiers!

Tantôt j'étais le porte-larmes à droite...
tantôt... le porte-larmes à gauche!

Et soudain, la place de la République
s'est illuminée violemment!

J'étais comme auréolé de lumière...

J'ai cru que c'était l'état de grâce... Pas du tout!

C'étaient les projecteurs de la télévision
qui s'étaient braqués sur moi...

Le présentateur se précipite en brandissant
au bout d'une perche un micro :
— Monsieur, pour *Les dossiers de l'écran,*
voulez-vous nous conter la Révolution ?
J'ai dit :
— Quoi, depuis le début ?
Il m'a dit :
— Non, le refrain seulement !
J'ai dit :
— Alors, ça ira !
Et puis, coup de théâtre !
Quelqu'un a crié :
— 22, les v'là !
Le temps que je réalise qui c'était que « 22, les v'là »,
il n'y avait plus personne sur la place !
Qu'un petit gosse qui brandissait au bout d'un fil
un ballon rouge...
On s'est trouvé bêtes, tous les deux !
Quand il a vu mon ci-devant,
il m'a dit une chose terrible :
— Dis-donc, ton ballon là, il est crevé ? !
A ce moment-là, un car de police est arrivé, tous feux
éteints... Il a déversé 22 têtes sur la chaussée...
J'ai crié au gendarme à pied qui conduisait :
— Qu'est-ce qu'il se passe ?
Il m'a dit :
— Comment, vous ne savez pas ? Le gouvernement a fait
volte-face. Il vient de privatiser la Révolution !
Je lui dis :
— Et alors ?
Il me dit :
— Alors on change les têtes !
Et le car de police est parti

suivi du gosse qui chantait :

C'est Guignol, c'est Guignol, qui tape

sur les gendarmes avec son compagnon Gnafron!

C'est alors que la place de la République a été envahie

par une bande de joyeux drilles passablement éméchés.

Ils ont ramassé les têtes et ils les ont brandies

au-dessus d'eux comme des lampions... en chantant :

Ah, ça rira! Ça rira! Ça rira!

J'étais outré!

J'ai crié :

— Écoutez, tournez la Révolution en ridicule, si cela vous

chante, mais respectez au moins le matériel!

Et puis... — vous savez ce que c'est — comme ils levaient

leurs têtes à la santé de la mienne, j'ai brandi la mienne

et j'ai trinqué à la leur :

(Chanté :)

A la tienne, Étienne!

A la tienne, mon vieux!

Dans l'euphorie générale, je me suis même surpris

en train de brandir le poing en criant :

— On a gagné! On a gagné!

Et je me suis aperçu qu'en serrant le poing,

j'avais enfermé à l'intérieur le V de la victoire!

Là, mesdames et messieurs, j'ai compris

que l'on s'était tous fait piéger...

tous fait piéger à un moment ou à un autre...

Les ci-devant... Les ci-derrière...

les ci-à gauche, les ci-à droite...

Les ci-au centre!

J'ai compris que le vent de la défaite s'était levé,

que la retraite était en marche

Le vent de la révolte

et que j'en avais pris la tête
dans un moment de lâcheté!
Lors... je n'ai plus eu qu'une pensée :
sauver nos têtes!
La mienne, d'abord!
Et puis celle de mon ci-devant ensuite, qui avait
tout de même fait toute la Révolution la tête haute!
J'ai décroché ma tête...
je l'ai enveloppée dans un drap...
et je l'ai glissée sous mon bras, en me disant .
« Cela me fera toujours une tête d'avance
pour une révolution future! »
Et comme je m'apprêtais à rentrer me coucher,
j'entends :
— Ma tête!... Ma tête... J'étouffe...!
Je regarde sous mon bras.
Il y avait bien une tête mais
ce n'était plus celle de mon ci-devant,
c'était celle de
ma femme... qui me dit :
— Que tu dormes ma tête sous ton bras, c'est plutôt
sympathique! Mais je t'en supplie, ne serre pas
si fort!
Là, j'ai compris que je n'avais fait que rêver
que le vent de la révolte s'était levé,
que la Révolution était en marche
et que j'en avais pris la tête
dans un moment d'étourderie!
Alors, je ne sais quelle mouche m'a piqué...
Je suis allé ouvrir la fenêtre et... j'ai crié :
« Il est minuit.

Tout est tranquille.
Dormez braves gens! »
Ah, dis donc!
J'ai failli révolutionner tout le quartier!

La vie, je me la dois

Vous ai-je dit que
je m'étais sauvé la vie?
Je me suis sauvé la vie!
Tout seul!
Évidemment, j'aurais préféré
que ce fût quelqu'un d'autre
qui me la sauvât, la vie!
Mais comme personne ne passait par là,
j'ai bien été obligé
de me la sauver moi-même...
la vie!
Figurez-vous qu'en
descendant des marches,
j'en ai raté une!
Je me suis retrouvé au pied de l'escalier
avec une jambe cassée.
Et personne pour me porter secours!
Allais-je me laisser pour mort?
J'en connais des...
qui ne se seraient pas arrêtés.

Ils se seraient enjambés et
ils auraient poursuivi leur chemin !
Ils seraient passés sans se voir.
Il y a des gens à l'intérieur de qui
il n'y en a pas un pour relever l'autre !
Moi, quand je me suis vu dans cet état,
ça m'a fait mal !
J'étais bouleversé !
Je me suis dit :
« Ne bouge pas, mon petit père !
Je vais te tirer de là ! »
J'ai pris ma jambe à mon cou
et je me suis sauvé (sur l'autre) !
Enfin... c'est une image.
Si bien que la vie, je me la dois !
L'avantage de se devoir la vie,
c'est qu'on ne la doit pas à quelqu'un d'autre !
Au prix où est la vie,
c'est toujours ça !
Depuis, je considère que j'ai
une dette envers moi-même.
Je peux me demander n'importe quoi.
Je ne peux rien me refuser !
Oh, je n'ai aucun mérite !
Ce que j'ai fait pour moi,
n'importe qui l'aurait fait
pour lui !

Narcissisme

Vous savez ce que c'est le narcissisme?...
C'est se plaire, SE plaire!
Narcisse s'était épris de lui-même
en se contemplant dans l'eau d'une fontaine.
Et moi, j'étais chez ma marchande de chaussures...
en train d'essayer une paire de vernis...
Et en me penchant pour juger de l'effet,
je me suis vu dans ma chaussure
comme si j'y étais!
Elle réfléchissait mon image!
Comme de plus, la surface d'une chaussure
est courbe... convexe...
elle faisait miroir déformant!
Si bien que... selon que je m'approchais ou m'éloignais,
mon visage changeait de pointure...
(Selon que son visage s'approche ou s'éloigne
de sa chaussure, ses joues se creusent
ou se gonflent.)
Alors, fatalement, à un moment...
(il se fige à mi-chemin)

j'étais beau!
Alors là, je n'ai plus bougé!
Je suis resté là à me mirer dans ma chaussure.
Et plus je me mirais,
plus je m'admirais!
Je trouvais que j'avais de beaux yeux.
J'ai dit à la vendeuse :
— Je crois que j'ai trouvé chaussure à mon pied.
Elle m'a dit :
— Vous avez de la chance!
Je lui dis :
— Oui, je suis verni!
J'ai payé et, sans même daigner jeter un regard
sur la vendeuse, je me suis retrouvé dans la rue,
comme ça (il le mime) à marcher tête baissée...
Je ne pouvais plus me quitter des yeux!
Alors les gens qui me connaissaient :
— Comment ça va?
— Ça va!
— Salut toi!
— Salut!
Les badauds :
— Qu'est-ce que vous regardez?
— Ça me regarde!
Les gens croyaient que je faisais du nombrilisme
parce que c'est sur le trajet...
C'était bien du narcissisme...
et de la plus belle eau!
Alors, les gens qui m'aimaient bien
essayaient de me distraire :
— Regarde là-haut! Il y a un ange qui passe!

(Rappel d'« Un ange passe ».)
Je répondais :
— Je sais ! Je le vois passer dans ma chaussure !
Les psychiatres se sont penchés sur mon cas.
Ils sont venus regarder dans ma chaussure
pour voir s'ils m'y voyaient.
Comme ils s'y voyaient aussi,
ils s'y miraient !
Et plus ils s'y miraient...
plus ils s'admiraient.
Ils finissaient par ne plus voir qu'eux-mêmes !
Alors, ils disaient :
— Il y a un tas de gens dans les chaussures
de Devos, sauf lui !
Et un jour...
quelqu'un m'a marché sur le pied.
Le lendemain, j'avais une tête comme ça !
(Geste à l'appui.)
Un menton en galoche !
Je marchais à côté de mes pompes.
Là, j'ai dit :
— Ça suffit ! Terminé !
Je suis retourné voir la vendeuse, je lui ai dit :
— Mademoiselle, donnez-moi une autre paire de vernis,
mais MATE !
Elle a chaussé ses lunettes...
elle s'est penchée...
et elle est restée là
à se mirer
dans ma chaussure.
Et plus elle se mirait,
plus je l'admirais !

Elle avait quelque chose d'un ange!
Depuis, on ne se quitte plus d'une semelle...
Mesdames et messieurs...
si vous m'entendez dire,
en regardant ma chaussure :
— Tu as de beaux yeux... tu sais?
ce n'est plus du narcissisme!
C'est de l'amour...

Mourir pour vous

Mesdames et messieurs,
je n'ai jamais osé vous le dire, par pudeur,
mais c'est fou ce que je vous aime!
Je n'ai vécu que pour vous,
et je suis prêt à mourir pour vous,
là, tout de suite... sur scène...
si vous le souhaitez!
... Je vous savais gens intelligents!
Oui, je voudrais mourir sur scène, comme Molière!
Même pas dans un fauteuil.
Un strapontin suffirait à ma gloire!
(Au pianiste :)
Savez-vous une chose...
si je mourais là, tout de suite,
devant ces messieurs-dames,
je ne suis pas sûr que dans la salle,
il n'y aurait pas quelqu'un qui crierait :
« Remboursez! »
(Au public, l'air sévère :)
Alors là, mesdames et messieurs,

mettons-nous bien d'accord!
Qu'il n'y ait personne pour suivre
mon enterrement comme pour Molière,
je veux bien!
Qu'il n'y ait pas d'oraison funèbre,
comme pour Molière,
je veux bien!
Mais rembourser?
...JAMAIS!
D'ailleurs, vous savez fort bien,
mesdames et messieurs,
qu'avec la conscience professionnelle qui me caractérise,
s'il fallait que je meure devant vous,
ce serait à la toute fin du spectacle,
avant que le rideau ne tombe,
dans la tradition moliéresque!

Le parapsychologue
et l'artiste

Hier soir, en sortant par l'entrée des artistes...
il y a un monsieur qui m'attendait...
Il était professeur en parapsychologie...
Un front comme ça! Énorme!
Professeur en parapsychologie...
Avec deux yeux au-dessus du front!
Ça a l'air monstrueux, comme ça...
Pas pour un professeur en parapsychologie!
Alors, on croyait qu'il avait les cheveux dans les yeux
alors qu'il avait les yeux dans les cheveux!
Il me dit :
— Monsieur, je viens d'assister à votre spectacle...
Vous passez à travers les murs, certes...
mais c'est dans l'imaginaire!
Alors que moi, monsieur, moi et mes élèves,
nous passons à travers les murs dans le réel
et plusieurs fois par jour!
Je lui dis :
— Monsieur, mes compliments!
Peut-on savoir comment vous vous y prenez pour

passer à travers un mur ?

Il m'a dit :

— Volontiers !

Je me présente devant le mur que je me propose
de traverser...

Je passe à travers mes vêtements... Vlouff !

Et dans la foulée, je traverse le mur !

Je lui dis :

— Mais alors, monsieur, de l'autre côté du mur...
vous êtes tout nu ?

Il me dit :

— Oui, monsieur !

Je lui dis :

— Ça ne vous gêne pas... aux entournures ?

Il me dit :

— Non ! Parce qu'il ne vient jamais personne !...
Sauf, de temps en temps... un ange qui passe !

Je lui dis :

— Monsieur, vous ne doutez de rien ?

Il me dit :

— Si, monsieur ! Et quand je doute, je plane...

Je lui dis :

— Mais alors... lorsque je vois planer un doute... ?

Il me dit :

— C'est moi !

Là, j'ai senti le sol se dérober sous moi...

J'ai éprouvé le besoin de m'appuyer sur quelque chose
de tangible...

Il y avait le mur du théâtre qui était là...

Je me suis appuyé contre le mur...

et vlouff... je suis passé au travers !

Le professeur en parapsychologie a voulu me suivre.
Il s'est tapé le front contre le mur...
Et ploff!
Non mais, qui c'est l'artiste?!

DEUXIÈME PÉRIODE
(1969-1976)

Lettre anonyme

Monsieur, ou Madame, ou qui que vous soyez,

J'ai longtemps hésité avant de vous écrire cette lettre. Né de père inconnu et de mère incertaine... trouvé dans un terrain vague, je, non-soussigné, fus élevé par **un** bienfaiteur anonyme. Je grandis clandestinement **dans** un lieu imprécis.

Après avoir fait des études par correspondance dans une solitude complète... je regagnai sans papiers et sans bagages, par une route qui n'est plus sur la carte, un endroit que je ne peux révéler...

Là, j'écrivis plusieurs lettres anonymes à des correspondants lointains...

Sur le point d'être découvert... je m'enfuis dans le désert... d'où je vous écris...

Peut-être souhaiteriez-vous savoir pourquoi je me confie ainsi à vous dont j'ignore l'identité ? C'est dans un moment de dépression... tout simplement !

N'y voyez pas d'autres raisons ! Ne cherchez pas à savoir qui je suis... mon nom ne vous dirait rien.

Et je signe d'une main incertaine :

LE SUSNOMMÉ!

P.S. : Je mets immédiatement cette lettre non datée dans une bouteille dont vous remarquerez que j'ai soigneusement gratté l'étiquette. J'irai ensuite la jeter à la mer qui doit se trouver approximativement et à vol d'oiseau quelque part au-delà de cette vaste étendue de sables mouvants! Mais comme je m'y rends à pied en évitant soigneusement les pistes, je ne sais quand ni où cette missive vous atteindra.

Sens dessus dessous

Actuellement,
mon immeuble est sens dessus dessous.
Tous les locataires du dessous
voudraient habiter au-dessus!
Tout cela parce que le locataire
qui est au-dessus
est allé raconter par en dessous
que l'air que l'on respirait à l'étage au-dessus
était meilleur que celui que l'on respirait à l'étage
en dessous!
Alors, le locataire qui est en dessous
a tendance à envier celui qui est au-dessus
et à mépriser celui qui est en dessous.
Moi, je suis au-dessus de ça!
Si je méprise celui qui est en dessous,
ce n'est pas parce qu'il est en dessous,
c'est parce qu'il convoite l'appartement
qui est au-dessus, le mien!
Remarquez... moi, je lui céderais bien
mon appartement à celui du dessous,

à condition d'obtenir celui du dessus!
Mais je ne compte pas trop dessus.
D'abord, parce que je n'ai pas de sous!
Ensuite, au-dessus de celui qui est au-dessus,
il n'y a plus d'appartement!
Alors, le locataire du dessous
qui monterait au-dessus
obligerait celui du dessus
à redescendre en dessous.
Or, je sais que celui du dessus n'y tient pas!
D'autant que, comme la femme du dessous
est tombée amoureuse de celui du dessus,
celui du dessus n'a aucun intérêt à ce que
le mari de la femme du dessous
monte au-dessus!
Alors, là-dessus...
quelqu'un est-il allé raconter à celui du dessous
qu'il avait vu sa femme bras dessus,
bras dessous avec celui du dessus?
Toujours est-il que celui du dessous
l'a su!
Et un jour que la femme du dessous
était allée rejoindre celui du dessus,
comme elle retirait ses dessous...
et lui, ses dessus...
soi-disant parce qu'il avait trop chaud en dessous...
Je l'ai su... parce que d'en dessous,
on entend tout ce qui se passe au-dessus...
Bref! Celui du dessous leur est tombé dessus!
Comme ils étaient tous les deux soûls,
ils se sont tapés dessus!
Finalement, c'est celui du dessous
qui a eu le dessus!

Les pieds dans le plat
ou le nain et le géant

J'ai tendance à mettre ce qu'on appelle les pieds dans le plat :

Récemment, j'étais au cirque et, à l'entracte, je vais féliciter les nains et le géant.

Je me dis : « Il faut que je fasse attention à ne pas faire allusion à leur taille. »

Je rentre dans la loge des nains.

Je dis :

— Salut, les enfants !... Enfin, quand je dis « les enfants », je veux dire que... nous sommes tous restés des enfants.... de grands enfants ! Hein, mon petit père ?

Enfin, quand je dis « mon petit père », je pourrais aussi bien dire « mon grand-père » ou... « mon père tout court »... Enfin... quand je dis « tout court », je veux dire... Bref... Enfin, bref !

Voyant que je ne m'en sortais pas, je dis pour faire diversion :

— C'est à vous, ce grand fils ?... Ah ! il a vingt ans ?

Eh bien, dites donc, il est déjà petit pour son âge !...

Enfin, il est petit... Le Français est petit... Nous sommes tous de petits Français !

Je me baisse pour être à la même hauteur :

— ... Tous égaux !...

Et je sors à reculons :

— Bonjour à votre moitié !

Je me retourne et je vois... deux grands pieds, deux pieds immenses.

Je me dis : « C'est le géant ! Évitons la gaffe ! »

Je me redresse et je dis :

— Salut Berthe !... Enfin, quand je dis « Berthe », je veux dire... que nous sommes tous... des « Berthe »... enfin, que nous vivons tous sur un grand pied, un pied d'égalité ! Nous sommes tous de grands Français, quoi !... Tous égaux !

Comme le nain sortait de sa loge, je lui dis :

— A propos, je vous félicite pour la première partie...

Il me dit :

— Oui, mais je ne sais pas si je pourrai faire la deuxième...

Je lui dis :

— Qu'à cela ne tienne... Monsieur va vous doubler !

Et je désigne le géant.

Là, je dis ·

— Bon ! J'en ai assez dit !

Et, comme je m'éloignais, je les entendais qui faisaient des réflexions sur mon compte.

— Il n'est pas normal, ce gars-là, dit le nain.

Et le géant lui a répondu :

— C'est ce qu'on appelle un Français moyen !

224

Le possédé du percepteur

Je ne sais pas si vous croyez à la sorcellerie
Moi, je ne voulais pas y croire
jusqu'au jour où je me suis aperçu
que j'étais possédé du percepteur.
Oui! Possédé!
Envoûté par mon percepteur!
Depuis quelque temps, déjà,
je le voyais qui rôdait
autour de ma maison.
Il allait et venait...
Il semblait dessiner tout en marchant des figures
géométriques.
En fait, il prenait des mesures fiscales!
Et puis il disparaissait,
et puis il revenait.
J'avais observé aussi
que chaque fois qu'il revenait,
je payais un nouvel impôt sur le revenu!
C'est d'ailleurs en faisant mes comptes
que je me suis rendu compte

qu'il revenait souvent!
Et un soir, en rentrant chez moi,
je découvre une feuille d'impôt
clouée sur ma porte.
C'était un premier avertissement!
Je dois dire que je ne l'ai pas pris au sérieux.
Je me suis simplement un peu étonné.
J'ai dit :
— Tiens? Au lieu de glisser la feuille
sous la porte, ils la clouent?
Méthode moderne! Bon!
Quelque temps plus tard,
en faisant le tour du propriétaire,
je découvre,
à chaque angle de ma propriété,
tracées sur le sol,
des lettres cabalistiques.
Il y avait un T,
un V
et un A.
A vol d'oiseau, ça fait T.V.A.
Qui avait pu poser ces marques de terreur,
sinon mon percepteur?
Ce n'était pas sorcier à comprendre!
Non content de me faire payer l'impôt direct,
il essayait encore de me le faire payer indirectement!
Par le truchement de la T.V.A.!
J'étais cerné par la T.V.A.!
Vous connaissez le sens secret et fiscal
de ces trois lettres?
T.V.A.
Si vous prenez les deux premières lettres T.V., cela veut
dire en clair :

— As-tu payé la taxe sur la T.V.?
Les lettres V.A. veulent dire :
— Va! Va payer la taxe sur la T.V.!
Puis T.A. : TA.
Traduire :
— T'as payé la taxe sur la T.V.?... Ah...
Alors VA la payer!
C'est un rappel à l'ordre constant.
Même si vous lisez les lettres à l'envers,
elles vous rappellent encore quelque chose.
A.V. — Avez-vous payé...?
A.T. — Hâtez-vous de payer!...
V.T. — Vêtez-vous et hâtez-vous de payer la taxe sur la
T.V.!
Là, j'ai manqué de sens civique!
J'aurais dû me vêtir et me hâter d'aller
payer la taxe sur la valeur ajoutée.
Au lieu de quoi,
je me suis rendu au siège
de la Sécurité sociale
pour me faire rembourser une somme
importante qui m'était due
depuis fort longtemps.
Naturellement, on m'a répondu
que mon dossier s'était égaré...
Je dois dire que j'en fus presque soulagé.
Enfin, une chose qui se déroulait
normalement, comme prévu!
J'en avais presque oublié mon percepteur...
Lorsque, dans la nuit qui suivit,
je suis réveillé par un
ululement de percepteur.

Je ne sais pas si vous avez déjà
entendu ululer un percepteur
dans la nuit?
C'est sinistre! Inhumain!
Je me précipite à la fenêtre
et je vois sous la lune argentée
— car, dès que la lune est argentée,
mon percepteur rapplique —,
je vois mon percepteur
qui se livrait à un étrange cérémonial.
Il ouvrait les bras,
les fermait,
les rouvrait.
Je me dis : Il doit chercher à voler.
Et, tout à coup,
je distingue dans le reflet de la vitre
quelque chose qui bougeait derrière moi.
Je me retourne et je vois
ma rente Pinay
que j'avais posée sur mon bureau
se plier,
se replier,
et, par un sortilège, se transformer en
une cocotte en papier.
Laquelle cocotte a pris son envol
et, à l'appel du percepteur,
est allée se poser sur son épaule.
Mon percepteur s'en est saisi... l'a dépliée,
l'a repliée
et en a fait un petit avion
qu'il a lancé comme ça, en l'air,
comme on lance un emprunt!

Je me dis :

« C'est un mirage ou quoi ? »

Et le petit avion est venu se reposer

sur mon bureau en se dépliant.

Ah ! dis donc !

Ce n'était plus la même rente !

Il avait changé ma rente Pinay

en rente Giscard !

Ah ! il est diablement fort !

Pour échapper à son emprise,

j'ai tout essayé.

Je suis même allé voir un prêtre.

C'est vous dire

à quel point j'étais désespéré !

Je lui ai dit :

— Mon père, je suis possédé du percepteur.

Pouvez-vous pratiquer l'exorcisme ?

Il m'a dit :

— Mon fils... vous m'auriez parlé du Démon...

J'aurais pu tenter quelque chose...

Mais contre les puissances de l'argent...

Je lui dis :

— Qu'est-ce que je peux faire ?

Il m'a dit :

— Payez !... Payez !... Payez pour nous !

Alors, je paye !

Et plus je paye mon percepteur,

plus il me le fait payer !

Il met ma faiblesse à contribution.

Il me taxe sur ma valeur personnelle.

Il m'impose sa volonté.

Il me tourmente.

Il me traque !
Tout ça parce que
j'ai eu la faiblesse de montrer
des signes extérieurs de richesse,
alors que ma richesse est tout intérieure !

Culture mimique

Il y a des gens qui me disent :
— Comment faites-vous pour garder cette sveltesse ?
Vous devez faire de la culture physique ?
Pas du tout !
Je me contente de me promener dans les rues aux heures de pointe !
C'est un exercice physique fabuleux !
Essayez... vous allez voir !
Marcher dans la foule...
(Exemple de marche déhanchée.)
Tout travaille !
Traverser une rue :
— J'y vais ?
— Je n'y vais pas !
— Je n'ai pas le temps !
Tout travaille !
Regardez ! Tout travaille !
Je le refais au ralenti pour que vous voyiez mieux le travail des muscles.
Si vous voulez travailler les muscles séparément...

Rien que les abdominaux?
(Il sort le ventre.)
— J'y vais?
(Il le rentre.)
— Je n'y vais pas!
(Il le sort.)
— Là, je passe?
(Il le rentre.)
— Je ne passe pas!
Le ventre a déjà fait en pensée trois fois l'aller et retour
alors que les pieds sont toujours sur le trottoir!
A un moment, il faut se décider!
Allez, je traverse!
Hop!
(Il rentre brutalement le ventre en exécutant un petit
saut en arrière.)
Vroom! Un vélomoteur qui vient de passer!
Vous avez vu le mouvement?
Plus de ventre!
Alors, il y a des gens qui me disent :
— Si ça fait tomber le ventre,
d'où vient que le vôtre soit
si proéminent?
Parce qu'il est bien rare si, après
qu'un vélomoteur vous a « vroom » par-devant, il n'y ait
pas une voiture qui vous « vroom » par-derrière!
Comme il y a toujours moins de vélomoteurs
qui vous « vroom » par-devant que de voitures qui vous
« vroom » par-derrière,
c'est le ventre qui domine!

Le pot de grès

Lettre à mon potier.

Monsieur,

Je ne tournerai pas autour du pot.
Le pot de grès
Traité de gré à gré
Avec vous...
Et que je trouvais fort à mon gré
N'agrée pas à mon épouse.
A dire vrai, ce n'est pas le pot
Qui n'agrée pas,
C'est le grès!
Elle n'aime pas le grès!
Vous comprendrez donc
Que bon gré mal gré,
Je ne saurais...
De force ou de gré
Garder ce pot
Contre son gré.

En conséquence,
Malgré que ce grès m'agrée,
je vous saurais gré
D'échanger ce grès
Contre un autre pot
Plus à son gré.

Veuillez agréer, Monsieur, avec mes regrets, etc.

Les choses qui disparaissent

Il y a des choses qui disparaissent
et dont personne ne parle.
Exemple :
Les zouaves !
Nous avions des zouaves, jadis.
Des régiments entiers de zouaves !
Il n'y en a plus un !
Vous pouvez chercher.
Et où sont passés nos zouaves ?
On est en droit de se poser la question.
Qu'on nous dise la vérité !
Où sont passés nos zouaves ?
Ça m'intéresse parce que ma sœur
a été fiancée à un zouave...
Elle lui avait promis sa main.
Plus de nouvelles du zouave !
Alors, la main de ma sœur...
... où la mettre ?
(Au pianiste :)
Ça n'intéresse pas les gens, hein !

Ça ne les intéresse pas !
Je dois dire que la main de ma sœur,
les gens s'en foutent comme de
leur première culotte !
Qui est-ce qui a dit ça ?
Les sans-culottes !
Bravo, monsieur !
Voilà encore une chose qui a disparu,
les sans-culottes !
Et où sont passés nos sans-culottes ?
Qu'on nous dise la vérité !
Où sont passés nos sans-culottes ?
Parce qu'une culotte qui disparaît...
Bon !
Mais cent culottes !...
Qui disparaissent comme ça
dans la nature sans laisser de traces !
C'est douteux.
(Au pianiste :)
Ça n'intéresse pas les gens, hein ?
Vous savez pourquoi ça n'intéresse pas les gens ?
Parce que ce ne sont pas des événements.
Ce sont des anecdotes !
Première anecdote :
La main de ma sœur.
Deuxième anecdote :
Une culotte.
Troisième anecdote :
Un zouave.
Seulement, si vous prenez
la première...
que vous la glissiez dans

la deuxième
qui appartient
au troisième...
Vous obtenez un événement sur lequel
on n'a pas fini de jaser!

L'homme existe, je l'ai rencontré

J'ai lu quelque part :
« Dieu existe, je l'ai rencontré! »
Ça alors! Ça m'étonne!
Que Dieu existe, la question ne se pose pas!
Mais que quelqu'un l'ait rencontré
avant moi, voilà qui me surprend!
Parce que j'ai eu le privilège
de rencontrer Dieu juste à un moment
où je doutais de lui!
Dans un petit village de Lozère
abandonné des hommes,
il n'y avait plus personne.
Et en passant devant la vieille église,
poussé par je ne sais quel instinct,
je suis entré...
Et, là, j'ai été ébloui... par une lumière
intense... insoutenable!
C'était Dieu... Dieu en personne,
Dieu qui priait!
Je me suis dit :

« Qui prie-t-il?
Il ne se prie pas lui-même?
Pas lui?
Pas Dieu! »
Non! Il priait l'homme!
Il me priait, moi!
Il doutait de moi
comme j'avais douté de lui!
Il disait :
— Ô homme!
si tu existes,
un signe de toi!
J'ai dit :
— Mon Dieu, je suis là!
Il a dit :
— Miracle!
Une humaine apparition!
Je lui ai dit :
— Mais, mon Dieu...
comment pouvez-vous douter
de l'existence de l'homme,
puisque c'est vous qui
l'avez créé?
Il m'a dit :
— Oui... mais il y a si
longtemps que je n'en ai
pas vu un dans mon église...
que je me demandais si ce n'était
pas une vue de l'esprit!
Je lui ai dit :
— Vous voilà rassuré,
mon Dieu!

Il m'a dit :
— Oui!
Je vais pouvoir leur
dire là-haut :
« L'homme existe,
je l'ai rencontré! »

L'étrange comportement de mes plantes

Les plantes ont parfois un étrange comportement.
Exemple :
Dans mon jardin, j'ai un chêne.
Un chêne!
Depuis quelque temps, j'ai l'impression
qu'il sent sa dernière heure arriver.
Il sent déjà le sapin!
J'ai observé que dès que la nuit tombait,
il avait peur.
Il a peur dans le noir, comme un enfant.
C'est un arbre poltron, quoi!
La nuit dernière, il y avait de l'orage
et, à chaque éclair, je voyais ses branches
se hérisser sur son tronc!
Hah!... Hah!...
Tout ça dans un bruit de chêne!
Parce qu'un chêne qui a peur,
ça fait du bruit!
C'est comme un claquement de dents...
mais dehors!

Ce sont ses glands qui, sous l'effet
de la peur, s'entrechoquent!...
Il claque des glands, quoi!
Autre exemple :
Chez moi, dans la pièce du bas,
j'ai un lierre...
Bon, qu'il grimpe le long du mur,
je ne dis trop rien.
Je fais celui qui ne voit pas!
Mais c'est que, depuis quelque temps,
il en abuse! Il se déplace!...
Il grimpe sur les fauteuils,
il s'enroule autour des meubles!
Vous savez comment il fait?
Il tire sur ses racines,
il ramène le pot sous lui...
... parce qu'il est très propre!
Dans ma chambre, j'ai un pied de vigne...
Eh bien, chaque fois que je me mets
dans la tenue d'Adam...
il y a une feuille qui...
(Il imite le mouvement de la feuille de vigne qui
vient pudiquement se placer sur le sexe.)
Je la repousse...
Elle revient!
L'instinct!
(Il précise :)
De la vigne vierge, hein!
Attention!

Regards d'intelligence

Je déteste les regards intelligents.
Ça me gêne!
Un regard intelligent, ça me fait peur!
Je n'aime que les regards naïfs.
Les regards d'enfants,
ce sont de merveilleux regards.
Récemment...
nous nous trouvions entre gens
du même regard — que des candides... —
lorsqu'un type est entré avec un regard intelligent,
qu'il a braqué sur nous.
C'était comme une agression!
Nous? Nous nous regardions naïvement
dans le blanc des yeux!
Nous étions aux anges.
Et, tout à coup, ce type qui s'immisçait
avec son regard intelligent dans notre naïveté!
Quand il a vu que nous le regardions
tous avec des yeux ronds,
il s'est senti désarmé.

Il a bien compris que sa vue dérangeait tout le monde,
intelligent comme il était.
Il a dit :
— Excusez-moi, j'ai oublié mes lunettes !
Et il est sorti.
Nous nous sommes regardés,
et je crois bien
que dans nos yeux étonnés,
il y avait comme une petite lueur d'intelligence !

En dernier ressort

Je connaissais un sportif qui prétendait
avoir plus de ressort que sa montre.
Pour le prouver, il a fait la course
contre sa montre.
Il a remonté sa montre,
il s'est mis à marcher en même temps qu'elle.
Lorsque le ressort **de la** montre est arrivé à bout de
course, la montre s'est arrêtée.
Lui a continué,
et il a prétendu avoir gagné
en dernier ressort!

Faites l'amour,
ne faites pas la guerre

Je viens de voir sur un mur
une inscription :
« Faites l'amour, ne faites pas la guerre. »
C'était écrit :
« Faites l'amour, ne faites pas la guerre. »
On vous met devant un choix !
« Faites l'amour, ne faites pas la guerre. »
Il y en a peut-être qui voudraient
faire autre chose !
D'abord, il est plus facile de faire l'amour
que de faire la guerre.
Pour faire la guerre,
déjà, il faut... faire une déclaration !
Pour faire l'amour aussi !
Il est plus facile de faire
une déclaration d'amour
qu'une déclaration de guerre !
Dans l'histoire de France,
il y a des exemples :
A Domrémy,

il y avait un jeune berger
qui était amoureux d'une bergère
qui s'appelait Jeanne.
Il voulait faire l'amour.
Elle ne voulait pas!
Elle voulait faire la guerre!
Elle est devenue « Pucelle » à Orléans!
Le repos de la guerrière,
elle ne voulait pas en entendre parler!
On ne peut pas dire de Jeanne
que ce soit l'amour qui l'ait consumée!
Remarquez, si on fait l'amour,
c'est pour satisfaire les sens.
Et c'est pour l'essence
qu'on fait la guerre!
D'ailleurs,
la plupart des gens
préfèrent glisser
leur peau
sous les draps
que de la risquer
sous les drapeaux!

Mon chien,
c'est quelqu'un

Depuis quelque temps, mon chien m'inquiète...
Il se prend pour un être humain, et
je n'arrive pas à l'en dissuader.
Ce n'est pas tellement que je prenne mon chien
pour plus bête qu'il n'est...
Mais que lui se prenne pour quelqu'un,
c'est un peu abusif !
Est-ce que je me prends pour un chien, moi ?
Quoique... Quoique...
Dernièrement,
il s'est passé une chose troublante
qui m'a mis la puce à l'oreille !
Je me promenais avec mon chien
que je tenais en laisse...
Je rencontre une dame avec sa petite fille
et j'entends la dame qui dit à sa petite fille :
« Va ! Va caresser le chien ! »
Et la petite fille est venue...
me caresser la main !
J'avais beau lui faire signe qu'il y avait

erreur sur la personne,
que le chien, c'était l'autre...
la petite fille a continué de me
caresser gentiment la main...
Et la dame a dit :
— Tu vois qu'il n'est pas méchant !
Et mon chien, lui, qui ne rate jamais
une occasion de se taire...
a cru bon d'ajouter :
— Il ne lui manque que la parole, madame !
Ça vous étonne, hein ?
Eh bien, moi, ce qui m'a le plus étonné,
ce n'est pas que ces dames m'aient
pris pour un chien...
Tout le monde peut se tromper !
... Mais qu'elles n'aient pas été autrement
surprises d'entendre mon chien parler... !
Alors là...
Les gens ne s'étonnent plus de rien.
Moi, la première fois que j'ai entendu
mon chien parler,
j'aime mieux vous dire que j'ai été surpris !
C'était un soir... après dîner.
J'étais allongé sur le tapis,
je somnolais...
Je n'étais pas de très bon poil !
Mon chien était assis dans mon fauteuil,
il regardait la télévision...
Il n'était pas dans son assiette non plus !
Je le sentais !
J'ai un flair terrible...
A force de vivre avec mon chien,

le chien... je le sens!

Et, subitement, mon chien me dit :

— On pourrait peut-être de temps en temps
changer de chaîne?

Moi, je n'ai pas réalisé tout de suite!

Je lui ai dit;

— C'est la première fois que tu me
parles sur ce ton!

Il me dit :

— Oui! Jusqu'à présent, je n'ai rien dit,
mais je n'en pense pas moins!

Je lui dis :

— Quoi? qu'est-ce qu'il y a?

Il me dit :

— Ta soupe n'est pas bonne!

Je lui dis :

— Ta pâtée non plus!

Et, subitement, j'ai réalisé
que je parlais à un chien...

J'ai dit :

— Tiens! Tu n'es qu'une bête,
je ne veux pas discuter avec toi!

Enfin quoi...

Un chien qui parle!

Est-ce que j'aboie, moi?

Quoique... Quoique...

Dernièrement, mon chien était sorti
sans me prévenir...

Il était allé aux Puces,
et moi j'étais resté
pour garder la maison.

Soudain... j'entends sonner.

Je ne sais pas ce qui m'a pris,
au lieu d'aller ouvrir,
je me suis mis à aboyer!
Mais à aboyer!
Le drame, c'est que mon chien,
qui avait sonné et qui attendait derrière la porte,
a tout entendu!
Alors, depuis,
je n'en suis plus le maître!
Avant, quand je lui lançais une pierre,
il la rapportait!
Maintenant, non seulement il ne la rapporte plus,
mais c'est lui qui la lance!
Et si je ne la rapporte pas dans les délais...
qu'est-ce que j'entends!
Je suis devenu sa bête noire, quoi!
Ah! mon chien, c'est quelqu'un!
C'est dommage qu'il ne soit pas là,
il vous aurait raconté tout ça mieux que moi!
Parce que cette histoire,
lorsque c'est moi qui la raconte,
personne n'y croit!
Alors que...
lorsque c'est mon chien...
les gens sont tout ouïe...
Les gens croient
n'importe qui!

251

Le visage en feu

J'arrive à un carrefour,
le feu était au rouge.
Il n'y avait pas de voitures,
je passe!
Seulement, il y avait un agent
qui faisait le guet.
Il me siffle.
Il me dit :
— Vous êtes passé au rouge!
— Oui! Il n'y avait pas de voitures!
— Ce n'est pas une raison!
Je dis :
— Ah si! Quelquefois, le feu est au vert...
Il y a des voitures et...
je ne peux pas passer!
Stupeur de l'agent!
Il est devenu tout rouge.
Je lui dis :
— Vous avez le visage en feu!
Il est devenu tout vert!
Alors, je suis passé!

Jeux de mains

Un jour, dans un salon... je bavardais... avec des gens.
J'avais les deux mains dans mes poches, et tout à coup...
alors que j'avais toujours les deux mains dans mes
poches... je me suis surpris en train de me gratter
l'oreille.
Là, j'ai eu un moment d'angoisse. Je me suis dit : « Raisonnons calmement... De deux choses l'une! Ou j'ai une
main de trop... et alors j'aurais dû m'en apercevoir plus
tôt... ou il y en a une qui ne m'appartient pas! »
Je compte discrètement mes mains sur mes doigts... et je
constate que le monsieur qui était à côté de moi, et qui
apparemment avait les deux mains dans ses poches, en
avait glissé une dans la mienne par inadvertance...
Que faire?
Je ne pouvais tout de même pas lui dire :
— Monsieur! Retirez votre main de ma poche!...
Ça ne se fait pas!
Je me suis dit : « Il n'y a qu'une chose à faire, c'est de lui
gratter l'oreille. Il va bien voir qu'il se passe quelque
chose d'insolite. »

Je lui gratte l'oreille... et je l'entends qui murmure :

— Raisonnons calmement! De deux choses l'une! Ou j'ai une main de trop... et alors j'aurais dû m'en apercevoir plus tôt... ou il y en a une qui ne m'appartient pas! Et il a fait ce que j'avais fait.

Il a sorti sa main de ma poche... et il s'est mis à me gratter la jambe!

Que faire?

Je ne pouvais tout de même pas lui dire :

— Monsieur! Cessez de me gratter la jambe!

Il m'aurait répondu :

— Vous me grattez bien l'oreille, vous!

Et il aurait eu raison...

Et puis, ça ne se fait pas!

Et, subitement, j'ai réalisé que ma poche était vide puisqu'il en avait retiré sa main.

Je pouvais donc y remettre la mienne!

Lui remettrait la sienne dans sa poche, et chacun y trouverait son compte.

Je retire ma main de son oreille... que je n'avais plus aucune raison de gratter... ça ne se justifiait plus...! et comme je m'apprêtais à la glisser dans ma poche, il retire sa main de ma jambe... et la remet dans ma poche à moi! Ah! l'entêté!

De plus, moi, j'avais une main qui restait en suspens! Hé!... où la mettre? C'est qu'une main, ça ne se place pas comme ça! Ah! j'ai dit : Tant pis!...

Et je l'ai fourrée dans sa poche à lui!

Il est certain que, momentanément, cela équilibrait les choses! Mais!... et c'est ce que je me suis dit : « Tout à l'heure... quand on va se séparer... il va se passer quelque chose! »

Eh bien, mesdames et messieurs, il ne s'est rien passé.
Il est parti avec ma main dans sa poche!
Alors, moi... j'ai couru derrière, je l'ai rattrapé, je l'ai
insulté, il m'a insulté... et, petit à petit, on en est venus
aux mains!
Quand il a sorti ma main de sa poche, je l'ai récupérée au
passage, et je lui ai flanqué la sienne à travers la figure
en lui disant :
— Monsieur! Nous sommes quittes!

Télépathie

Il faut vous dire, mesdames et messieurs,
que je suis télépathe.
Ce qu'on appelle un télépathe!
C'est-à-dire que je peux transmettre
ma pensée à distance!
C'est ce que l'on appelle la télépathie!
Vous savez que la télépathie,
c'est le téléphone de demain!
Alors, comme mon téléphone est toujours
en dérangement,
quand je veux entrer en communication
avec quelqu'un,
au lieu de le faire téléphoniquement,
je le fais télépathiquement!
C'est-à-dire qu'au lieu de téléphoner,
je télépathe!
Ça va plus vite, et puis
ça ne coûte rien!
Vous savez que tout le monde
peut télépather.

Vous n'avez jamais cherché à télépather
quelqu'un?
C'est très facile de télépather!
Si vous voulez télépather quelqu'un,
vous cherchez dans l'annuaire télépathique...
la longueur d'onde de celui avec qui
vous voulez entrer en communication...
Vous branchez votre esprit sur le sien...
et vous sifflez mentalement,
c'est-à-dire que vous émettez
des ultra-sons...
Dès que votre correspondant
entend que les oreilles lui sifflent,
il sait que quelqu'un pense à lui
et il dit :
— Holà? Qui télépathe?
Ce n'est pas :
— Allô! Qui téléphone, hein?
C'est :
— Holà? Qui télépathe?
Alors, dès que vous êtes en communication,
vous pouvez lui dire tout ce que vous voulez!
Tout ce que vous voulez!
Parce qu'il n'y a pas de table d'écoute!
La télépathie, pour la police,
c'est le téléphone arabe!
Ça lui échappe!
Les idées... ça lui passe au-dessus!
D'ailleurs, vous n'avez pas
d'agent de police télépathe,
parce que la pensée est insaisissable.
Ça ne les intéresse pas!

Ah! je vous signale une chose :
il y a un inconvénient!
C'est que, en matière de télépathie,
il n'y a pas encore l'automatique!
Alors...
ou la pensée est mal émise,
ou elle est mal reçue,
ou c'est l'esprit de votre correspondant
qui est occupé,
ou alors — et c'est ce qui arrive le plus souvent —
c'est votre propre esprit
qui est en dérangement!

Tout va trop vite

Vous avez remarqué comme les gens marchent vite dans
la rue ?...
Il y a quelques jours,
je rencontre un monsieur que je connaissais,
je vais pour lui serrer la main,
le temps de faire le geste...
il était passé !
Eh bien j'ai serré la main à un autre monsieur
qui, lui, tendait la sienne à un ami
qui était déjà passé depuis dix minutes.

Le rire physiologique

Mon pianiste est irrésistible!

Vous avez remarqué qu'il ne riait jamais!...

Il ne **peut** pas!

C'est physiologique...

Vous savez que, physiologiquement, le rire résulte de la contraction des muscles du visage, ce qui provoque une modification du faciès accompagnée de sons très caractéristiques tels que :

Ha! Ha! Ha! Ha! Ha!

Ou encore :

Hi! Hi! Hi! Hi! Hi!

C'est irrésistible!

Le rire est caractérisé en outre par une respiration saccadée...

Cette respiration s'explique par des convulsions des muscles expirateurs...

Hi! Hi! Hi! Hi! Hi!

Une inspiration brutale vient de temps à autre interrompre ces convulsions...

Heursshh!

Si l'expiration nécessaire ne peut se faire à temps, le rire devient douloureux!

Ha! Ha! Ha! Ha! Ha!

Le visage se congestionne,

le rieur est sur le point de s'asphyxier,

c'est irrésistible!

D'où les expressions :

« Crever de rire. »

Ou :

« Étouffer de rire. »

D'où aussi :

« Les plus courtes sont les meilleures. »

Car si la plaisanterie dure un peu trop longtemps, que se passe-t-il?

Les muscles abdominaux se contractent de façon spasmodique :

Hi! Hi! Hi! Hi! Hi!

— Arrêtez, vous me faites mal au ventre!

D'où parfois... ha! : miction involontaire,

c'est-à-dire que le rieur fait pipi dans sa culotte...

C'est le cas de mon pianiste... C'est pourquoi il ne rit pas.

Il se retient!

(Au pianiste :)

N'est-ce pas?

Dites? Laissez-vous aller un peu à rire

pour illustrer ma démonstration!

LE PIANISTE (se laissant aller) : Ha! Ha! Ha! Ha! Ha!

(Le pianiste change d'expression, se lève et sort.)

Vous voyez?... Ça fait partie de ces choses qui vous échappent!

Ma femme

Ma femme est d'une timidité !... Moi aussi... je suis timide !... Quand on s'est connus, ma femme et moi... on était tellement timides tous les deux... qu'on n'osait pas se regarder !

Maintenant, on ne peut plus se voir !

... Remarquez... je ne devrais pas dire du mal de ma femme... parce que... au fond, on s'aime beaucoup !

J'ai toujours peur qu'elle manque de quelque chose. Quelquefois, je lui dis

— Tu n'as besoin de rien ?

Elle me dit :

— Non ! Non !

Je lui dis :

— Tu n'as pas besoin d'argent ?

Elle me dit :

— Non ! Non, j'en ai !

Eh bien, je lui dis, alors : Passe-m'en un peu... parce que, moi, je n'en ai plus !

Nous n'avons pas les mêmes goûts ! Par exemple, moi, je dors la fenêtre ouverte ; elle dort la fenêtre fermée. Alors, la nuit, je me lève pour ouvrir la fenêtre ; elle se lève pour fermer la fenêtre ! Je me relève pour ouvrir la fenêtre ; elle se relève pour fermer la fenêtre. Alors... je me relève pour ouvrir la fenêtre. Elle comprend que je suis le plus fort... Elle vient se blottir contre moi, elle ronronne, elle roucoule... Alors, je vais fermer la fenêtre pour que les voisins n'entendent pas !

Quelquefois, elle me dit :

— Je ne suis pas assez belle pour toi !

Je lui dis :

— Mais si ! Si tu étais plus belle, je me serais déjà lassé... Tandis que là...! je ne m'y suis pas encore habitué !

En coup de vent

L'été dernier... j'avais trouvé un petit hôtel au bord de la mer, pour être tranquille!... Je n'ai pas fermé l'œil de la nuit! Au petit jour, j'ai fait la valise, je suis allé voir le patron de l'hôtel. Je lui dis :

— Qu'est-ce que c'est que votre hôtel? Le voisin d'à côté n'a pas arrêté de siffler de la nuit.

Il me dit :

— Ce n'est pas le voisin, c'est le vent!

Je dis :

— Les portes qui claquent?

Il dit :

— C'est le vent!

Je dis :

— Ce n'est pas le vent qui faisait tout ce vacarme?

Il dit :

— Si! Chaque fois qu'il y a un coup de vent, il y a un élément de la maison qui s'en va!

J'ai dit :

— Vous le remplacez?

Il dit :

— Ça coûterait trop cher... Pensez! Un pan de mur, à l'heure actuelle, ça va chercher plusieurs milliers de francs.

J'ai dit :

— Légers?

Il me dit :

— Non, lourds! Légers?... Pensez... Avec le vent qu'il fait...

J'ai dit :

— Ça vous fait des chambres en moins, ça!

Il me dit :

— Oui! J'ai débuté ici avec cent chambres... Il m'en reste huit!

Je lui dis :

— Les clients ne doivent pas rester?

Il me dit :

— Non!... Un coup de vent et... pfuit... il y a un client qui s'en va! Je perds en moyenne deux clients par nuit!

Je lui dis :

— Ils ne disent rien?

Il me dit :

— Non! Ils sont soufflés! D'ailleurs, vous êtes le premier client à prendre la porte... Tous les autres sont sortis par la fenêtre!

Je lui dis :

— Quand ils sortent par la fenêtre comme ça... ils ne vous paient pas?

Il dit :

— Non! C'est du vol!

Je lui dis :

— Vous ne les poursuivez pas?

Il me dit :

— Les poursuivre ?... Avec le vent qu'il fait ! Ça mènerait trop loin !

Je dis :

— Il n'y en a pas qui reviennent ?

Il me dit :

— Si ! Quelquefois... quand le vent tourne ! Ce sont des clients de passage.

Point de tête

Je connais un monsieur. Avant, il avait un front énorme.
Et depuis peu...
sa tête s'est réduite... à sa plus simple expression !
Parce qu'il écoute tout ce qu'on dit...
Vous savez que, plus on bourre le crâne des gens, plus
leur tête rétrécit...
... Je vois mon voisin,
Avant, c'était une forte tête...
Eh bien, depuis qu'il écoute tout ce que l'on dit,
sa tête s'est réduite...
Elle n'est pas plus grosse que mon poing.
A tel point
que lorsqu'il lève la tête,
on croit qu'il lève le poing !
Alors, on le traite de communiste !
Il n'est pas communiste, il est franc-maçon.
Forcément, avec sa tête comme son poing
et ses deux autres poings,
ça lui fait ses trois points !
Au cours d'une manifestation,

on l'a accusé d'avoir donné un coup de poing...
alors qu'il était là sur un coup de tête !
Lui-même,
il ne sait plus où il en est.
Exemple :
Il avait un cheveu sur la langue
qui l'empêchait de parler...
Eh bien, depuis que sa forte tête
est devenue son point faible,
il prend le cheveu qu'il a sur la langue
pour un poil dans la main !
Ça ne l'empêche pas de parler,
mais ça l'empêche de travailler !
La nuit, au lieu de dormir la bouche ouverte,
il dort à poings fermés.
Moi-même qui ai toujours eu la grosse tête,
je sens qu'elle diminue à vue d'œil.
Car cela se voit...
Dans la rue, l'autre jour,
quelqu'un m'interpelle :
— Salut p'tite tête !
Je me retourne, c'était mon voisin !
Je ne l'avais pas reconnu !...
Forcément...
(Il montre le poing.)
Avec une tête pareille !
Quand il s'est approché,
j'ai cru qu'il me menaçait du poing.
Je lui ai fait une grosse tête !
Alors, là, je l'ai reconnu... et je me suis excusé !

Sauver la face

On a beau ne pas être des machines, on s'use! On s'use!
De temps en temps, il faut se faire faire une petite révision générale.

Moi, j'en viens!

Je suis allé voir un spécialiste des organes..

Quand il m'a vu arriver, il a fait :

— Ah!... Il y a longtemps que vous vivez là-dedans?

— Ça va faire quarante ans!... Et sans faire de réparations!

— Ça se voit!... A priori, il faudrait tout abattre!

— !!!...

Quand il m'a dit cela, moi qui me trouvais bien, j'ai failli me trouver mal!

J'ai dit :

— Oh! Eh! Non! Moi, je voudrais simplement que vous me remplaciez les organes usagés.

— Ça ne vaut pas le coup! Et puis quand je vous aurai greffé un rein ou transplanté le cœur d'un autre, ce n'est pas cela qui vous fera une belle jambe.

— Vous n'avez qu'à me greffer une autre jambe.

— Hé! c'est que je n'en ai pas sous la main!...
C'est qu'une jambe, ça ne court pas les rues!

— Si vous en voyez une qui traîne par là...

— Je vous la mettrai de côté. Mais je vous préviens... une jambe, cela va vous coûter les yeux de la tête!

— Tiens! Je croyais que la greffe, c'était à l'œil!

— Heureusement que ce n'est pas à l'œil!... Ici, tout ce qui est à l'œil est hors de prix! Il y a combien de temps que vous vivez là-dedans, m'avez-vous dit?

— Quarante ans!

— Dans la même peau?

— Dans la même peau.

— Eh bien, il serait temps d'en changer.

— Si vous avez une peau de rechange...

— Vous n'avez pas de chance... En ce moment, je manque de peau! Et puis fermez un peu les yeux pour voir!... Est-ce que vous distinguez quelque chose à l'intérieur?...

— Oui, je vois comme une petite lueur.

— Alors, tout espoir n'est pas perdu... Vous avez encore une vie intérieure!

— Et pour l'extérieur?...

— A votre place, je continuerais de marcher comme cela, en essayant de ne rien perdre en route!... Et puis je me laisserais pousser la moustache.

— Vous croyez que cela sauverait la face?

— Non! Mais cela en cacherait une partie!

Le flux et le reflux

Cet été, sur la plage,
il y avait un monsieur qui riait !
Il était tout seul,
Il riait ! Il riait ! Ha ! ha ! ha !
Il descendait avec la mer...
Ha ! ha ! ha !
Il remontait avec la mer...
Ha ! ha ! ha !
Je lui dis :
— Pourquoi riez-vous ?
Il me dit :
— C'est le flux et le reflux...
Je lui dis :
— Eh bien, quoi, le flux et le reflux ?
Il me dit :
— Le flux et le reflux me font « marée » !

Parler pour ne rien dire

Mesdames et messieurs..., je vous signale tout de suite que je vais parler pour ne rien dire.

Oh! je sais!

Vous pensez :

« S'il n'a rien à dire... il ferait mieux de se taire! »

Évidemment! Mais c'est trop facile!... C'est trop facile! Vous voudriez que je fasse comme tous ceux qui n'ont rien à dire et qui le gardent pour eux?

Eh bien, non! mesdames et messieurs, moi, lorsque je n'ai rien à dire, je veux qu'on le sache! Je veux en faire profiter les autres!

Et si, vous-mêmes, mesdames et messieurs, vous n'avez rien à dire, eh bien, on en parle, on en discute!

Je ne suis pas ennemi du colloque.

Mais, me direz-vous, si on parle pour ne rien dire, de quoi allons-nous parler?

Eh bien, de rien! De rien!

Car rien... ce n'est pas rien!

La preuve, c'est que l'on peut le soustraire.

Exemple :

Rien moins rien = moins que rien !

Si l'on peut trouver moins que rien, c'est que rien vaut déjà quelque chose !

On peut acheter quelque chose avec rien !

En le multipliant !

Une fois rien... c'est rien !

Deux fois rien... ce n'est pas beaucoup !

Mais trois fois rien !... Pour trois fois rien, on peut déjà acheter quelque chose... et pour pas cher !

Maintenant, si vous multipliez trois fois rien par trois fois rien :

Rien multiplié par rien = rien.

Trois multiplié par trois = neuf.

Cela fait : rien de neuf !

Oui... Ce n'est pas la peine d'en parler !

Bon ! Parlons d'autre chose ! Parlons de la situation, tenez !

Sans préciser laquelle !

Si vous le permettez, je vais faire brièvement l'historique de la situation, quelle qu'elle soit !

Il y a quelques mois, souvenez-vous, la situation pour n'être pas pire que celle d'aujourd'hui n'en était pas meilleure non plus !

Déjà, nous allions vers la catastrophe et nous le savions... Nous en étions conscients !

Car il ne faudrait pas croire que les responsables d'hier étaient plus ignorants de la situation que ne le sont ceux d'aujourd'hui !

Oui ! La catastrophe, nous le pensions, était pour demain !

C'est-à-dire qu'en fait elle devait être pour aujourd'hui !

Si mes calculs sont justes !

Or, que voyons-nous aujourd'hui?

Qu'elle est toujours pour demain!

Alors, je vous pose la question, mesdames et messieurs : Est-ce en remettant toujours au lendemain la catastrophe que nous pourrions faire le jour même que nous l'éviterons? D'ailleurs, je vous signale entre parenthèses que si le gouvernement actuel n'est pas capable d'assurer la catastrophe, il est possible que l'opposition s'en empare!

La tête chercheuse

On me vole tout en ce moment!

La pompe de mon vélo... je la porte toujours sur moi pour qu'on ne me la vole pas!... et j'ai bien fait, parce que mon vélo... on me l'a volé!

On m'a tout volé! Enfin, pas tout! On m'a volé le cadre! Voilà ce qu'il reste... (Il montre au public la roue arrière et la roue avant munie du guidon.)

Il y en a qui se seraient affolés : « On m'a pris mon cadre! »

Moi, système D!... Avec la roue arrière, j'ai fait la roue porteuse. Alors, pour monter là-dessus, il vous faut des pinces... pour pincer le pantalon... afin qu'il ne se prenne pas dans la chaîne! (Constatant qu'il n'y a pas de chaîne :) On m'a volé ma chaîne! Les pinces... on m'a volé mes pinces! Mais alors... système D... avec la bretelle... hop! (Il détache la bretelle droite et l'attache au bas du pantalon de la jambe droite... qui s'en trouve relevé.) L'autre côté! (Même manœuvre à gauche.)... Vérifiez le parallélisme!... Regardez comme le bas tient!... C'est le haut qui ne tient plus...

On m'a volé ma ceinture!

Ah! recommandation!... Si vous marchez avec ça... ne vous laissez pas entraîner... parce que...

(Il lève une jambe... l'autre suit... ce qui finit par donner un mouvement de bielle aux deux jambes.)

Les avantages de ça? Multiples...

Vous montez un escalier... hop! une marche...

(Il lève une jambe... qui reste suspendue!)...

Pour descendre, c'est plus difficile... Je vous conseille de prendre l'ascenseur!

Pour l'ascenseur, il n'y a pas de problème! Vous ouvrez les portes de l'ascenseur... (il écarte les bretelles)... vous rentrez dans l'ascenseur.... (il fait passer les bretelles derrière son dos)... vous fermez les portes de l'ascenseur... (il se retourne et rassemble les bretelles derrière lui)... derrière vous! (Se retournant à nouveau :) Ah! supposez qu'arrivé au rez-de-chaussée, vous ayez oublié de cirer vos chaussures... Ça arrive!... Vous n'êtes pas obligé de remonter! Décrochez la bretelle... délacez la chaussure! Piquez la bretelle dans la chaussure... tirez sur le cordon... et hop!... la chaussure remonte toute seule!...

Bon! Alors... pour monter là-dessus (roue porteuse) la pédale en bas! Regardez bien, parce que je n'expliquerai pas deux fois!... Un petit mouvement d'arrière en avant... hop! (Il rate.)... Je recommence... pour celui qui n'aurait pas compris!... Un petit mouvement d'arrière en avant... hop! c'est parti! (Il fait un petit tour sur la roue porteuse.)

Pour s'arrêter, c'est enfantin... hop! (Il écarte les bretelles et la roue porteuse s'arrête.)... Compris?

Sur la route, il vous faut la tête chercheuse. (Il prend la roue avant, porteuse du guidon.)

Alors... vous montez sur la roue porteuse... et avec la tête chercheuse... vous cherchez la route...

Dans les cols et les lacets, c'est formidable !...

La direction est indépendante de ma volonté !

Dans les côtes... c'est extraordinaire ! Ça grimpe !...

On ne s'en aperçoit pas.

(Il sort sur la roue porteuse, tenant haut la tête chercheuse.)

Dégoûtant personnage

Il est curieux! Ce type!

Il est curieux!

Tout à l'heure, dans la rue, je regardais passer une jolie femme...

Il la regardait aussi!

La même!

Je lui ai dit :

— A quoi pensiez-vous en regardant cette jolie femme?

Il m'a dit :

— A la même chose que vous!

Je lui ai dit :

— Vous êtes un dégoûtant personnage!

L'ordre et le désordre
ou le tiercé

Ça y est!... J'ai gagné le tiercé!

(Heureux et ému :) J'ai gagné!

(Les larmes aux yeux :) J'ai gagné!

(Avec conviction et repentir :) Ô mon Dieu! pourquoi m'avez-vous procuré une si grande joie?... Que vous ai-je fait? Que le sais! Vous allez me dire :

— Tu n'avais pas à jouer au tiercé! Tu n'as que ce que tu mérites! C'est bien fait pour toi!

C'est vrai! Pourtant, je l'ai fait sans malice. Oui, j'ai joué! J'ai joué! Le huit, le trois et le quatre dans l'ordre! Comme j'aurais pu jouer le quatre, le huit et le trois dans le désordre! Ce n'était pas prémédité!

Mon Dieu, je vous jure que je n'ai pas joué dans l'espoir de gagner!...

Mes intentions étaient pures! Je n'ai fait que suivre l'exemple des autres... Tout le monde joue au tiercé et personne ne gagne jamais...

Alors... pourquoi moi?...

Pourquoi cet acharnement?...

Peut-être vouliez-vous m'éprouver?...

Si c'est cela, je déchire mon ticket!

(Sur le point de le faire :) Mon Dieu, donnez-moi la force et le courage de renoncer aux biens de ce monde!

(Hésitant :) Ô mon Dieu! pourquoi retenir mon bras!...

(S'acharnant :) Non! Non! Laissez-moi faire... Pourquoi m'empêchez-vous de déchirer le ticket? N'avons-nous pas toujours vécu humblement, ma femme, mon fils et moi, dans l'ordre? Dans un trois-pièces : chambre, cuisine, toilettes, dans le désordre? N'ai-je pas toujours accepté avec joie et résignation les épreuves que le ciel a eu la bonté de m'envoyer régulièrement? N'ai-je pas toujours gardé à mes côtés la sainte femme que vous m'avez choisie en pénitence de mes fautes? N'ai-je pas repoussé cent fois le démon de la chair, lorsque celui-ci se présentait à moi en jupe courte et en décolleté? Avouez qu'il y avait de quoi se méprendre! Ne souriez plus, laissez-moi déchirer mon ticket (nouvelle tentative), je n'en ai plus la force! Je sens que vous m'abandonnez! Seigneur! Vous qui m'avez toujours maintenu dans une certaine pauvreté, ne permettez pas que votre serviteur sombre dans l'opulence!

Avec la bénédiction, là-haut, du Père, du Fils et du Saint-Esprit, dans l'ordre! Je resterai humble, pauvre et fidèle dans le désordre... ici-bas!

(Levant son ticket vers le ciel :) Tenez! Déchirez-le vous-même!

(Soupirant :) Bon! Eh bien, je vais aller le toucher.

Minorités agissantes

Vous savez que, jadis, je faisais de la politique
comme tout le monde.
Je m'occupais de minorités agissantes.
J'organisais des réunions publiques clandestines.
Et au cours d'une de ces réunions,
tandis que j'exposais mon programme,
alors que la majorité de la minorité était d'accord
avec mes idées,
je remarquais, à côté de moi, un homme qui ne
disait rien.
Inquiétant, non, un homme qui ne dit rien?
Je ne sais pas si vous l'avez constaté,
mais quand un homme ne dit rien
alors que tout le monde parle,
on n'entend plus que lui!
Redoutable!
Je n'en continuais pas moins mon exposé...
mais je commençais à faire attention à ce que je disais.
De temps en temps, je me tournais vers celui qui ne
disait rien,

pour savoir ce qu'il en pensait...
Mais comment voulez-vous savoir ce que pense
quelqu'un qui ne dit rien... et qui en plus écoute...
Car, de plus, il écoutait !
Je me dis : « Il est en train de saper ma réunion.
Abrégeons ! »
J'ai dit :
— Mes amis,
puisque vous êtes tous d'accord avec mes idées...
Quelqu'un s'est levé.
Il m'a dit :
— Monsieur,
toute réflexion faite, nous serions plutôt de l'avis
de ce monsieur qui n'a rien dit.
Et ils ont quitté la salle !
Sauf celui qui n'avait rien dit.
... Restés seuls, je lui ai dit :
— Monsieur, bravo !
Je viens de parler à ces gens pendant une heure et
ils ne m'ont pas écouté.
Vous, vous n'avez rien dit et
ils vous ont entendu !
Chapeau !
Il m'a regardé, il a sorti sa carte, y a griffonné
quelque chose dessus et me l'a tendue.
Et j'y ai lu :
« Bien que sourd et muet,
je suis entièrement d'accord avec vos idées. »
Alors, depuis...
je ne m'occupe plus que de la majorité silencieuse.

Face au miroir

Qu'est-ce qu'il y a comme têtes qui se perdent.
Dernièrement, je rencontre un monsieur qui se tenait la tête dans les mains :
— J'ai perdu la tête ! J'ai perdu la tête !
Je lui dis :
— Et celle que vous avez dans les mains ?
Il me dit (montrant ses mains) :
— Qu'est-ce que j'ai dans les mains ? Il n'y a rien dans mes mains. Vous dites cela pour me rassurer, mais je ne suis pas dupe ! J'ai perdu la tête ! Il faut que je la retrouve à tout prix ! J'en ai besoin !
Je lui dis :
— Pourquoi avez-vous besoin de votre tête ?
Il me dit :
— Pour me pendre !
Je lui dis :
— Vous voulez vous pendre ?
Il me dit :
— Oui ! Et je ne peux décemment pas me pendre sans ma tête !

Je lui dis :

— Vous pouvez toujours vous pendre par les pieds!

Il me dit :

— Ah! ça ne m'est pas venu à l'esprit!... Et puis, à la réflexion, non! On va dire : « Oui! Il s'est pendu par les pieds, mais sa tête court toujours!... »

Je me dis : « Bon! Il s'entête... Prenons le contre-pied! »

Je lui dis :

— A quoi ressemblait-elle, votre tête, avant que vous ne la perdiez?

Il me dit (me montrant sa photo) :

— A ça!

Je lui dis :

— C'est drôle... J'ai déjà vu cette tête-là quelque part!

Il me dit :

— Ça m'étonnerait! Je n'y ai jamais mis les pieds!

Je lui dis :

— Tiens! Vous avez l'air d'être plus grand là-dessus!

Il me dit :

— C'est que... j'avais une tête de plus!

Je lui dis :

—! Et puis... vous aviez déjà le regard fuyant!

Il me dit :

— Oui! Et comme ma tête a suivi mon regard... Je l'ai perdue de vue!

! Quand j'ai vu que c'en était à ce degré-là... je me suis dit : « Il faut que je fasse quelque chose pour ce malheureux! » Alors j'ai sorti un miroir que j'avais dans la poche... Je le lui ai présenté.

Je lui ai dit :

— Dites donc... votre tête? Ça ne serait pas celle-là... par hasard?

Il me dit :

— Toute réflexion faite... Si! Où était-elle?

Je lui dis :

— Elle était sous vos yeux!

Il me dit :

— Ah! c'est pour cela que je ne la voyais pas!... Monsieur, vous me sauvez la vie... Je vais pouvoir me pendre sans arrière-pensée...

Il a pris une corde...

Il l'a accrochée à une poutre...

Il a fait un nœud coulant au bout de la corde...

Il a passé le miroir dans le nœud coulant...

Il a serré... et

il a pendu son miroir!

Mais la corde s'est rompue...

et le miroir s'est brisé.

Il s'est repris la tête dans les mains.

Il a dit :

— Ma tête! Ma tête!

Je lui ai dit :

— Eh bien, quoi? Vous l'avez retrouvée votre tête?

Il me dit :

— Oui!... Mais maintenant... elle est cassée.

(Il ouvre les mains, et l'on découvre un visage complètement « défait ».)

Félicité

Il y a des expressions curieuses !
Hier au soir,
en sortant de scène,
un monsieur me dit :
— Je me félicite de votre succès !
Je lui dis :
—... Mais... vous n'y êtes pour rien !
Et puis,
à la réflexion,
je me suis dit qu'il y était
tout de même pour quelque chose !
Alors, j'ai rectifié.
Je lui ai dit :
— Monsieur... Je vous félicite
de mon succès !

L'homme
qui fait la valise

Il y a des gens bizarres
dans les trains et dans les gares...
Dernièrement,
je prends le train.
J'entre dans un compartiment.
Je vais pour mettre ma valise dans le filet...
il y avait déjà quelqu'un !
Je lui dis :
— Qu'est-ce que vous faites là ?
Il me dit :
— J'attends !
— Vous attendez quoi ?
— Qu'on vienne me retirer !
— Qui êtes-vous ?
— Je suis une valise.
— ... Une valise ?... Qu'est-ce qui vous fait croire que vous
êtes une valise ?
— Vous ne voyez pas ?... J'ai un côté cadre... (Il dessine
dans l'espace une figure géométrique.) Je n'arrive pas à
me recycler.

— Dites donc... Vous vous portez bien, vous ?

— Bof... Je me porte comme une valise... J'ai des hauts et des bas !

—... Mais avant d'être une valise, vous étiez bien quelqu'un ?

— Oui, j'étais un voyageur sans bagage.

— Et alors ?

— Et alors, le jour où j'en ai eu assez, j'ai fait la valise..

— Quel jour ?

— Le jour où ma femme a fait la malle !

— Vous avez de la famille ?

— J'ai une sœur.

— Je pourrais peut-être la prévenir qu'elle vienne vous chercher.

— Pensez-vous. Elle n'est pas assez grande pour voyager toute seule. C'est une toute petite valise. Il faut toujours la tenir par la main.

— Qu'est-ce que vous trimbalez ?...

— Que des effets personnels.

— Mais enfin... mon vieux, réfléchissez... Vous ne pouvez pas être une valise.

— Pourquoi ?

— Parce que vous n'avez pas d'étiquette.

— Quel ballot je fais...

Il est allé s'en acheter une...

Les parcmètres

Les parcmètres, c'est une tricherie!
Vous savez que ça rapporte une fortune
aux pouvoirs publics?
Une fortune!
Je le sais parce que mon voisin
s'est fait installer un
petit parcmètre clandestin devant chez lui...
Tous les soirs, il va retirer la recette...
Il vit bien!
Il s'est même acheté une voiture!
Évidemment, il l'a mise devant
son parcmètre.
Depuis, il ne fait plus un rond.
Mais ça, c'est de sa faute!

Radioscopie

(Monsieur, les yeux dans le vague, siffle ou fredonne un air... On sonne à la porte...)

MME F. (venant de la pièce d'à côté et s'adressant à son mari) : Baisse le son... on a sonné!

(Elle va ouvrir. Un reporter entre, portant son magnétophone en bandoulière...)

LE REPORTER : C'est pour la radio...

MME F. (désignant son mari) : Mon mari est là!... Entrez (Elle referme la porte et se retire.)

LE REPORTER : Monsieur, c'est la radiodiffusion française... (Il déroule le fil du micro et met son appareil en marche.)

M. F. : Je vous écoute...

LE REPORTER : On m'a dit qu'il se passait en vous des phénomènes étranges?

M. F. : C'est exact!

LE REPORTER : Pour les auditeurs... Pouvez-vous les expliquer?

M. F. : Eh bien, voilà... Je suis traversé par des milliers d'ondes...

LE REPORTER : Il n'y a rien là d'extraordinaire... Nous sommes tous traversés par les ondes... Moi-même...

M. F. : Oui! Mais chez vous, elles ne font que passer, tandis que, moi, je les intercepte!

LE REPORTER : Vous voulez dire... à la manière d'un poste de radio?

M. F. : Un poste récepteur... Très justement, je suis un poste récepteur! J'entendais la radio du voisin, et ce jusqu'à une heure avancée de la nuit! Alors, un jour, je suis allé lui dire de fermer son poste... Eh bien, monsieur, il n'en avait pas!

LE REPORTER : Il n'avait pas de poste?

M. F. : Non... Et en m'écoutant plus attentivement, j'ai découvert que ça se passait dans ma tête!

LE REPORTER : Vous avez consulté un spécialiste?

M. F. : Oui!... Il m'a fait passer une radio!

LE REPORTER : Résultat?

M. F. : Eh bien, d'après lui... les ondes sonores que je perçois sont captées par le système nerveux... restransmises jusqu'au nerf auditif et amplifiées par les cavités membraneuses de la boîte crânienne qui forme caisse de résonance... Comme mon système auditif interne est inversé, j'entends tout!

LE REPORTER : C'est infernal!

M. F. : Ah! C'est infernal! Tenez, en ce moment, je suis traversé par un menuet de Mozart. (Il le chante.)

LE REPORTER : C'est ce que vous entendez?

M. F. : Oui! (Et il continue de chanter.)

LE REPORTER : C'est intenable!

(Monsieur fait signe que oui, tout en continuant de fredonner...)

LE REPORTER : Et... vous captez toutes les émissions?

M. F. : Non, je ne reçois que les grandes ondes...

LE REPORTER : Pas les courtes?

M. F. : Non! Je ne peux pas les avoir... je ne sais pas pourquoi!

LE REPORTER : C'est dommage... parce qu'il y a de bons programmes... L'autre jour, j'écoutais un conférencier...

M. F. : « Dents blanches... haleine fraîche... superdentifrice... »

LE REPORTER : Qu'est-ce que vous dites?

M. F. : Je dis que « Supersavon... »

LE REPORTER : Quoi?

M. F. : Rien... Je suis sur Europe 1... Ne faites pas attention... Continuez...

LE REPORTER : Je disais que l'autre jour...

M. F : « Bravo, M. Ségalot, ça c'est du meuble!... » Je vous demande pardon! je vais changer de poste parce que... (Il change de position.)... Voilà! Je vous écoute...

LE REPORTER : Je...

M. F. : Tsin, tsin, tsin... Tsin, tsin! Encore!... Excusez-moi, je suis revenu... Je vais prendre France-Inter, on sera plus tranquille... (Il prend une nouvelle position.) Là... Alors?

LE REPORTER : Vous pouvez passer d'un poste à l'autre?

M. F. : A volonté!... A volonté!... J'ai encore la faculté de choisir.

LE REPORTER : Ah! tout de même!

M. F. : Ah oui! tout de même... Je suis sonné, mais pas encore abruti! Tenez, je vais me brancher sur R.T.L... C'est (il cherche une attitude) dans cette zone-là...

LE REPORTER : Comment vous repérez-vous?

M. F. : A la feuille... uniquement à la feuille! Ça y est! C'est la météo!... Alors... Où en étions-nous?

LE REPORTER : Je voudrais que vous disiez à nos auditeurs...

M. F. : Tiens!

LE REPORTER : Quoi?

M. F. : Temps frais et pluvieux sur l'ensemble du pays!

LE REPORTER (impatient) : Non!

M. F. : Si... avec quelques ondées matinales sur les massifs montagneux.

LE REPORTER (excédé) : Oui, mais ça, les auditeurs s'en moquent!

M. F. (se montant) : Moi aussi, mais c'est ce que j'entends, c'est tout! Bon, alors?

LE REPORTER : Vous devez avoir une vie épouvantable?

M. F. : Oh! je ne me plains pas!... Il y en a qui sont plus malheureux que moi... Mon frère, tenez!

LE REPORTER : C'est aussi une radio?

M. F. : Non, lui... c'est une télé!

LE REPORTER : C'est encore pire!

M. F. : Ah oui! Parce que, tous les soirs, à partir de dix-neuf heures trente, on l'installe sur une chaise et tous les voisins viennent le regarder dans les yeux... Ils peuvent y voir tous les programmes...

LE REPORTER : A l'œil?

M. F. : A l'œil!

LE REPORTER : Combien de chaînes?

M. F. : Deux! Un œil pour chaque chaîne! Tous les soirs, ils sont là...! fidèles au poste, et si mon frère a le malheur de fermer les yeux avant la fin de l'émission... ils ne sont pas contents!

LE REPORTER : Dites-moi... pour terminer... je voudrais faire écouter à nos auditeurs ce que vous entendez vous-même... en ce moment... à l'intérieur!

M. F. : C'est un twist!

LE REPORTER : Vous permettez?... (Il approche son micro.) Silence!

MME F. (entrant) : Dis-moi...

M. F. : Chut! il est en train de m'enregistrer! Silence...

LE REPORTER : C'est tout! Je vous remercie. (Il range son micro et ses fils.) (A madame :) L'émission passera.

M. F. : Ce n'est pas la peine... elle ne m'écoute pas!

LE REPORTER : Alors... au revoir, messieurs-dames! (Il sort.)

MME F. : Quel est ton programme, ce soir?

M. F. : Wagner... sur France-Culture...

MME F. : Bon! Eh bien, je vais voir ton frère... (Elle sort.)

M. F. : Elle préfère la télé!

Les antipodes

On pourrait en pousser des cris d'alarme,
à propos de pas mal de choses!
Parce qu'il s'en passe, des choses, dans le monde!...
Vous avez vu que les Russes avaient découvert
l'antimatière...
Vous savez ce que c'est que l'antimatière?...
C'est le contraire de la matière.
Oh! ce n'est pas nouveau, je sais!...
De tout temps, chaque chose a eu son « anti »
Exemple :
Un muet, c'est un antiparlementaire.
Un athée, c'est un antimoine.
Un croyant, c'est un antiseptique.
Les Arabes du Caire sont antisémites,
et les sémites sont anti-Caire.

Matière à rire

Vous savez que j'ai un esprit scientifique.
Or, récemment, j'ai fait une découverte bouleversante!
En observant la matière de plus près...
j'ai vu des atomes...
qui jouaient entre eux...
et qui se tordaient de rire!
Ils s'esclaffaient!
Vous vous rendez compte...
des conséquences incalculables que cela peut avoir?
Je n'ose pas trop en parler, parce que
j'entends d'ici les savants!
— Monsieur, le rire est le propre de l'homme!
Eh oui!...
Et pourtant!
Moi, j'ai vu, de mes yeux vu...
des atomes qui : « Ha! ha! ha! »
Maintenant, de qui riaient-ils?
Peut-être de moi?
Mais je n'en suis pas sûr!
Il serait intéressant de le savoir.

Parce que si l'on savait ce qui amuse les atomes,
on leur fournirait matière à rire...
Si bien qu'on ne les ferait plus éclater que de rire.
Alors, me direz-vous, que deviendrait la fission
nucléaire?
Une explosion de joie!

A-propos

Il y a quelque temps.

Eh bien... c'est le jour où les agents
s'étaient mis en grève...

et où les pompiers avaient mis le feu quelque part
à titre d'exercice. Simplement, pour se prouver
qu'ils pouvaient l'éteindre.

Donc, ce jour-là... je descends dans la rue.

Je vois un attroupement.

Je m'approche.

Je demande à quelqu'un qui était là :

— Qu'est-ce qui se passe?... Il y a le feu?

— Non. Il y a une manifestation.

— Ah!... Et... il n'y a pas d'agents?

— Si! Nous sommes tous là!

— Alors? Qu'est-ce que vous attendez?

— Qu'on nous augmente!

— Pourquoi?... Vous n'êtes pas assez nombreux?

— Si!... Mais on n'est pas assez payés.

— Alors?...

— !... On se met en grève!

— Si les agents se mettent en grève... qui va rétablir l'ordre?

— Il n'y a qu'à faire appel aux pompiers.

— Pourquoi les pompiers ne sont-ils pas là?

— Parce qu'ils sont occupés ailleurs!

(Effectivement, un peu plus loin, il y avait des pompiers partout.)

Je m'approche... Je demande à un pompier qui était là :

— Qu'est-ce qui se passe? Il y a une manifestation?

— Non! Il y a le feu!

— Ben...! vous allez l'éteindre?

— Faut d'abord qu'on l'allume...

— ... Je croyais qu'on vous payait pour l'éteindre?

— Ah...! mais après... on l'éteint!

— Comme ça, vous serez payés!

— Si on ne l'est pas, on se met en grève!

— Si les pompiers se mettent en grève... qui va éteindre le feu?

— Il n'y a qu'à faire appel à l'armée.

— Pourquoi l'armée n'est-elle pas là?

— Parce qu'elle est occupée ailleurs.

(Effectivement, un peu plus loin, il y avait des militaires partout.) Je m'approche... Je demande aux militaires qui étaient là :

— Hé! les gars...! qu'est-ce qui se passe? Vous n'êtes pas en grève?

— Non!... On n'a pas le temps!

— Le cas échéant... Vous pourriez éteindre un incendie?

— Ça tombe mal... On est venu ici pour ranimer la flamme!

Xénophobie

On en lit des choses sur les murs !...
Récemment, j'ai lu sur un mur :
« Le Portugal aux Portugais !
Le Portugal aux Portugais ! »
C'est comme si l'on mettait :
« La Suisse aux Suisses ! »
Ou :
« La France aux Français ! »
Ce ne serait plus la France !
Le racisme, on vous fait une tête
comme ça avec le racisme !
Écoutez...
J'ai un ami qui est xénophobe.
C'est-à-dire qu'il ne peut pas supporter
les étrangers !
Il déteste les étrangers !
Il déteste à tel point les étrangers
que lorsqu'il va dans leur pays,
il ne peut pas se supporter !

La protection
des espaces vides

La force du mime !
Avant, je faisais du mime !
Je mimais celui qui fume une cigarette !
Alors, ça donnait ceci...
(Musique blues.)
(L'artiste mime rapidement l'action.)
Et ça plaisait beaucoup !
Alors, les gens criaient :
— Une autre !
J'en mimais une autre !
Et j'arrivais à mimer mes six
ou huit cigarettes dans la soirée
... avec les rappels !
Et, un jour, le directeur m'a dit :
— Ce soir, mettez le paquet !
Il y a des fumeurs dans la salle !
Alors, j'ai mimé tout le paquet.
Un triomphe !
J'en étais arrivé à mimer mon paquet tous les soirs.
Je ne pouvais plus m'en passer !

Quand j'ai commencé à mimer la toux,
j'ai arrêté!
Je n'allais pas me « mimer » la santé!
Ah...! le pouvoir du mime!
Rien que d'avoir évoqué une cigarette,
tenez!... Regardez!
Il y a de la fumée dans l'air!
(Il la dissipe d'un mouvement de la main.)
Il faut dissiper tout ça!
Il ne faut pas laisser de traces
parce qu'il faut éviter de polluer
les espaces vides!
Il n'y a pas que les espaces verts
qu'il faut protéger...
Les espaces vides aussi!
Parce que vous avez des artistes,
les mimes en particulier,
ils évoquent des figures...
ils tracent des lignes comme ça...
dans l'espace...
Et une fois que c'est terminé,
ils saluent et ils sortent!
Et ils laissent toutes ces formes fictives
flotter dans l'atmosphère!
Il faudrait mettre un écriteau :
« Messieurs les mimes, vous êtes priés
de laisser l'espace aussi vide en sortant
que vous l'avez trouvé en entrant! »
Moi, quand il m'arrive de mimer
quelqu'un qui ouvre une porte...
quand je sors, la porte, non seulement
je la ferme, mais je l'emporte!

Supposez que je mime un papillon!
Il est dans sa boîte...
J'ouvre la boîte...
(Il mime en même temps.)
Je prends le papillon...
Eh bien, le papillon, il ne faut pas
que je le laisse s'échapper!
Ou, s'il s'échappe, il ne faut pas
que je le quitte des yeux,
que je le perde de vue!
Parce qu'il ne faut jamais lâcher
dans la nature des papillons
qui n'existent pas!
Ça crée des fantasmes!
Après, les gens voient danser
des papillons devant leurs yeux
et ils ne savent pas d'où cela vient!
Non! Le papillon, il faut le rattraper...
Et l'effacer...

Les langues étrangères

— *Oh! Sir!... Do you speak English?*
— Quoi?
— Je vous demande si vous parlez anglais.
— *Oh! yes! And you?*
— Moi aussi.
— *How are you?*
— Vous me prenez au dépourvu, là!... Qu'est-ce que ça veut dire?
— Je vous demande comment ça va?
— Ça va bien, merci!... *And you?*
— *Too.* (Ils rient!)
— *Please, Sir!... Keep your hat on!*
— Quoi?
— *Keep your hat on!*
— Hein?
— Je vous dis : « Restez couvert! »
— Ah! (Il remet son couvre-chef.) *Sir!... Be so good as to mind your business... thss...*
— J'ai bien compris qu'il fallait que je m'occupe de mes

304

affaires... Il n'y a que le « *thss...* » qui m'a un peu échappé!

— Le « *thss...* », c'est le brouillard de Londres! Ça me donne de l'asthme!

— *!... Sie sprechen ganz english wissen sie das mein herr!*

— *What?*

— Je dis que vous parlez très bien anglais, mais je vous le dis en allemand!

— *Ach so!... Sprechen sie deutsch auch?...* (Prononcez au RRRRRR...)

— !!! Il y a quelque chose qui ne passe pas là?

— Le mur!

— Ah!

— *Wie ghets es ihnen?*

— *Was?*

— Je vous demande comment ça va?

— Ah! vous me l'avez déjà demandé tout à l'heure!

— Tout à l'heure, je vous l'ai demandé en anglais : maintenant, je vous le demande en allemand. « Comment ça va? »

— Ça va mal!

— Tiens! En anglais, ça allait bien!

— Oui, mais en allemand, ça va mal!

— !!!

— Si nous parlions russe pour changer un peu?

— On peut toujours essayer!

— *Kac idioti?*

— *Qué sa ko?*

— Je vous parle russe, vous me répondez en italien, mon vieux. Faites attention!

— Je vous parle italien, mais vous n'êtes pas obligé de me répondre.

— Alors, parlez tout seul, mon vieux!

— Quand je parle tout seul, je parle en suisse!

— Eh bien, parlons suisse!

— *Amen.*

— *Amen?*

— Ben oui! C'est du suisse d'église!

— J'y perdrai mon latin!

A tort ou à raison

On ne sait jamais qui a raison ou qui a tort. C'est difficile de juger. Moi, j'ai longtemps donné raison à tout le monde. Jusqu'au jour où je me suis aperçu que la plupart des gens à qui je donnais raison avaient tort! Donc, j'avais raison! Par conséquent, j'avais tort! Tort de donner raison à des gens qui avaient le tort de croire qu'ils avaient raison. C'est-à-dire que moi qui n'avais pas tort, je n'avais aucune raison de ne pas donner tort à des gens qui prétendaient avoir raison, alors qu'ils avaient tort. J'ai raison, non? Puisqu'ils avaient tort! Et sans raison, encore! Là, j'insiste, parce que... moi aussi, il arrive que j'aie tort. Mais quand j'ai tort, j'ai mes raisons, que je ne donne pas. Ce serait reconnaître mes torts!!! J'ai raison, non? Remarquez... il m'arrive aussi de donner raison à des gens qui ont raison aussi. Mais, là encore, c'est un tort. C'est comme si je donnais tort à des gens qui ont tort. Il n'y a pas de raison! En résumé, je crois qu'on a toujours tort d'essayer d'avoir raison devant des gens qui ont toutes les bonnes raisons de croire qu'ils n'ont pas tort!

Les chansons
que je ne chante pas

J'ai écrit une java que j'ai intitulée : *Pas de java.*
C'est vous dire que ça n'a pas beaucoup de prétention!

PAS DE JAVA

Quand tu danses la java,
Tes jambes sont si courtes...
C'est comme une plaisant'rie...
Les plus courtes sont toujours les meilleures!

Oui! Elle n'est pas bonne... mais elle est courte.
D'ailleurs, c'est la seule que je chante!
Parce que j'en ai écrit d'autres, évidemment!
J'ai écrit :

SOUVENIRS DE VACANCES

Ah! quel été, quel été, quel été!
Il pleuvait tant sur la côte où j'étais!
On sentait bien que l'hiver était proche!

On se baignait les deux mains dans les poches!
La p'tite amie avec laquelle j'étais...
Ah, quel été, quel été, qu'elle était moche!

De toute façon, je ne la chante pas, celle-là!
Ah! et puis j'en ai une autre aussi... que je chanterai
peut-être un jour... si l'on insiste...
(Comme personne n'insiste, il poursuit.)
Bon! Puisque vous insistez, je vais vous la chanter, elle
s'intitule : *Conseil d'une Espagnole à son jardinier.*

CONSEIL D'UNE ESPAGNOLE
A SON JARDINIER

Vous finirez mal, disait l'Andalouse
A son jardinier imberbe.
Un jardinier qui sabote une pelouse
Est un assassin en herbe!

J'en ai encore une autre. Elle s'intitule : *Dernier Soupir.*

DERNIER SOUPIR

Elle était si discrète
Qu'après avoir rendu
Son tout dernier soupir... Rhah!...
Elle en rendit un autre
Que personne n'entendit...

Bon! Écoutez! Pour ne pas vous laisser sur une mauvaise impression, je vais vous chanter un tango que j'ai
intitulé : *Se coucher tard.*

SE COUCHER TARD

Se coucher tard... (Trois... quatre...) *nuit!*

C'est la plus courte que j'aie faite. L'avantage qu'elle soit courte, c'est qu'on peut la répéter...

Se coucher tard... (Trois... quatre...) *nuit!*

On ne s'en lasse pas!... Moi, je peux répéter cela pendant des heures... On ne peut pas faire plus concis! (Après avoir réfléchi :)... Si!... Ah si!... On peut faire simplement :

(Trois... quatre...) *nuit!*

Là, c'est l'extrême limite.
Ce n'est pas facile de faire des choses resserrées.
Exemple :
Je voulais faire un quatrain sur un mouton à cinq pattes... Mais j'avais toujours un pied de trop. Eh bien, je m'en suis sorti... j'ai écrit :

LE MOUTON A CINQ PATTES

Le mouton à cinq pattes
Accidentellement
S'étant cassé une patte
Put marcher normalement...

— J'ai même fait plus fort que ça!
J'ai écrit tout un roman qui tient en une phrase!
C'est une vie de moine racontée par lui-même : *Il était une foi... la mienne!*
Je vais vous en chanter une que je gardais en réserve...

CE N'EST PAS PARCE QUE

Ce n'est pas parce qu'il a
De bien mauvais outils
Que le cordonnier a
Une mauvaise haleine...

Oui! Cela ne veut pas dire grand-chose, mais c'est dans le vent!

Directions faussées

Je vois mon gosse...
Il a cinq ans !
Il sort du catéchisme.
Il me dit :
— Papa !... Ce n'est pas bien ce que tu as fait !
Je lui dis :
— Qu'est-ce que j'ai fait ?
Il me dit :
— Tu m'as menti !
Je lui dis :
— Comment... je t'ai menti ? Qu'est-ce que je t'ai dit ?
Il me dit :
— Tu m'as dit que le Bon Dieu n'avait jamais eu de femme !
Je lui dis :
— Eh bien, oui ! C'est vrai, quoi... Le Bon Dieu n'a jamais eu de femme !
Il me dit :
— Alors, pourquoi, au catéchisme, le curé dit toujours : « Le Bon Dieu et sa grande clémence » ?

Qu'est-ce que vous voulez que je réponde à ça ? Je ne peux pas démentir le curé de ma paroisse !

C'est le doigt de Dieu !...

Seulement... comme il a des rhumatismes articulaires... il a le doigt comme ça... (Tordu.)

Quand il me dit :

— Mon fils... si vous suivez le bon chemin... vous irez au ciel tout droit ! (geste du doigt courbé pointé vers le ciel).

C'est l'Enfer, hein !

Entre parenthèses

Là, j'ouvre une parenthèse,
Je ne devrais pas...
distrait comme je le suis!
Chaque fois que j'ouvre une parenthèse,
j'oublie de la fermer!
Oh! je ne suis pas le seul!
Vous savez ce qui est arrivé
au ministre de... tss...
Ah! (Il cherche le nom.)
Mais si!
Celui qui promet...
Vous voyez qui je veux dire?
Bon! Enfin, toujours est-il
qu'au cours d'un discours électoral,
il décide de faire quelques promesses.
Il ouvre une parenthèse,
promet certaines choses...
Jugeant qu'il a assez promis comme ça,
il va pour fermer la parenthèse...
Impossible!

(Impossible de fermer la parenthèse!)
Alors... il a continué de promettre.
Il promet toujours, d'ailleurs!
Aux dernières nouvelles, il promettrait
une récompense à celui qui arriverait
à fermer sa parenthèse!
C'est comme ce leader de l'opposition!
Comment s'appelle-t-il?... Mais si!
(Il cherche le nom.)
Enfin!
Bref!
Pendant un exposé de la situation,
il ouvre une parenthèse.
A ce moment précis, une jeune femme
s'immisce dans la conversation.
Lui, pris par le sujet,
ne s'en aperçoit pas,
il ferme la parenthèse.
Et la jeune femme est restée
enfermée entre ses parenthèses
jusqu'à la fin de l'exposé!
Il ne faut pas confondre
les parenthèses avec les guillemets!
Exemple :
On dit de quelqu'un qui a les jambes arquées
qu'il les a « en parenthèses »...
Pour que l'on puisse dire
qu'il les a « entre guillemets »,
il faudrait y ajouter les bras!

En aparté

Vous savez, au théâtre, on fait des apartés!
Eh bien, quand je fais un aparté,
on dit :
— Il fait du racisme!
— Il met à part!
Franchement, je ne vois pas en quoi,
lorsque je fais ça (aparté),
je fais du racisme?
Évidemment, si je dis (en aparté) :
— Tiens! Voilà un Turc!
Bon!
Mais si je dis (en aparté) :
— Tiens! Voilà Truc!
En quoi je fais du racisme?
Eh bien, il y aura toujours
quelqu'un pour dire :
— S'il a dit : « Tiens! Voilà Truc! », c'est
parce qu'il ne se souvenait pas
du nom du Turc!

Racisme

(Service d'immigration : devant un guichet...)

L'EMPLOYÉ : Monsieur ?

JACOB : Je voudrais un visa pour Israël.

— Vous avez votre passeport ?

— Oui, tenez !

— Vous vous prénommez Jacob ?

— Oui.

— Vous êtes français ?

— Non. Je suis juif.

— Tiens ! Je lis pourtant là que votre père est d'origine auvergnate et votre mère, bretonne !

— C'est exact !... Mais, moi, je suis juif !

— Vous avez des frères et sœurs ?

— Oui. Quatre...

— Juifs aussi ?

— Non. Les deux aînés sont auvergnats et les deux autres bretons. Je suis le seul Juif de la famille.

— Permettez-moi de m'étonner ?

— Il n'y a pas à s'étonner, c'est comme ça. C'est incompréhensible, mais cela est.

— Donc... vous seriez né juif... spontanément, si j'ose dire?

— Spontanément!

— Quand en avez-vous pris conscience?

— Dès le premier cri!

— Que vous avez poussé?

— Non. Que mes parents ont poussé!

— Quand?

— Quand ils ont vu que j'étais circoncis!

— Par qui?

— Par personne, je suis né circoncis!

— Spontanément?

— Spontanément!

— Ils ont dû être surpris?

— Plutôt oui!... Mon père a dit : « Shale homme! »

— Tiens, je le croyais auvergnat!

— Il l'est!... Il voulait dire : « Sale homme! »

— De qui parlait-il?

— De l'amant qu'il supposait que ma mère avait eu!

— Ah! « Sale homme! »

— C'est ça... Mais, en auvergnat, « sale homme » se prononce « shale homme »!

— Et qu'a dit votre mère?

— « D'où sort-il, celui-là? »

— Spontanément?

— Spontanément!

— Parlant de vous?

— De moi!

— Elle le savait bien!

— Oui. Mais elle devait, tout de même, se poser des questions.

— De quel ordre?

— Eh bien, du genre de « Si mon cinquième fils est juif...
c'est que le père l'est aussi... » Alors... les quatre autres,
auvergnats, mâtinés bretons... d'où sortent-ils?

— De la même souche, pourtant?

— Justement... C'était contradictoire! Il y avait de quoi
être ébranlé dans ses conceptions!

— Et ils vous ont prénommé Jacob?

— Non. C'est moi... Mes parents voulaient que je
m'appelle Alphonse. Mais, moi, j'ai refusé!

— Pourquoi?

— Parce que je m'appelle Jacob... Je me suis toujours
appelé Jacob!

— Spontanément?

— Spontanément!

— Comment vos parents expliquent-ils cela?

— Ils ne se l'expliquent pas!... Pour eux, c'est de
l'hébreu!

— C'est drôle parce que... vous n'avez pas le type
« sémite »!

— Absolument pas!... Je ne ressemble ni à mes frères, ni
à ma sœur..., ni même à mes parents d'ailleurs!...

— Parce que, eux... ont un type...

— Sémite! Très accentué!... A tel point qu'on les prend
pour des Israélites!

— Si bien que, lorsqu'on connaît votre famille...

— On ne s'étonne pas que je m'appelle Jacob...
(Prenant congé :) *Shalom!*

L'EMPLOYÉ : Il est sûrement plus auvergnat qu'il ne le
dit!

Sujet comique

(Un bureau de directeur de théâtre.
Le directeur est seul en scène.
On frappe...
Entre l'auteur comique, la mine défaite...)
LE DIRECTEUR (jovial) : Bonjour, mon cher... Je suis heureux de vous voir... Asseyez-vous!
L'AUTEUR : Merci.
— Voilà... je voudrais que vous m'écriviez un spectacle comique... Les gens ont besoin de rire! Vous qui avez des idées, vous allez me l'écrire rapidement...
— C'est que...
— Vous avez bien un sujet?
— Oui, mais... en ce moment..
— Quoi?
— ... je n'ai pas l'esprit à...
— ... la rigolade?
— C'est ça.
— Vous avez des ennuis?
— Plutôt, oui!
— Eh bien, voilà..., vous allez nous les raconter!

— Ce ne sera pas drôle!

— Mais, mon cher, dit par vous, ce sera désopilant!

— J'en doute!

— Allez! Racontez! Racontez!

— Tout me tombe dessus!

— Comme départ, c'est bon!

— Si je vous disais... Vous n'allez pas le croire!

— J'y crois! J'y crois!... C'est déjà drôle!

— Moi, ça ne me fait pas rire!

— Si ça fait rire les autres!

— Ah oui!... Vous croyez que...

— Vous manquez de confiance en vous, mon vieux!... Alors, qu'est-ce qui vous arrive?

— Il y a quelque temps, je me suis fait voler mon porte-feuille...

LE DIRECTEUR (riant) : Ah! ça ne peut arriver qu'à vous!

— ... avec tout mon argent...

— Sensationnel! Ha! ha!

— Quand je dis « mon argent », ce n'était même pas le mien!

LE DIRECTEUR (riant) : Ha! ha! terrible...

— Je devais en rendre la moitié à un copain...

LE DIRECTEUR (toujours riant) : Ha! ha!... la tête du copain!

— ... et l'autre, à mon percepteur...

— C'est la tête du percepteur... Ha! ha!

— C'est la tête du percepteur qui vous fait...?

— Non, c'est la vôtre!

— Oui!... Quand on est venu saisir les meubles...

— Là, il y a une belle scène à faire!

— Quand on est venu saisir les meubles... ma femme...

— Ah! j'ai quelqu'un pour le rôle de la femme...
— Oui?
— Une petite pépée!!! Alors...? votre femme...
— Elle est partie...
— Ha! ha! sans blague?
— C'est sérieux!
LE DIRECTEUR (s'esclaffant) : Vous avez dit ça sur un ton...
— C'est sérieux!
— Plus c'est sérieux, plus c'est drôle!... (Riant :) Ha! ha! ha!... Elle est partie?
— Oui!
— Avec qui?
— Avec le copain à qui je devais de l'argent!...
— Inattendu!
— C'est un coup dur!
— C'est un coup de théâtre!... Ensuite?
— C'est tout!
— Ah...! ça ne suffit pas!
— Comment?
— Il faut avoir le courage d'aller plus loin.
— Qu'est-ce que vous entendez par aller plus loin?
— Jusqu'à la misère noire... La misère, ça paie toujours...
— Mais je suis dans une misère noire!
— Alors, il faut trouver la chute!
— Je suis sur le bord, vous savez!
— Oh! mais je vous fais confiance! Vous allez trouver! Vous tenez le bon bout!... Allez, au travail, mon vieux!
— Dites... est-ce que vous ne pourriez pas me verser un petit acompte?
— Pour quoi faire?
— Ben... je ne vous cacherai pas que ça m'enlèverait une épine du pied.

— Faut pas! Faut pas! Gardez vos épines!... Plus vous aurez d'épines, plus ce sera drôle!

— C'est ça!... Je m'en ferais une couronne!

— Si vous le pouvez, c'est la gloire!

— Je me la mettrais sur la tête...

— C'est bon! C'est bon!

— Comme un chapeau!

— C'est bon!

— Chaque fois que quelqu'un me saluerait, je le saluerais à mon tour (Il rit.)

— Excellent!

— Ça me soulagerait la tête!

— Inénarrable!

— Mais comme ça me piquerait les mains, je la remettrais très vite sur ma tête...

— Ha! ha!... et pour vous soulager la tête?

— Je resaluerais! Ha! ha! ha!

LE DIRECTEUR (hilare) : Et comme vous vous piqueriez les mains...

L'AUTEUR (pleurant de rire) : Je la remettrais...

— Burlesque!

— ... Si bien que je donnerais l'impression de saluer tout le monde!

LE DIRECTEUR (s'étouffant de rire) : Arrêtez!

L'AUTEUR (hilare) : On dirait : « Il est bien poli, cet homme. »

— Ha! ha! ha! sans compter les épines du pied... ha!

— Chaque fois que je marcherais... aïe!

— Assez...

— Aïe, aïe! (Il marche en saluant.) Aïe, aïe, aïe!

— C'est à mourir de rire! Aïe! (Il porte la main à son cœur.)

— ... Monsieur le Directeur. (Celui-ci ne bouge plus.) Mons... (Il l'examine de plus près.)... Ça y est! J'ai ma chute... je tiens mon sujet! Je le tiens! Ha! ha! ha!

Les sacs

(La maison de Mme X., romancière.
Un livreur pose plusieurs sacs postaux devant la porte...
et sonne...)

MME X. : Qu'est-ce que c'est ?

LE LIVREUR : Ce sont les sacs de mots que vous avez
commandés !

MME X. : Une seconde !...

(On ouvre la porte.)

MME X. : Ah ! Tous les mots y sont ?

LE LIVREUR : Tous !... (Les vérifiant :) Deux sacs de mots
courants... un sac de mots inusités... de mots incohé-
rents... de mots sans suite... et il y a même un mot de trop !

— Et ce petit sac ?

— Ce sont les ponctuations... les points... les virgules,
etc.

— Vous m'avez mis quelques « entre parenthèses » ?

— Les « entre parenthèses » sont entre les « guillemets »...

— Très utiles ! Pour les i ?

— Les points sont dessus ! Avec les trémas !

— Les accents?

— Ils y sont tous!... Les graves... aigus... circonflexes... et autres... sans compter les points de suspension!...

— Bref!... Là-dedans, il y a de quoi bâtir tout un roman!

— Il y a tout le matériau nécessaire! Il y a même quelques phrases toutes faites...

— Et l'intrigue?

— Elle est dans le sac de nœuds!... (Il plonge la main dans un des sacs... et en sort quelques nœuds...) On vous en a mis treize à la douzaine pour brouiller les pistes...

— Parfait!

— Pour le règlement?

— Je vais chercher mon sac à main... (Elle le prend derrière la porte et l'ouvre.) Voyez... (Elle en sort quelques mains.) Les mains sont dedans!... Il y en a toute une poignée.

LE LIVREUR (la prenant à l'épaule) : Merci!... L'affaire est dans le sac!

MME X. : L'affaire est dans le sac!

Je suis un imbécile

Dernièrement,
j'ai rencontré un monsieur
qui se vantait d'être un imbécile.
Il disait :
— Je suis un imbécile!
Je suis un imbécile!
Je lui ai dit :
— Monsieur... c'est vite dit!
Tout le monde peut dire :
« Je suis un imbécile! »
Il faut le prouver!
Il m'a dit :
— Je peux!
Il m'a apporté les preuves
de son imbécillité
avec tellement
d'intelligence et de
subtilité
que je me demande
s'il ne m'a pas pris
pour un imbécile!

Le bout du bout

(L'artiste s'adressant à son pianiste :)
— Ne discutez plus, hein!...
Parce que... vraiment...
(S'adressant au public :)
Écoutez, l'autre jour, je taillais un morceau de bois...
Mon pianiste vient, il me dit :
— Voulez-vous me passer ce bout de bois, s'il vous plaît ?
Je lui dis :
— Lequel des deux bouts ?
Il me dit :
— Quels deux bouts ? Je ne vois qu'un bout de bois.
Je lui dis :
— Parce que vous vous exprimez mal! Parce qu'un bois,
ça a deux bouts. Alors, il ne faudrait pas dire « un bout de
bois », mais « les deux bouts d'un bois » !
Il me dit :
— Les « deux bouts d'un bois »... D'abord, ça sonne
curieux! On entend « les deux boudins », on ne sait pas
s'il s'agit de bouts de bois ou de bouts de boudin!
Je lui dis :

— Ne plaisantons pas! S'il s'agissait de bouts de boudin, on dirait « les deux bouts d'un boudin »! On ne dirait pas « les deux bouts d'un bois »!

Il me dit :

— J'ai toujours appelé un bout de bois un bout de bois, moi! Alors, passez-moi ce bout de bois!

Je lui passe le bout de bois.

Il prend le bout, il tire dessus et me dit :

— Lâchez l'autre bout!

Je lui dis :

— Vous voyez bien qu'il y a deux bouts!

— Bon, puisqu'il y a deux bouts, gardez ce bout-ci! Moi, je garde ce bout-là! Ça nous fera chacun un bout!

Je lui dis ·

— Non! Ça nous fait encore chacun deux bouts!

Hein?...

Vous avez compris ça?...

Si vous cassez le bout de bois en deux, il y a encore deux bouts à chaque bout! Il y a toujours deux bouts à chaque bout!

Vous avez compris ça?...

Vous n'avez pas compris ça?...

Un bout, c'est irréductible!

Vous ne pouvez pas supprimer le bout d'un bout!... ou alors, il faut supprimer le bout entier.

Prenons un bout de machin... vous coupez le bout d'un machin, il reste encore un bout au bout du machin!

Vous avez compris ça?...

Alors, prenons un bout... un bout de truc.

Vous préférez un bout de truc?

Vous prenez un bout de truc, vous coupez le bout d'un truc, il y a encore un bout au bout du truc!

Vous n'avez pas compris ça?...
Prenons un bout de fil...
De fil de téléphone, par exemple. Bon!
Vous coupez le bout...
Il y a encore quelqu'un au bout du fil!
Vous pouvez prendre mon raisonnement
par tous les bouts,
il se tient!

Le montreur de marionnettes

Je viens de rencontrer un marionnettiste...
Il est tout bouleversé!
Hier soir,
il avait laissé sa marionnette côté cour.
Il l'a retrouvée ce matin côté jardin.
Ça signifie quoi?
Ça signifie que dans la nuit,
la marionnette a traversé la scène toute seule!
Elle a dû faire ses premiers pas sans l'aide de personne!
Sans quelqu'un derrière elle pour la manipuler!
C'est émouvant, non?
Ça ne fait pas l'affaire du marionnettiste, hé!
Si sa marionnette se met à marcher toute seule...
c'est son boulot qui fout le camp!
Le marionnettiste...
il va être obligé de la faire lui-même, la marionnette!
Quand je l'ai rencontré, déjà...
il se tenait comme ça!
Je lui dis :
— Secouez-vous un peu!

Il a haussé les épaules!
Il s'est agité un peu.
Il a esquissé quelques pas.
Tant que je le tenais par le bouton
de son veston, ça allait!
Mais le bouton ne tenant que par un fil... il a craqué!
Et, lui, il s'est emmêlé dans le fil (comme un pantin).
Du grand guignol!

L'état de poussière

Mesdames et messieurs, si je vous disais qu'il y a quelque temps, je suis redevenu poussière !

Souvenez-vous de la phrase : « Tu n'es que poussière et tu retourneras en poussière. »

Eh bien, moi, je suis retourné en poussière.

Oh ! pas longtemps, Dieu merci... Parce que c'est une rude épreuve !

Figurez-vous qu'il y a quelque temps, je reçois un coup de téléphone du ministère de l'Environnement :

— Allô ! Devos ? Ici, le ministre de la Qualité de la vie. Alors, sur le plan de la pollution, où en êtes-vous ?

Je lui dis :

— Pour moi, il n'y a rien de changé ! Pourquoi ?

Il me dit :

— Vous ne faites jamais appel à mes services d'assainissement.

Je lui dis :

— Parce que je suis sain de corps et d'esprit !

Il me dit :

— D'esprit, peut-être ! Mais de corps, ça m'étonnerait !

Parce que, depuis le temps que vous respirez les vapeurs d'essence et autres émanations malsaines, votre organisme doit être pollué jusqu'à la moelle des os!

Il m'a fait peur.

Je lui dis :

— Que faut-il que je fasse?

Il me dit :

— Allez donc prendre l'air sur la route de Dijon, « *la belle digue, digue, la belle digue, don!* ». Il était de bonne humeur!

Je me dis : « Il doit avoir raison. J'ai peut-être besoin de m'oxygéner! Je vais aller à la campagne! »

Et je suis parti sur la route de Dijon.

Comme je descendais du taxi qui m'y avait conduit...

Ahh!... L'air pur... Je suffoquais!...

Je manquais d'oxyde de carbone...

J'ai eu envie de me précipiter sur le tuyau d'échappement pour...

Ahh!...

Mais... manque de pot...

J'ai entendu la voix du chauffeur qui disait :

— Dites donc, ça n'a pas l'air de gazer!

Juste le mot qu'il ne fallait pas prononcer!

J'ai vu son compteur devenir bleu... et quand il a mis les gaz... BOUM!

J'ai explosé, littéralement explosé... et je suis retombé en poussière!

Rude épreuve!

Quand on se voit, sur la route de Dijon, réduit à l'état de poussière, on a beau se dire :

« *la belle digue, digue, la belle di...* »

Le moral est à plat!

Je me disais (en mon for intérieur) :
« Il faut que tu te secoues ! »
Et puis, à la réflexion, je me disais :
« Non ! Si tu secoues ta poussière... elle va s'éparpiller !
Au contraire... rassemble tes esprits ! Concentre-toi ! »
Je me suis concentré, et à force de me concentrer, j'ai
réussi à me mettre en tas ! Un petit tas de poussière !
C'était déjà ça !... Quand on est poussière, il faut d'abord
se mettre en tas ! C'est plus propre... C'est plus propre
pour la personne qui viendrait éventuellement vous
ramasser.

En attendant, moi, je commençais à broyer du noir, « *sur
la route de Dijon, la belle digue...* ».

Je me disais : « Bon ! Je suis inscrit à la Sécurité sociale...
D'accord ! Mais... est-ce qu'elle rembourse les poussières,
la Sécurité sociale ? Sûrement pas ! Elle va me considérer
comme un déchet ! » Et cette pensée a eu pour effet de me
mettre en boule. C'était mieux qu'en tas ! Parce qu'en tas,
j'étais figé... Tandis qu'en boule, je pouvais évoluer, rouler à droite, à gauche...

Et tandis que je roulais sur la route de Dijon, « *la belle
digue, digue, la belle digue, don...* », j'ai été emporté par
le vent mauvais, vous savez... ce même vent mauvais qui
emporta plus d'un poète.

« De-ci, de-là,
Pareil à la
feuille morte !... »
D'après les on-dit, hein ?
Et ce vent qui m'avait porté sans faiblir jusqu'aux abords
de la capitale me laissa tomber subitement au beau
milieu d'un carrefour, aux pieds mêmes d'un agent de

police qui réglait la circulation, c'est-à-dire à un endroit protégé!

C'est là que, matière inerte, je ressentis, oh d'abord confusément, les premiers effluves des vapeurs d'essence.

Oh! la vivifiante odeur de fuel qui chatouillait maintenant mes narines!

Car la fonction créant l'organe, mes narines s'étaient reconstituées.

Oui! Je crois que dans cette reconstitution, je fus d'abord une paire de narines émergeant d'un tas de poussière! (Riant.) Ce n'était pas le moment d'éternuer!

Oh! mais la tête de l'agent de police assistant à la « levée du corps »!

Enfin... sitôt rentré chez moi, j'ai appelé le ministre de l'Environnement et je lui ai dit que :

« Tel le Phénix de ses cendres, je venais de renaître de ma poussière. »

Il m'a dit :

— Ne touchez à rien! J'arrive!

Deux heures plus tard, on sonne...

J'entends une voix étouffée derrière la porte :

— Ouvrez! Ouvrez vite! C'est le ministre de la Qualité de la... vi...ie...

Comme un ballon d'oxygène qui se dégonfle. J'ouvre...

Personne dans les environs! A mes pieds... il y avait un petit tas de poussière... à côté d'un portefeuille!

Je ne jurerais de rien, hein!

Mais un ministre qui arrivait directement de sa campagne devait être allergique à l'air vicié de Paris!...

Enfin... à tout hasard,

j'ai recueilli la poussière,

je l'ai glissée dans le portefeuille
et je l'ai expédiée au grand air...
« *sur la route de Dijon, la belle digue, digue, la belle
digue, don!* ».

Jésus revient

Je viens de lire sur un mur
une chose étonnante.
Quelqu'un avait écrit :
« Jésus revient. »
C'était écrit en toutes lettres :
« Jésus revient! »
Vous vous rendez compte
Jésus!
C'est important!
Jésus!
C'est le ciel!
Et les gens passaient à côté... indifférents :
— Tiens! Jésus revient?
Il y en a même qui faisaient des
réflexions désobligeantes :
— Eh bien, il a mis du temps!
Et, pourtant,
si c'était vrai?
Si Jésus revenait?
Ce serait merveilleux!

« Jésus revient! »
Il est là!
Où?
Là!
— Ah! c'est vous? Mon Dieu!
Je ne vous avais pas reconnu!
Si j'ai entendu parler de vous?...
Pensez!...
Quand j'étais petit, on me parlait toujours
du petit Jésus.
Le petit Jésus!
Je vous voyais tout petit!
Et tout à coup,
je découvre... un grand Seigneur!
— Devinez qui vient dîner ce soir?
Vous me voyez devant la porte
de ma demeure,
annonçant la nouvelle
à travers le judas?
— Devinez qui vient dîner ce soir?
— Je vous le donne en mille : Jésus!
— Mais non!
— Mais si!
Vous voyez d'ici la scène (Cène).
Il vaudrait peut-être mieux ne
pas raviver la Passion!

Au lieu de se battre

(L'artiste et ses musiciens chantent ce refrain :)
Au lieu de se battre, aimons-nous, mes frères.
Je suis tellement sûr que l'on peut s'aimer,
Qu'à ceux qui viendraient dire le contraire,
Ah! tiens! pan! pan! pan!
Je n'sais pas c'que j'leur f'rais!
L'ARTISTE (au pianiste qui a « mordu » sur l'accord final) :
Celui-là... Je ne sais pas, il y a quelque chose qui... Ça ne
colle pas tous les deux... je ne le sens pas!... On n'est pas
de la même race, quoi!... Où êtes-vous né?

LE PIANISTE : A Pantin.

L'ARTISTE : Tiens! Moi aussi! A quel endroit?

LE PIANISTE : Derrière l'école...

L'ARTISTE : Ah bon! L'école... je connais bien! C'est là où
j'allais.

LE PIANISTE : Moi aussi...

L'ARTISTE : Ah ça, c'est drôle!... Je me disais aussi il y a
quelque chose... Ça colle tous les deux... Il y a certaines
affinités!... Vous avez grandi dans la zone?... Les vieilles

baraques... tout ça!!! je connais... C'est un beau bled?
Hein?... Pantin?

Refrain (en chœur):

Au lieu de se battre, aimons-nous, mes frères.
Je suis tellement sûr que l'on peut s'aimer,
Qu'à ceux qui viendraient dire le contraire,
Ah! tiens! pan! pan! pan!
Je n'sais pas c'que j'leur f'rais!

L'ARTISTE (au bassiste qui a « bavé » sur l'accord):
Ah, celui-là... il a une tête qui ne me revient pas... Je ne
sais pas... Il y a quelque chose qui s'oppose... Ça ne s'har-
monise pas tous les deux... Ça ne s'explique pas!... C'est...
Vous vous êtes noirci le visage ou quoi?... Ce côté noi-
raud... crépu!!! c'est voulu!... Ne me dites pas que c'est
naturel... ce serait trop affreux!!! On n'est pas de la
même race, quoi! Vous êtes né où?

LE BASSISTE: A Pantin.

L'ARTISTE: Ah bon! Tiens... comme lui! Comme moi!...
Ah! c'est curieux!... A quel endroit?

LE BASSISTE: Devant l'école... au coin, là!

L'ARTISTE: Ah ben! ça... on est des camarades de classe...
C'est prodigieux... Je me disais aussi... il y a une atti-
rance... c'est inexplicable! Vous avez grandi?

LE BASSISTE: Ah! dans la zone...

L'ARTISTE: Comme moi!... Vous avez connu aussi...

LE BASSISTE: Les vieilles baraques...

L'ARTISTE (au pianiste): Comme nous! C'est un beau
bled, hein?

Refrain (en chœur):

Au lieu de se battre, aimons-nous, mes frères.
Je suis tellement sûr que l'on peut s'aimer,
Qu'à ceux qui viendraient dire le contraire,

Ah! tiens! pan! pan! pan!
Je n'sais pas c'que j'leur f'rais!

L'ARTISTE (au batteur, qui a tapé à côté) : D'où il sort celui-là? Ah! celui-là, c'est ma bête noire... Je ne peux pas le sentir... Ça ne s'explique pas cette aversion! On n'est pas de la même race, quoi!... Vous êtes né où?

LE BATTEUR : Je suis né...

L'ARTISTE (brutalement) : Attention à ce que vous allez répondre!

LE BATTEUR : A Saigon.

L'ARTISTE : Ah bon! Enfin!... Je savais bien que c'était un Jaune!... Ce côté ridé... fripé!... Vous avez grandi parmi les joncs... les bambous! C'est ça! Vous avez eu les fièvres et la température n'est pas tombée... Il doit avoir un drôle d'atavisme! Que faisait votre père?

LE BATTEUR : Il était instituteur.

L'ARTISTE : Dans quel bled?

LE BATTEUR : A Pantin.

L'ARTISTE, LE BASSISTE, LE PIANISTE : C'était notre professeur!

L'ARTISTE : Je me disais aussi... Il y a quelque chose... qui... nous... unit...

Refrain (en chœur) :
Au lieu de se battre, aimons-nous, mes frères.
Je suis tellement sûr que l'on peut s'aimer,
Qu'à ceux qui viendraient dire le contraire,
Ah! tiens! pan! pan! pan!
Je n'sais pas c'que j'leur f'rais!

La leçon
du petit motard

Il y a quelque temps, je prends ma voiture, et voilà que sur la route, je me fais siffler par deux motards... un grand et un petit.

Ils me font signe de me ranger!

J'obtempère!

Le plus grand des deux vient vers moi...

Il me dit (après avoir composé un visage de brute et en hurlant) :

— Donnez-moi vos papiers!

J'ai dit :

— Oui... Oui... Non, mais... D'accord!... Je vais vous... Je vais vous les... (Pétrifié par la peur, il ne peut plus parler et indique le mouvement de sortir et de montrer ses papiers.)

Il me dit :

— Je vous ai fait peur, hein?

J'ai dit :

— Bof...

Il me dit (hurlant) :

— Je ne vous ai pas fait peur?

J'ai dit :

— Si! Si!... Vous m'avez fait peur! Mais qu'est-ce que j'ai fait?

Il me dit (montrant un panneau) :

— Vous ne voyez pas qu'il est défendu de stationner!

Je lui dis :

— Mais c'est vous qui m'avez fait signe!

Il me dit :

— Je vous ai fait signe parce que c'est l'heure de la leçon du petit!

(Il apprenait au petit motard à verbaliser... à mes dépens!) Il dit (au petit motard) :

— Tu as vu comment j'ai fait! Allez... à toi!

Le petit s'approche de moi... gentil... doux... affectueux...

— Monsieur... voulez-vous avoir l'obligeance de me montrer vos papiers... s'il vous plaît?

Ah... si vous aviez entendu le chef...

— Mais non! Tu es trop gentil! Tu n'obtiendras jamais rien comme ça... N'est-ce pas, monsieur?

— Oh... j'ai dit ; j'avoue qu'il ne m'a pas incité à montrer mes papiers.

Il dit (au petit motard) :

— Tu vois... tu allais nous faire perdre un client!

Il me dit :

— Excusez-le!...

Je lui dis :

— Je vous en prie, il n'y a pas de mal!

Il dit (au petit motard) :

— Allez... recommence, redemande-lui ses papiers!

Alors là... j'ai dit : Non! Excusez-moi... mais je n'ai pas le temps de jouer!

Il me dit (en hurlant) :

— Ah! Vous n'avez pas le temps de jouer?

J'ai dit :

— Si! Si... J'ai tout le temps... On va jouer! Ah si! On va jouer... C'est à qui de faire?... C'est à moi de donner? (Il va pour sortir ses papiers.)

Il me dit :

— Non! C'est au petit à demander! Allez! A toi!

Le petit (essayant d'imiter l'expression et le ton du chef... hurlant) :

— Monsieur! Donnez-moi... vos papiers... (glissant vers la gentillesse) s'il vous plaît... Sans ça... (sa nature reprenant le dessus).. le chef va encore se fâcher!

Le chef et moi... on s'est regardés.

Je lui dis :

— Qu'est-ce que je fais? Je les lui donne ou quoi?

Il me dit :

— Non!... Il ne les mérite pas!

Migraine infernale

J'ai une migraine! Infernale!
C'est comme si... il y avait un métro
qui me traversait la tête.
Je prendrais bien de l'aspirine... Mais...
Lorsque j'en prends,
la migraine s'arrête... mais le métro... aussi...
Alors, il y a des gens qui descendent.
Ça fait un ramdam à l'intérieur!
J'ai les oreilles qui sifflent!
Alors, dès que les oreilles sifflent...
les portes se referment, le métro repart.
Et la migraine revient!
Infernal!

La Terre promise

(Sur la Lune, en l'an 2500...
Sur la surface éclairée, deux « Pierrot » jouent *Au clair de la lune* sur une guitare et une mandoline...)
X — Voilà un air qui vient de loin...
Z — Du fond des âges! *Au clair de la lune.*
— Il vient bien de quelque part, tout de même?
— Oui ! D'en bas!
— D'où?
— De la Terre!
— Je sais. Il aurait été transmis de la Terre à la Lune...
— Et retransmis de bouche à oreille, oui!
— Encore cette croyance?
— Et pourquoi pas?
— Alors tu crois, toi, qu'un jour le fils de l'homme est monté dans la Lune?
— Oui, mon vieux! Il est tapé à la machine que l'homme, après avoir décomposé le Ciel et la Terre, est monté dans la Lune sous la forme d'une fusée!
— Alors, nous descendrions d'une fusée?

— Non! Nous descendrions du fils de l'homme : c'est l'homme qui serait descendu de la fusée!

— Et il serait reparti sur la Terre?

— Oui! Après sa mort! Nous, lorsque nous mourrons, nous y retournerons aussi!

— Où as-tu vu ça, toi?

— C'est tapé à la machine!

— S'il est tapé à la machine qu'il faille attendre d'être mort pour retourner sur la Terre, c'est décourageant!

— C'est plein d'espérance au contraire. C'est la Terre promise!

— La Terre promise?

— Le Paradis perdu, si tu préfères!

— Pourquoi le fils de l'homme serait-il venu ici, sur la Lune, où il n'y a rien... alors que sur la Terre, paraît-il, c'est le Paradis?

— Il en a été chassé!

— Par qui?

— Par un courroux nucléaire!

— ?

— Une erreur de bouton, semble-t-il!

— Nom d'un pétard!

— Du moins, c'est ce qui est tapé à la machine!

— Et tu y crois?

— J'y crois!

— Eh bien, moi, je crois à la Lune, un point c'est tout!

— Et si pourtant c'était vrai, s'il y avait quelqu'un en bas?

— Ah! (Se reprenant :) Mais... nom d'une fusée!

— Ne jure pas!

— Mais nom d'un pétard! S'il y avait quelqu'un en bas... bougre de terre à terre! Tu crois qu'il nous laisserait rêvasser ici, comme des damnés? Il nous ferait signe!

— Et les phénomènes extra-lunaires?

— Quels phénomènes?

— C'est la petite Jeannette qui entend des voix et qui prétend que ces voix lui parviennent d'outre-tombe!

— D'outre-tombe?

— D'en bas, quoi!

— Et que disaient ces voix?

— *Five, four, three, two, one, go!*

— C'est beau!

— Quand j'entends cela... je ressens là (il se touche la poitrine) comme un choc! *Five! Four! Three! Two! One! Go!*

— C'est drôle (rêveur), ça me rappelle quelque chose!

— A toi aussi?

— Oui... attends... Ah... c'est confus... c'est loin... loin... comme une impression... *Go!... Go home!*

— Qu'est-ce que tu dis?

X. (surpris et répétant) : *Go home!*

— Où as-tu appris ça?

— Je ne sais pas!

— C'est tapé à la machine, ça!

— Tu es sûr?

— *Go home!* (Évidence.) Le retour à la Terre promise!

— J'en ai des frissons!

— D'ailleurs, si on réfléchit bien, *Au clair de la lune,* ça ne peut venir que d'en bas!

— Alors, la Terre, ce serait...?

— Notre mère!

(Ils reprennent le morceau tandis que la Lune et ses habitants disparaissent dans les cintres, à l'horizon.)

Consommez plus

Maintenant, c'est le gigantisme !
Ce sont les magasins à grande surface,
les supermarchés...
les hypermarchés !...
Et puis, dans ces magasins, il y a des publicités partout !
Il y a des panneaux lumineux...
Par exemple, sur un panneau, il y a marqué :
« Consommez plus ! »
Alors, pour ma voisine, « plus », c'est une marque de consommé.
Si bien que lorsqu'elle va acheter un paquet de nouilles, elle dit :
— Mettez-moi un paquet de « plus » !
Alors, on lui met un paquet de nouilles en plus !

Les manifestations

Pendant les émeutes...
Au Quartier latin...
J'en ai vu des choses!
J'ai vu d'abord les universités se vider et les rues se remplir. « Le principe des vases communicants », comme disait un doyen qui n'avait plus toutes ses facultés.
Et puis, lorsque j'ai vu des cars de police remplis de C.R.S. je me suis dit : « Tiens! ils en ont arrêté pas mal! » Et puis j'ai entendu les manifestants qui criaient :
— Libérez-les! Libérez-les!...
Ils parlaient des étudiants.
Mais le brigadier... lui... qui n'était au courant de rien... il a libéré les C.R.S.! Le malheureux!
C'était un malentendu!
Tout est parti de là!
Après, ç'a été l'affrontement
J'ai vu un C.R.S. qui avait agrippé un étudiant... Il le secouait d'une main... De l'autre, il tenait sa matraque et disait :

— Quand je pense que moi qui n'ai rien dans la tête, moi qui n'ai aucune idée, dont le crâne est creux comme un radis... je vais être obligé de frapper sur une tête pleine! Un puits de science... un futur savant peut-être! Ah! tiens! ça me révolte!...

Et, de rage..., il tapait sur l'étudiant!

Ah! j'en ai vu!

J'ai vu, alors que tout le monde était en grève, un chômeur qui réclamait du travail et que personne n'écoutait!

J'ai vu un commerçant lancer un pavé dans la vitrine de sa propre boutique et, stupéfait, déclarer en pleurant :

— Avec ces grèves tournantes, je suis complètement désorienté!

J'ai vu un fonctionnaire qui était appointé... complètement désappointé!

Un coiffeur raser les murs!

Un oisif occuper ses propres loisirs!

J'ai vu un boucher peser ses mots... en faire un paquet... et le jeter à la tête du service d'ordre en criant :

— Mort aux vaches!

— Mort aux dents! hurlait un dentiste qui ramenait tout à sa profession!

Et toujours le chômeur qui réclamait du travail et que personne n'écoutait.

Et les étrangers qui se trouvaient là par hasard...! complètement dépaysés!

J'ai vu une Anglaise sur le quai de la Seine qui attendait le métro!... Quand elle a vu qu'il ne passait aucune rame, elle a repris le bateau!

J'ai vu un touriste américain qui demandait à un C.R.S. où se trouvaient les Folies-Bergère se faire matraquer!... (Sur place.)

J'ai vu un Russe, aussi, qui essayait de comprendre le chômeur qui réclamait toujours du travail et que personne n'écoutait! Parmi les grévistes... j'ai vu un chauffeur de taxi débrayer hors de son véhicule!

De la démence!

J'ai vu..., de mes yeux vu, un C.R.S., pris d'une folie subite, arracher un piquet de grève!

Alors, les manifestants ont crié :

— Arrêtez-les! Arrêtez-les! Ils parlaient des C.R.S., évidemment!

Mais le brigadier, lui, qui n'avait pas encore compris... il a arrêté les étudiants!

Toujours le même malentendu!

Alors, les rues se sont vidées... et les cars de police se sont remplis.

« Le principe des vases communicants », comme disait le doyen qui n'avait même plus la faculté de se faire entendre!

Et puis... quand j'ai vu le chômeur qui avait enfin trouvé du travail — il était en train de remettre les pavés à leur place... — menacer de faire grève parce qu'il n'était pas assez payé... j'ai compris qu'on n'était pas sorti de l'auberge!

La nature est bien faite

Récemment,
je bavardais avec un ancien officier.
Pendant la guerre,
il avait été le bras droit d'un général.
Il ne lui restait plus que le bras gauche.
Au cours d'une attaque,
alors qu'il avait la main dans la poche,
son bras a été emporté par un obus.
Et la main est restée dans la poche.
Il me disait :
— Ce que la nature est bien faite !
Vous ne pouvez pas savoir
ce qu'il est difficile
de retirer sa main
de sa poche
sans son bras !

Je roule pour vous

L'artiste (tout en enfilant un baudrier et se saisissant
d'un tambour) :
Je vais faire quelques roulements de tambour
parce que je ne peux pas les faire chez moi.
Ça fait trop de bruit!
Alors, je viens les faire ici!
(Accrochant son tambour au baudrier :)
De toute façon, je déteste être chez moi!
Je n'aime pas être chez moi!
A tel point que lorsque je vais chez quelqu'un
et qu'il me dit :
— Vous êtes ici chez vous,
je rentre chez moi!
Quand je vais chez quelqu'un et qu'il me dit :
— Faites comme chez vous,
je ne fais plus rien!
Forcément! Chez moi, c'est moi qui fais tout!
Alors, je ne vais pas aller tout faire
chez quelqu'un sous le prétexte qu'il m'a dit :
— Faites comme chez vous!

(Au public :) Vous non plus, vous n'aimez pas être
chez vous, hein?
puisque vous avez payé pour être ici!
(Il exécute une suite de roulements.)
Je roule pour vous, messieurs-dames!
On peut rouler très vite là-dessus!
On peut faire du soixante! Soixante-dix!
Quatre-vingts!
Il ne faut pas monter au-dessus,
ça peut être dangereux!
Parce que vous n'avez pas de frein sur un tambour!
Paradoxalement, sur une auto,
vous avez des freins à tambour, alors
que sur un tambour, vous n'avez pas
d'auto-frein!
Il y en a qui font les quatre cents coups
à la minute!
On peut tout faire sur un tambour.
Par exemple : compter!
Vous savez qu'on peut compter plus vite
sur un tambour d'ordonnance que sur
un ordinateur?
Je vais vous en administrer la preuve.
Si quelqu'un veut avoir l'obligeance
de me donner un chiffre entre un et dix?
(Quelqu'un : « Huit! »)
Huit! Bon! (Il les frappe sur son tambour.)
Multiplié par...?
(Quelqu'un : « Six! »)
(Il exécute une série de roulements.)
Quarante-huit!... C'est exact?

Oh! je sais bien que vous savez que six fois huit,
ça fait quarante-huit! Mais vous le savez par
ouï-dire, tandis que moi je les compte!
Pour diviser, encore plus rapidement!
Huit, par exemple... (il les frappe sur son tambour)...
divisé par deux... il y en a qui compteraient
sur leurs doigts!
Moi, d'une seule main...
(Il frappe quatre coups d'une baguette.)
Ça fait quatre!
On peut rédiger une déclaration d'impôts
sur un tambour.
Pour calculer ses impôts, ça se fait à la feuille!
Tout d'abord, les salaires... (Il exécute un ra de cinq.)..
plus les honoraires... (ra de trois)...
plus les plus-values... (ra de onze)...
plus les revenus fonciers et immobiliers...
(Battements ternaires.)
Vous additionnez le tout, ça vous donne...
(Il exécute une suite de roulements.)
Ça chiffre, hein?
Ça fait du bruit, une feuille d'impôts!
Et encore, là, je n'ai pas compté les rappels!
Ah! j'ai oublié de déduire les dix pour cent!
(Il donne un léger coup sur le tambour.)
On peut aussi raisonner sur un tambour.
C'est ce qu'on appelle « Raisonner comme un tambour »!
Au début, je vous ai joué ceci...
(Il roule à nouveau le début.)
Eh bien, cela veut dire en clair :
« Nous en avons plein le dos!

Plein le sac! Plein le fond des godillots
Plein le fond des gamelles et des bidons! »
Je peux vous donner l'heure précise
sur mon tambour :
Au troisième top, il sera exactement...
(il frappe trois coups)
... neuf heures dix! (Ou toute autre heure.)
Regardez les aiguilles!
(L'artiste dispose les baguettes sur son tambour de la
même manière que les aiguilles indiquant l'heure sur un
cadran.)

Sex-shop

Devant un sex-shop,
il y avait un type.
Il était là,
Il tambourinait sur la vitre,
il disait :
— C'est un véritable scandale!
Retirez-moi ça tout de suite!
Alors, le vendeur est sorti,
il a dit :
— Retirer quoi?
Et l'autre a dit :
— Retirer la buée. On ne voit rien!

Le fils d'Abraham ou l'appel au peuple

Vous savez que c'est terrible d'avoir *ad vitam æternam* quelqu'un derrière soi qui vous pousse à faire quelque chose alors que l'on sait pertinemment qu'*in extremis*, il vous empêchera de le faire. C'est le supplice de Tantale.

Une nuit, je rentrais chez moi...
Il y avait un brouillard à couper au couteau...
Tout à coup, j'entends :
— Fils d'Abraham !
Comme j'étais tout seul,
je dis :
— Oui... Qui êtes-vous ?
J'entends une voix lointaine :
— Je suis Jéhovah !
Comme il n'y avait pas de témoins, je lui dis :
— Je vous écoute !
La voix me dit :
— Tu es bien le fils d'Abraham ?
!!
Je lui dis :

— Entre autres!... Je ne suis pas le seul! Nous sommes tout un peuple à être le fils d'Abraham!

— Justement! C'est un appel au peuple que je viens te lancer!

— Pourquoi moi?

— Parce qu'on n'a trouvé personne d'autre! Voilà. Je voudrais te mettre à l'épreuve, comme jadis je mis à l'épreuve ton père!

Je lui dis :

— Le père Devos?

Il me dit :

— Non! Le père Abraham!

Je dis :

— Ah! c'est cette histoire ancienne!

Il me dit :

— T'en souvient-il? J'avais promis à Abraham une descendance innombrable, des fils, des petits-fils, des arrière-petits-fils, tout un peuple, en somme, à condition qu'il me sacrifiât son fils.

— Oui, je sais, et il ne l'a pas fait!

— Non! Parce qu'au dernier moment, ma main a retenu son bras!

— Oh! je dis, vous avez eu là un beau geste!... Sans ça, je ne serais pas là!

— Eh bien, je te propose la même épreuve : sacrifie-moi ton fils!

— Écoutez! Je vous arrête tout de suite : je n'ai pas d'enfant.

— Ah! ce n'est pas ce qu'on m'avait dit... Enfin! Alors, sacrifie-moi ta femme!

— Là, d'accord... Mais il faut que je lui en parle!

— Dis-lui bien que c'est pour la bonne cause!

— La bonne cause! Êtes-vous sûr que ce soit la bonne? Déjà que je l'ai épousée pour le bon motif. Or, ce n'était pas le bon.

— De toute façon, au dernier moment, ma main retiendra ton bras.

— !...

Je lui dis :

— Vous pouvez me signer un papier?

Il me dit :

— Ce qui est écrit est écrit!

Alors, j'en ai parlé à ma femme. Elle l'a très mal pris!

— Oui! Tu me mets le couteau sous la gorge! Déjà que je me suis sacrifiée pour toi. S'il faut encore que je me coupe en quatre pour ta famille!...

Je lui dis :

— Te rends-tu compte d'une sacrée promotion? Moi, un fils de famille, devenir le père du peuple!

Elle a compris!

C'est elle-même qui a armé mon bras.

Elle m'a dit :

— Vas-y! Tu es sûr que Dieu est derrière toi?

Je lui ai dit :

— Il est là! Je sens son souffle!

Elle m'a dit :

— Pourquoi hésites-tu?

Je lui ai dit :

— Parce que je ne suis pas sûr que sa main soit assez forte pour retenir mon bras! Il ne faut pas tenter le Diable!

Je hais les haies

Je hais les haies
qui sont des murs.
Je hais les haies
et les mûriers
qui font la haie
le long des murs.
Je hais les haies
qui sont de houx.
Je hais les haies
qu'elles soient de mûres
qu'elles soient de houx!
Je hais les murs
qu'ils soient en dur
qu'ils soient en mou!
Je hais les haies
qui nous emmurent.
Je hais les murs
qui sont en nous!

Le besoin d'ânerie

— Dites donc, ça ne vous dérange pas que je dise des âneries?

— Pas du tout, je vous en prie!

— Chez moi, c'est un besoin!

— Vous ne devriez pas en dire trop!

— Pourquoi?

— Parce que ce n'est pas bon pour l'esprit!

— C'est une mauvaise habitude que j'ai prise.

— Vous en dites combien par jour?

— J'en dis tellement!

— A peu près?

— Bof... une bonne centaine!

— Ce n'est pas raisonnable!

— Je sais... Au début, j'en disais une ou deux, de temps en temps... Ensuite, j'en ai dit trois! Maintenant, c'est par paquets de dix que je les énonce, les âneries!

— Vous ne pourriez pas vous restreindre!

— Ah! pour ça, je n'ai aucune volonté! Dès que j'ouvre la bouche, paf! Il en sort une ânerie!

— Méfiez-vous, parce que l'on commence par dire des

364

âneries... Ensuite, on sort quelques balourdises... Puis des stupidités, et de stupidités en stupidités... on en arrive aux inepties et, un jour, on se surprend à proférer des énormités. Il est trop tard, l'esprit est faussé !

— Vous n'en dites jamais, vous ?

— Si ! J'en ai dit... mais j'ai complètement arrêté !

— Moi, je ne peux pas !... Si je reste dix minutes sans émettre une ânerie, je suis malade !

— Attention ! Vous allez empoisonner l'esprit de ceux qui vous entourent !

— Croyez-vous que ce soit dangereux pour les miens ?

— Vous avez des enfants ?

— Oui ! Mais ils ne disent pas d'âneries...

— Vous en êtes sûr ?

— Je le leur ai interdit !

— Et vous, vous en dites !

— Pas devant eux ! Quand je veux en dire, je sors... Je vais au bistrot et je m'offre un petit coup d'âneries ! Ensuite, je reviens chez moi !

— Et que dit votre femme ?

— Oh...! des stupidités !

— Et que lui répondez-vous ?

— Des inepties !

— Alors ?

— Alors, comme elle me balance des énormités, je contrecarre avec des mufleries ! Et quand l'atmosphère devient irrespirable, je sors... et je retourne au bistrot dire des âneries tout mon soûl ! Jusqu'à plus soif !

— Vous êtes intoxiqué, mon vieux !

— Que voulez-vous que je fasse ?

— Je vais peut-être dire une ânerie, mais...

— Je vous en prie...

— Supprimez l'alcool !...

Affabulation

Il y a quelque temps, mon voisin me dit :

— Il vient de m'arriver une étrange aventure... Figurez-vous que j'étais dans mon jardin... et qui je vois, sur un arbre perché ?

Un corbeau !

Je lui dis :

— Qu'y a-t-il d'étrange à cela ?

— C'est que, me dit-il, il tenait dans son bec un fromage !

— Vous vous croyez malin ? lui dis-je.

— Je me croyais malin ! Mais attendez la suite !

Alléché par l'odeur, je lui tins à peu près ce langage... « Eh, bonjour, monsieur du Corbeau, que vous êtes joli, que vous me semblez beau ! Sans mentir, si votre ramage se rapporte à votre plumage, vous êtes le phénix des hôtes de ces bois ! »

A ces mots, le corbeau ne se sent plus de joie et, pour montrer sa belle voix, il ouvre un large bec et laisse tomber sa proie ! Je m'en saisis et dis : « Mon bon monsieur, apprenez que tout flatteur vit aux dépens de celui qui l'écoute ! »

Je lui dis :
— Et vous avez conclu en disant : « Cette leçon vaut bien
un fromage, sans doute. »
— Eh bien, détrompez-vous ! Elle ne le valait pas !
Son fromage était immangeable ! Il m'a eu !
Un corbeau, c'est parfois plus rusé qu'un renard !
Je le regarde.
Il avait une tête de fouine.
Je me dis :« Encore un qui affabule ! Il se prend pour ce
qu'il n'est pas, l'animal ! »

Tête-à-queue
ou à chacun
son témoignage

A la suite d'un accident d'automobile, le conducteur ayant été conduit à l'hôpital à fin d'examen, un agent interroge les présumés témoins (un ouvrier, un bourgeois et un dandy) pour établir son rapport...

L'AGENT (après avoir demandé son identité à l'ouvrier) : Alors, comment cela s'est-il passé ?

L'OUVRIER : Ben voilà, monsieur l'Agent... Je venais de sortir du bistrot qui est en face... je vois une bagnole s'amener à toute vibure... une Mercedes 220 SE à injection directe... ça bombe terrible!!! Là-dessus, il y a un corniaud de clébard qui traverse la rue, la gueule enfarinée... Ah! dis donc!... Pourtant le mec, il a freiné à mort... et, là-dessus, il y a des pneus hydrauliques... ça bloque terrible... Mais comme il y a du verglas... la bagnole a ripé... Le mec, il a braqué tout ce qu'il a pu ... Et, pourtant, ça braque terrible, c'te bagnole-là... C'est une direction DB à billes avec rattrapage automatique... Mais quand ça patine... ça patine! Le mec, il s'est retourné, cul par-dessus tête!

L'AGENT : Vous voulez dire qu'il a fait un tête-à-queue?

L'OUVRIER : Oui, si vous voulez, c'est pareil!... La Mercedes a accroché l'arrière du clébard... et elle est allée s'avachir sur une 4 CV, modèle courant. Elle a changé d'expression, c'est moi qui vous le dis!

L'AGENT : Qui a changé d'expression?

L'OUVRIER : La 4 CV, tiens!

L'AGENT : Qu'est-ce que vous entendez par « changer d'expression »?

L'OUVRIER : Ça veut dire qu'elle en a pris un coup dans l'aile!

L'AGENT : Vous aussi, vous m'avez l'air d'en avoir pris un coup dans l'aile!

L'OUVRIER : Ah non! moi, je n'ai rien!

L'AGENT : Bon, enfin!... D'après vous, qui était dans son tort?

L'OUVRIER : Ben... d'après moi, c'est le clebs!

L'AGENT : Merci!... Au suivant!

LE BOURGEOIS : Moi!

L'AGENT : Racontez!

LE BOURGEOIS (après avoir décliné son identité) : Oh! ce n'est pas difficile! La voiture devait rouler très vite... Parce que, maintenant, les gens roulent comme des fous... les jeunes surtout. Ils ne respectent rien! Dans mon quartier, il y a une bande de jeunes... Après dix heures du soir, avec leurs motos, ils font un pétard de tous les diables... Et personne ne dit rien! Enfin!...

L'AGENT : Au fait, monsieur! Au fait!

LE BOURGEOIS : Alors, le conducteur est arrivé au carrefour... Il a dû voir un chien traverser tout seul! Parce que les chiens se baladent comme ils veulent! Dans mon quartier, il y en a cinq ou six, toujours les mêmes, qui se promènent en liberté! Et personne ne dit rien! Enfin!...

L'AGENT : Les faits, monsieur! Les faits!

LE BOURGEOIS : Alors, quand l'automobiliste a vu le chien, il a dû vouloir freiner... et comme la rue est verglacée... ça devait arriver! Ça fait trois jours qu'il y a du verglas... Vous ne croyez pas que les pouvoirs publics pourraient s'en occuper? Non! Ils n'auraient pas pu mettre un peu de sable là-dessus? Ou du sel?... On paie assez d'impôts, non? Mais comme personne ne dit rien... ils laissent glisser... Alors, la voiture a dérapé et après avoir fait un tête-à-queue et accroché le chien, elle est allée buter contre ma voiture qui était en stationnement... Car c'est ma voiture qui a pris! Monsieur!

L'AGENT : Ah... vous êtes le... propriétaire de la 4 CV?

LE BOURGEOIS : C'est exact!

L'AGENT : Vous êtes assuré?

LE BOURGEOIS : Naturellement! Je suis assuré, mais ma voiture étant garée du mauvais côté... l'assurance va en profiter pour me chercher noise, parce que lorsqu'il s'agit de payer, ils se font tirer l'oreille, les assurances! Là, j'en ai au moins pour cent mille balles de réparations!

L'AGENT : Vous étiez dans votre voiture?

LE BOURGEOIS : Non! J'étais chez moi, j'habite là, au-dessus du café! Tout à coup, j'ai entendu boum! et ça m'a réveillé!

L'AGENT : Parce que vous dormiez?

LE BOURGEOIS : Eh bien, oui!

L'AGENT : Alors, vous n'avez rien vu?

LE BOURGEOIS : Non! Mais ce n'est pas difficile d'imaginer...

L'AGENT : Votre témoignage n'est pas valable puisque vous dormiez.

LE BOURGEOIS : Et alors? Je n'ai pas le droit de dormir?...

370

Je n'ai pas le droit d'avoir la digestion difficile... Je ne vois pas pourquoi je m'interdirais de faire une petite sieste après déjeuner!

L'AGENT : Bon! Allez, ça va!... Au suivant!

LE DANDY (après s'être présenté) : Eh bien, voilà, monsieur l'Agent...

Je me rendais aux courses à Longchamp, pour y voir courir une pouliche de deux ans appartenant au baron Molestein lorsque, à la croisée des rues de Rivoli et du Louvre, je vis un chien, un superbe boxer à poil ras, dru et lustré, le crâne légèrement bombé, oreilles amputées aux deux tiers de leur longueur, modérément larges et portées droites, la gueule enfoncée, ce qui est tout à fait caractéristique chez les boxers...

L'AGENT : Il me suffit de savoir que c'était un chien!

LE DANDY : Oui! Bref! Je vis ce chien quitter le trottoir où je me trouvais et traverser la rue pour se rendre sur celui d'en face. Il avait une allure folle! Les membres fortement charpentés, rigoureusement verticaux pour les antérieurs, légèrement convergents pour les postérieurs, vus de derrière, cela va de soi, pieds serrés, bien arqués, genre pieds de chat, vous savez...

L'AGENT : Bref!

LE DANDY : Oui! Bref... Il traversait la rue lorsque surgit ce que l'on nomme communément une voiture tirée par ce que le progrès a l'outrecuidance d'appeler des chevaux... Mon Dieu!

L'AGENT : Bref!

LE DANDY : Bref! Le chien, flairant le danger, s'arrêta... Le conducteur vit-il trop tard l'animal? Prit-il peur? Toujours est-il que la voiture, après avoir fait un tête-à-queue magistral, vint heurter le chien qui, après un bond prodigieux de plusieurs mètres, retomba sur le sol sans prononcer une parole! Me portant au plus vite sur les lieux, je vis que le chien avait le dos court, les reins et la croupe larges et musclés, la tête en forme de cube et la queue amputée à la quatrième vertèbre caudale... C'est-à-dire qu'il n'avait rien! Juste un peu étourdi... C'est un peu le défaut des boxers... Ils sont étourdis! C'est tout, monsieur l'Agent.

L'AGENT : Je vous remercie!

LE DANDY : Vous n'auriez pas un journal? Je voudrais savoir si ma pouliche a gagné...

(L'agent entre dans le café, décroche l'appareil et téléphone son rapport.)

L'AGENT : Voilà. La voiture immatriculée 9-11-22 à Saint-Maur-des-Fossés dans le Val-de-Marne et appartenant à M. Boxer, né à Mercedes le 2230-F-94, est entrée en collision à la suite d'un glissement de terrain avec un autre véhicule, une quatre chevaux — dont une pouliche appartenant à M. Molestein qui habite au carrefour des rues de Rivoli et Louvre, au lieu-dit où a eu lieu l'accident.

Au dire des témoins, M. Boxer, qui somnolait tranquillement à la fenêtre de sa voiture, roulait vite... Apercevant mais trop tard un chien de race, un superbe clébard à poil long et à injection directe qui allait faire ses courses à Longchamp (toujours au dire des témoins), le conducteur changea d'expression, rongea son frein jusqu'à l'os pour éviter le chien... Bref, glissant sur les détails, la voiture fit un coq-à-l'âne, écrasant le chien, dont le sang ne fit qu'un tour de la tête à la queue, butant contre la quatre chevaux, il écrasa en fin de course la pouliche qui, au dire du propriétaire, aurait pu lui rapporter cent mille francs. Bref, ce n'est pas d'un très bon rapport.

Le clou

Un jour... J'étais en train d'enfoncer un clou dans le mur.
Il y a un type qui passe, il me dit :
— Pourquoi vous enfoncez ce clou ?
Je lui dis :
— Moi, je n'ai pas d'explications à vous donner !
J'enfonce un clou, j'enfonce un clou !
Le type me dit :
— Moi, j'aime bien savoir pourquoi...
— Je n'ai pas à vous dire pourquoi... J'enfonce un clou,
j'enfonce un clou, c'est tout ! Bon !
Et je continue d'enfoncer mon clou.
Je l'avais presque enfoncé,
il ne me restait plus que ça, un centimètre quoi.
Le type sort une tenaille
et il arrache le clou !!
Je lui dis :
— Pourquoi arrachez-vous mon clou ?
— Je n'ai pas d'explications à vous donner, moi !
— Je voudrais bien savoir pourquoi ?

— Je n'ai pas à vous dire pourquoi...
Il est fou, ce type!
C'est une histoire insensée, non?
Je suis en train d'enfoncer un clou,
un type arrive avec une tenaille
et il arrache le clou!
Bon... Je ne veux plus penser à ça,
parce que ça devient une idée fixe!
Enfin...
(Il désigne la scie qu'il tient à la main.)
Ça, c'est une scie que j'ai achetée
à un monsieur qui sciait sa femme
en deux dans les foires...
Il enfermait sa moitié dans une caisse,
il sciait la caisse en deux...
et la moitié de sa femme tombait dans la sciure!
Et un jour...
sa moitié est partie avec la caisse!
Alors, il m'a vendu la scie...
parce que c'était le clou de son numéro.
(Il revient à sa marotte.)
J'ai quand même le droit d'enfoncer un clou
sans être obligé de dire pourquoi
j'enfonce un clou?
S'il voulait arracher un clou,
il n'avait qu'à commencer par en planter un,
et, après, il l'aurait arraché, ce clou!
Il n'avait pas à arracher mon clou à moi!
Qu'est-ce qui va arriver?...
C'est que je n'oserai plus planter
un clou, moi!
Hé! Si c'est pour être là à surveiller

s'il y a quelqu'un avec une tenaille
pour me l'arracher? Ah non! Non!
Ça revient, hein?
Ne parlons plus de ça!
(Il va pour jouer de la scie... mais revient à son clou.)
Ce n'est pas la question du clou, hein!
Des clous, j'en ai!
Mais, celui-là, j'y tenais!
C'est un clou que j'avais ramassé
tout rouillé, tout tordu.
Je l'avais redressé de mes propres mains.
Après, je pouvais lui taper sur la tête
comme un forcené, il ne déviait pas d'un pouce!
Alors, quand il fallait planter un clou,
je plantais celui-là.
J'ai toujours enfoncé le même clou...
pas à la même place, mais le même.
Peut-être qu'à force d'enfoncer le même clou,
on finit par s'y accrocher? C'est possible...
Et un type arrive avec une tenaille
et il arrache mon clou!
Sans me donner d'explications!
Si encore il m'avait dit
pourquoi il l'avait arraché, ce clou...
moi, je lui aurais bien dit pourquoi
je l'avais planté, finalement!
Si seulement... je m'en souvenais!
Hé! ça fait longtemps de ça...
Ça remonte tout de même
à vingt-cinq ans, cette histoire!
Allez! Je ne veux plus penser à ça...

Je deviendrais marteau !
Bon !
Je vais vous scier un tube !
Enfin...
Je vais vous jouer une scie !
(Tout en jouant un morceau sur sa scie, il marmonne :)
— Je n'en ai plus enfoncé depuis, hein !
Ç'a été fini !
Ç'a été le dernier clou...
Ça m'a coupé l'envie d'enfoncer un clou...
Vous verrez, vous, si vous enfoncez
un clou et qu'il y ait un type
qui arrive... avec une tenaille...

Les gens sont très marqués par ce qu'ils font

Les gens sont très marqués par ce
qu'ils font, vous savez!
Je connais un monsieur,
c'est un auto-stoppeur professionnel.
Un auto-stoppeur professionnel!
Il lui est arrivé un accident de travail...
il a perdu le pouce!
Il ne peut plus travailler!...
(Geste de la main, pouce caché.)
Il peut encore aller par là!...
(Geste de l'autre main, dans l'autre sens, pouce levé.)
Heureusement qu'il est à deux doigts de la retraite!

Les oublis

C'est fou ce qu'on oublie de choses,
parce qu'on en fait trop!
Alors, on oublie! On oublie!
Par exemple,
la ceinture de sécurité dans une voiture,
vous savez que c'est un danger public?
Parce qu'on oublie de la mettre!
Alors, sur la route, lorsque vous voyez
une voiture zigzaguer,
c'est que le conducteur est en train de
remettre sa ceinture de sécurité! Bon!
Et pourquoi remet-il sa ceinture de sécurité?
Parce qu'il a vu un gendarme!
Le gendarme lui, qui voit une voiture zigzaguer,
il arrête la voiture et verbalise le conducteur
pour conduite en état d'ivresse!
Alors, le conducteur, lui, pour se justifier, dit :
— Donnez-moi l'alcootest! Je vais souffler dans le
ballon!
Seulement, il a oublié qu'il a trop bu.

Alors, on lui retire son permis !
La fois suivante, au départ, il ne boit pas,
il met sa ceinture, et quand il voit
arriver le gendarme, il a la conscience tranquille,
sauf qu'il a oublié qu'on lui a retiré son permis !
Alors, quand le gendarme lui demande son permis,
il lui dit :
— Je vous l'ai déjà donné !
Le gendarme, lui, qui a oublié de remettre
le permis avec le rapport,
retrouve le permis dans sa poche.
Il lui dit :
— Excusez-moi ! J'avais oublié
que je l'avais mis là !
Comme l'autre n'a rien à se reprocher,
il lui rend son permis.
Le type qui a récupéré le permis, tout heureux,
à la prochaine auberge, il s'arrête et il fête ça !
Alors, quand il sort, il remonte dans sa voiture
et il oublie de remettre sa ceinture de sécurité !
Alors, sur la route, lorsque vous voyez
une voiture zigzaguer,
c'est que le conducteur est en train
de remettre sa ceinture de sécurité.
Et pourquoi remet-il sa ceinture de sécurité ?
Parce qu'il a vu un gendarme !
Je vous l'ai déjà racontée, celle-là !
On oublie, hein !
Je vais vous en raconter une autre, ça ne fait rien.
Un jour, j'étais dans la rue...
Je bavardais avec un monsieur.
Tout d'un coup, je vois une tuile glisser le long

du toit. Le type était juste en dessous...
J'ai dit :
— Ça, ça va être pour lui, il va la prendre,
c'est sûr! Il ne peut pas la rater, tel qu'il est là!
Je bavardais avec lui pour ne pas l'effrayer...
C'est long à tomber, une tuile, hein!
A la fin, je ne savais plus quoi dire, moi!
Et la tuile, sur le bord, au lieu de tomber,
elle s'est mise à osciller (geste de la main).
Moi, pour gagner du temps, je dis au type :
— Ça va, vous, en ce moment?
Le type me dit :
— Oh!... (Même geste de la main.)
Je dis :
— Tiens? Est-ce qu'il aurait un pressentiment?
Et puis, finalement, la tuile est tombée.
Elle lui a cisaillé le pouce!
Alors, le type me dit :
— C'est embêtant parce que je suis auto-stoppeur profes-
sionnel...
Je vous l'ai racontée aussi, celle-là!...
Alors, il est parti par là,
il est remonté dans sa voiture.
Sur la route, je vois la voiture zigzaguer...
Ce n'est pas la même! Ce n'est pas la même histoire
que tout à l'heure!
C'est parce qu'il y a un pneu qui était crevé,
parce qu'il s'y était planté un clou.
Alors, le type arrive avec une tenaille
et il arrache le clou!...
Je vous l'ai racontée aussi!.

Ah!
Alors... euh...
Eh bien, j'espère n'avoir rien oublié!...
Merci de votre attention!

TROISIÈME PÉRIODE
(1956-1968)

La mer démontée

J'avais trois jours devant moi, je dis :
« Tiens, je vais aller voir la mer. »
Je prends le train, j'arrive là-bas.
Je vois le portier de l'hôtel ; je lui dis :
— Où est la mer ?
— La mer... elle est démontée !
— Vous la remontez quand ?
— Question de temps.
— Moi, je suis ici pour trois jours...
— En trois jours l'eau a le temps de couler sous le pont...
— Le pont ?... merci... je vais attendre demain.
Le lendemain, je lui demande :
— Où est le pont ?
— Le pont ?... Quel pont ?...
— Ben... le pont, quoi !
— Y a pas de pont !
— Comment, il n'y a pas de pont ?
— Non... Il y en avait un mais on l'a démonté.
— ... Vous démontez tout ici, alors !
— C'est la guerre !

— Vous la remontez quand ?

— Tous les vingt ans.

— Moi, je suis ici pour trois jours !

— En trois jours, vous avez des chances...

— Bon, merci... Je vais attendre demain.

Alors le lendemain, je me dis :

« Tout de même, avant de partir, il faut que je me débrouille pour voir la mer. »

Je demande au portier de l'hôtel :

— Puis-je voir la mer ?

— Pas possible !

— Pourquoi ?

— Parce que c'est la fête !

— Ah !... c'est la fête ?

— Oui... alors on fait le pont.

— Eh bien... si vous refaites le pont, je vais pouvoir voir la mer !...

— Non, parce qu'il y a le feu d'artifice.

— ... Le feu d'artifice, je le verrai de la mer !

— Vous le verrez mieux de votre chambre.

— ... Ma chambre, elle ne donne pas sur la mer !

— Le feu d'artifice non plus !

(Explosant :)

— ... J'm'en fous de votre feu d'artifice !

J'veux voir la mer !

— Pas possible, pas possible !

— Comment, comment ?

— Non, parce qu'il y a les gradins.

— Les gradins ?

— Oui... Ils ont mis des gradins sur la plage pour voir le feu d'artifice.

— ... Ils ont mis des gradins ?... Ils ont mis des gradins ?...

Alors moi, je viens de Paris... Je prends le train... Je me donne du mal...

— ... Pleure pas, tu la reverras, ta mère!

— ... Je veux la voir tout de suite.

— Pas possible! Pas possible!

Alors je lui dis :

— ... Les gradins... vous les démontez quand?

— Quand la mer sera remontée.

— ... Vous la remontez quand, la mer?

Il me dit :

— Quand vous serez parti!

Le pied

Un jour, je me promenais, comme ça, dans la rue... Tout à coup, je rencontre un grand metteur en scène ; il me dit :
— Voulez-vous faire du cinéma ?
— Si c'est possible.
— Voilà ; mon film s'appelle : *Si l'argent m'était compté.* Il y a un caissier qui lève le pied, voulez-vous le remplacer au pied levé ?
— Si c'est possible.
— Dites-moi... Est-ce que vous êtes de la pédale ?
— Pas encore... Faut-il m'inscrire ?... Indiquez-moi la marche à suivre.
— Où peut-on vous toucher ?
— Euh... chez moi... le matin, avant 9 heures, et après 7 heures le soir.
Tout à coup, il se met en colère ; il me dit :
— Oui, vous êtes tous les mêmes : vous voulez faire du cinéma et vous ne faites pas les concessions nécessaires !
Je lui dis :
— Du calme !... du calme !... De quoi est-il question ?

Il me dit :

— Venez demain matin, à 9 heures, au studio.

Et il me donne une adresse.

Le lendemain, j'arrive au studio, je vois le metteur en scène ; il me regarde comme ça... je me dis :

« Tiens, j'accroche !... »

Il me dit :

— Marchez un peu pour voir...

Bon... Je marche... Il me dit :

— Tournez-vous.

Bon... Je me dis : « Tiens, j'accroche ! » Et, emporté par le mouvement, je décoche un vers de Musset :

« Le soir qui tombe a des langueurs sereines... »

... pour montrer que je pouvais aussi causer.

Il me dit :

— Très bien, déchaussez-vous.

— Comment ?

— Déchaussez-vous !

— Non, non... Moi, je me suis chaussé ce matin, c'est pour la journée... Il faut attendre ce soir.

— Oui, vous êtes tous les mêmes, vous voulez faire du cinéma, mais vous ne faites pas les concessions nécessaires !

— Vous me l'avez déjà dit.

— Je le répète.

— Du calme... du calme ! De quoi est-il question ?

— Je vous demande de vous déchausser.

— Eh ben !... C'est-y pas mieux comme ça ? (J'enlève ma chaussure.)

Il fait :

— Ah !

— Quoi, qu'est-ce qu'il y a ?

— Vous avez un pied extraordinaire !

Je me dis : « Tiens, j'accroche... »
Il me dit :
— Ça fait des mois que je cours après un pied comme le vôtre !
— Eh ben !... Il est là !
— Je savais bien qu'il devait être quelque part... Amenez votre pied droit au studio, nous on fournit la chaussure.
— ... Et le gauche ?
— Il n'y a que le droit qui nous intéresse.
— Moi, c'est les deux ou rien.
— Bon... Amenez le gauche aussi. Mais je ne pourrai lui donner qu'un défraiement.
— Bon, d'accord.
Alors, au studio, il me dit :
— Voilà le sujet : vous avez un pied-à-terre... et vous l'échangez contre un appartement. Vous avez compris ?
— Oui, oui... (j'étais dans mes petits souliers). Alors, j'ai un pied à terre et l'autre dans l'appartement ?
— Non...
— Oui !... Nous sommes tous les mêmes ! Nous voulons faire du cinéma, mais nous ne faisons pas les concessions nécessaires !
— Je ne vous ai pas dit ça.
— Non, mais vous alliez le dire...
— Non.
— Si.
Mon vieux, il a été soufflé ! Il m'a dit :
— Du calme, du calme !
— Oui, du calme !... De quoi est-il question ?
— J'ai besoin d'un gros plan de votre pied nu qui dépasse de la couverture.
— C'est de tout repos !

390

— Pas tellement... parce qu'il faut que l'on sente dans votre pied, une certaine angoisse.

— Je vois! Il vous faut un frémissement?

— C'est ça!

J'envoie un frémissement prolongé; il me dit :

— Sensationnel! Vous êtes rentré de plain-pied dans le rôle.

Alors, depuis, je n'ai pas arrêté.

J'ai tourné *Le pédicure assassin.* C'est avec ça que j'ai eu l'Oscar.

Une critique!... (Talon exceptionnel!... Pied sensible!... Merveilleusement incarné!)

Ensuite j'ai tourné *Un pied dans la tombe...* Là aussi, les gens ont dit :

— Le film est mortel! Mais... quel est donc ce pied que l'on voit au premier plan... et qui vous prend aux tripes?... On dirait qu'il va causer!

Et ce matin, je reçois un coup de fil d'un grand metteur en scène qui me dit :

— Voilà, je tourne *Si tous les pieds du monde voulaient se donner la main*; avez-vous un pied de libre?

— Oui... j'ai le gauche.

— Peut-il tourner en extérieur?

— Non... Ah! non... J'ai déjà le pied droit qui tourne à l'intérieur, si vous me faites tourner le gauche à l'extérieur... moi... vous me mettez dans une position fausse.

— ... Ne perdez pas les pédales.

Je me dis : « Ça y est... Il doit savoir que je ne me suis pas inscrit... »

Effectivement, parce qu'il me dit :

— A propos, vous chaussez du combien?

— Du quarante-trois.

— Oh! la! la!... C'est beaucoup trop long pour un court métrage; pensez... du quarante-trois... Non, ce qu'il me faut c'est un trente-sept fillette.

— Un trente-sept fillette? Oh, ben alors, demandez donc ça à ma sœur.

Et j'ai raccroché.

Caen

J'avais dit, « pendant les vacances, je ne fais rien !...
rien !... je ne veux rien faire ».

Je ne savais pas où aller.

Comme j'avais entendu dire : « A quand les vacances ?...
A quand les vacances ?... » Je me dis : « Bon !... Je vais
aller à Caen... Et puis Caen !... ça tombait bien, je n'avais
rien à y faire. » Je boucle la valise... je vais pour prendre
le car... je demande à l'employé :

— Pour Caen, quelle heure ?

— Pour où ?

— Pour Caen !

— Comment voulez-vous que je vous dise quand, si je ne
sais pas où ?

— Comment ? Vous ne savez pas où est Caen ?

— Si vous ne me le dites pas !

— Mais je vous ai dit Caen !

— Oui !... mais vous ne m'avez pas dit où !

— Monsieur... je vous demande une petite minute
d'attention ! Je voudrais que vous me donniez l'heure des
départs des cars qui partent pour Caen !

— !!...

— Enfin!... Caen!... dans le Calvados!...

— C'est vague!

— ... En Normandie!...

— !!...

— Ma parole! Vous débarquez!

— Ah!... là où a eu lieu le débarquement!... En Normandie! A Caen...

— Là!

— Prenez le car.

— Il part quand?

— Il part au quart.

— !!... Mais (regardant sa montre)... le quart est passé!

— Ah! Si le car est passé, vous l'avez raté.

— !!... Alors... et le prochain?

— Il part à Sète.

— Mais il va à Caen?

— Non il va à Sète.

— !!... Mais, moi, je ne veux pas aller à Sète... Je veux aller
à Caen!

— D'abord, qu'est-ce que vous allez faire à Caen?

— Rien!... rien!... Je n'ai rien à y faire!

— Alors si vous n'avez rien à faire à Caen, allez à Sète.

— !!... Qu'est-ce que vous voulez que j'aille faire à Sète?

— Prendre le car!

— Pour où?

— Pour Caen.

— Comment voulez-vous que je vous dise quand, si je ne
sais pas où!...

— Comment!... Vous ne savez pas où est Caen?

— Mais si, je sais où est Caen!... Ça fait une demi-heure
que je vous dis que c'est dans le Calvados!... Que c'est là

où je veux passer mes vacances, parce que je n'ai rien à y
faire!
— Ne criez pas!... Ne criez pas!... On va s'occuper de vous.
Il a téléphoné au Dépôt.
Mon vieux!... (regardant sa montre) :
A vingt-deux, le car était là.
Les flics m'ont embarqué à sept...
Et je suis arrivé au quart.
Où j'ai passé la nuit!

Bric-à-brac

J'avais un peu d'argent de côté, je dis :
« Tiens ! Je vais me faire construire une petite maison... »
Je vois un entrepreneur de béton armé.
Je lui dis :
— Ça va me coûter combien ?
— Quinze briques !
— Bon, je vais me renseigner...
Je vais voir un copain qui est du bâtiment.
Je lui dis :
— Une brique... combien ça vaut ?...
— Deux thunes.
Je retourne voir l'entrepreneur de béton armé.
Je lui dis :
— Pour une thune, qu'est-ce que je peux avoir ?
— Des clous !
Je retourne voir mon copain.
Je lui dis :
— Dis donc, il veut me faire payer les clous !
— Il n'a pas le droit !
Je refonce voir l'entrepreneur de béton armé .

Je lui dis :
— Je veux bien payer, mais pas pour des clous!
— Vous n'êtes pas obligé de payer comptant...
— Content ou pas content, je suis obligé de payer?
— Oui, quinze briques!
— Bon, je vais me renseigner.
Je retourne voir mon copain qui est du bâtiment.
Je lui dis :
— Peux-tu me prêter quinze briques?
— D'accord!
Je refonce voir l'entrepreneur de béton armé...
Je lui dis :
— J'ai les briques, vous pouvez commencer.
— Bon, sur quel terrain?
— Quoi, quel terrain?
— Ben! Il faut un terrain!
— Je n'en ai pas!
— Je peux vous en procurer un sur-le-champ...
— Ça va coûter combien?
— Vous l'aurez pour des briques.
— !... Si je les donne pour le terrain, je ne les aurai plus
pour la maison!
— Ah!... Ce n'est pas du tout cuit!
Je retourne voir mon copain qui est du bâtiment...
Je lui dis :
— Il me manque des briques!
— Des briques... C'est de l'argile.
— Et... alors?
— Achète de l'argile, et fais tes briques!
— Avec quoi?
— Avec des moules...
Et il m'a expliqué comment faire.

J'ai acheté des moules au marché... Je les ai remplis d'argile... et je les ai mis au four.

Quand j'ai vu le résultat... j'ai dit :

— Bon!... pour les briques, c'est cuit!...

Alors, j'ai pris l'argile, et je suis allé voir l'entrepreneur de béton armé...

Je lui dis :

— Je vous dois quinze briques, voilà l'argile, faites-les vous-même!...

— Mais... des briques!... c'est de l'argent!

— On m'a dit que c'était de l'argile!...

— Oui!... mais en argot, c'est de l'argent!

— Alors?... en argot... ça va me coûter combien?

— Quinze millions!

— Bon!... Ben, pour la maison, c'est cuit.

— Si vous n'avez pas assez de briques, faites-la en bois.

— ... En bois?... C'est pas du boulot!

— Non!... C'est du pin.

— Bon!... Je vais me renseigner.

Je vais voir mon copain qui est du bâtiment.

Je lui dis :

— Un pin, combien ça vaut?

— Cinquante-sept francs le kilo... Mais ça va bientôt augmenter.

Je refonce voir l'entrepreneur de béton armé...

Je lui dis :

— Mettez-m'en quelques kilos de côté.

— Kilos... kilos?... Mais, en matière de bois, on parle de stères.

— Ah! Ben... Si on parle de se taire, ce n'est pas comme ça qu'on s'entendra...

— C'est qu'il en faut du pin pour faire des planches!... Et le boulot, ça se paye!

— Le boulot! Vous m'aviez dit qu'il n'y en avait pas!

— Il n'y a pas de bouleau, mais il y a du pain sur la planche!

— Bon alors! Pour le pin, c'est cuit!

Je retourne voir mon copain qui est du bâtiment...

Je lui dis :

— C'est triste de passer par les autres pour avoir un chez-soi.

— Il y a une solution... On démolit pas mal en ce moment... achète de vieux matériaux...

— Ça va me coûter combien?

— Une bouchée de pain!

— Bon! J'ai compris...

J'ai acheté des tonnes de staff... des stocks de stuc... Et j'ai fait construire une entreprise de démolition...

J'ai des doutes

(L'artiste entre, tenant d'une main, une chaise, de l'autre, sa guitare.)

— J'ai des doutes!... J'ai des doutes!... Hier soir, en rentrant dans mes foyers plus tôt que d'habitude... il y avait quelqu'un dans mes pantoufles...

Mon meilleur copain...

Si bien que je me demande si, quand je ne suis pas là... (s'asseyant) il ne se sert pas de mes affaires!... J'ai des doutes!...

(Se levant)... Je vais vous jouer une étude de Sor. Sor était espagnol de 1778 à... j'ai des doutes!...

Ce n'est pas sa pointure!... vous comprenez?... alors, il la force!... après, moi je... (il montre que sa pantoufle est trop large). Il n'a qu'à s'en payer une paire!

(Revenant à son étude :)

Sor était espagnol de 1778... jusqu'à... sa mort... Après de très belles études... il en a écrit plusieurs très belles aussi... dont la cinquième que je vais vous interpréter.

(Il se rassied.)

J'ai horreur que l'on se serve de mes affaires!... Pour cinq francs!... il a une paire de pantoufles... n'importe où!

La *Cinquième Étude* de Sor.

(Il joue la première phrase de l'étude de Sor.)

... Mon pyjama!... C'est pareil!... depuis qu'il a acheté le même... je ne retrouve plus le mien!... il s'en sert... quoi!... il n'y a pas de doute!...

(Il joue la deuxième phrase de l'étude de Sor.)

... Ma femme ne voulait pas le croire. Je lui ai dit :

— Tu vas voir!... un de ces jours... il va aussi se servir de tes affaires!

Mon vieux, le lendemain, je retrouve son soutien-gorge dans la poche de son pardessus!... Il s'en sert, quoi!... il n'y a pas de doute!

(Il joue la troisième phrase de l'étude de Sor.)

... Un soir, j'arrive sur le palier... j'entends : « Profitons-en pendant qu'il n'est pas là!... Débarrasse-toi de ton bonhomme de mari, c'est un rabat-joie!... »

Ah! mon vieux... j'entre... je dis à mon copain qui était là :

— Oh!... Eh!... eh!... (il lui fait signe de baisser le ton). Baisse un peu la radio, on l'entend d'en bas!

Il s'en sert, quoi!... il n'y a pas de doute!

(Il joue la quatrième phrase de l'étude de Sor.)

... Trois jours après!... j'entre... je le trouve dans mon lit, en train de fumer une cigarette, une des miennes!... Je dis à ma femme qui était à côté :

— Tu ne peux pas l'empêcher de fumer, non?... Il va brûler mes draps!...

Il s'en sert, quoi!... il n'y a pas de doute!

... Alors!... mes pantoufles!... mon pyjama!... ma radio!... mes cigarettes!... et pourquoi pas ma femme pendant qu'il y est!...

(Il réalise soudain que ce n'est pas seulement de ses affaires dont son copain abuse...)

(Il réalise aussi qu'il a dévoilé son infortune devant tout le monde ; et ce n'est plus qu'un pauvre homme qui joue la sixième et dernière phrase de l'étude de Sor... et qui sort.)

Si on m'avait aidé

(Une veste lancée de la coulisse tombe au milieu de la scène vide.)

(Un homme est projeté en scène se tenant la joue :)

— Tu es fou? non?... non, mais il est fou!... (au public)... un gars que je ne connais pas!... un gars comme cela! (Il montre qu'il est très grand et fort). Parce que je le regarde!... il me dit : « Qu'est-ce que tu as à me regarder! » Et pan! Il m'envoie une gifle! (En coulisse :) Tu es fou? non?... (Revenant :) Il a de la chance que je sois diminué physiquement!...

Parce que... moi!...

Ah! Si on m'avait aidé!...

Déjà je devrais être plus grand! Je devrais être comme ça! (Il se montre grand et fort)... Si j'avais été mieux nourri!...

Oh! je n'aurais pas fait étalage de ma force!... mais les petits gars comme ça! (sous-entendu comme celui qui vient de le frapper)... moi, je ne les raterais pas! (Fixant un point imaginaire au-dessus de lui)... Ça t'ennuie que je te regarde?... Eh bien! je te regarde tout de même... et puis j'insiste... (Il semble suivre du regard l'homme qui se rapetisse)... tu te dégonfles?... (L'homme est devenu tellement petit qu'il échappe à sa vue) où il est? (Repérant un point sur le sol et triomphant :) Ah! tu baisses les yeux, hein? (Levant les bras :) N'aie pas peur! Je ne touche jamais un homme à terre. Allez! (Il le repousse du bout du doigt :) Va-t'en! va!... (Il suit un point mobile sur le plancher.) Et que je ne te retrouve jamais sur mon chemin!...

(En se redressant :) Ah! Si on m'avait aidé!... Moi? Si j'avais poursuivi mes études!... j'aurais eu une tête comme ça! (des deux mains il en montre la forme). Oh! Je n'aurais pas fait étalage de ma science!... Je serais resté simple! J'aurais mis une casquette... j'aurais travaillé en usine... (il parodie l'ouvrier travaillant sur une machine). Alors, la femme du directeur serait venue me voir... elle m'aurait dit : « Vous n'êtes pas comme les autres, vous! » Je lui aurais dit : « Mais si! Mais si, Madame! » « Oh! », elle m'aurait dit : « Non!... vous avez une certaine distinction!... » Je lui aurais dit : « J'ai mes deux bacs, Madame! » « Ah! » elle m'aurait dit, « c'est donc cela! » Elle m'aurait dit : « Il faut que je vous fasse une confidence. Ma fille est amoureuse de vous et elle en est tombée malade! »... « Puis-je la voir, Madame?... elle est dans sa chambre?... » (Désignant une porte hypothétique :) Vous permettez! (Il frappe... écoute... puis entre... il la contemple... on devine qu'elle ouvre les yeux et lui sourit... Il lui fait signe de ne pas bouger; qu'il est nécessaire qu'elle se rétablisse, qu'il est là, lui... qu'il veille sur elle... Après lui avoir envoyé un baiser de la main, il referme discrètement la porte, puis s'adressant à la mère :) « Elle est sauvée, Madame! » (Éclatant :)

Oui!... J'aurais sauvé la fille!... j'aurais même sauvé la mère avec...

Si on m'avait aidé!... Moi?

Pendant la guerre, j'avais une occasion... si les copains m'avaient suivi!... Au lieu de me suivre, ils ont foutu le camp... Alors, j'ai suivi les copains!

Sans ça!... J'aurais été un héros!... Oh! Je n'aurais pas fait étalage de mon héroïsme, je serais resté simple! (Il sort un hypothétique paquet de cigarettes et le tend...) Cigarettes, les copains? (Après en avoir distribué généreusement, il en prend une et remet son paquet dans la poche.) Voilà les gars!... (Il prend l'allure décontractée d'un héros américain)... il y a un pont à faire sauter!... (Après un coup d'œil sur ceux qui sont censés être autour de lui :) Vous me suivez?... alors restez là... j'irai tout seul!... c'est trop dangereux! (à un copain :) tu as du feu, toi? (Lui donnant une petite tape sur la joue :) Pleure pas, toi!... tu sais bien que je reviens toujours! (Sortant quelque chose de sa poche et le donnant à un autre :) Tiens! toi... si je ne reviens pas, tu donneras cela à ma mère!... Allez! salut! (Il mime le soldat qui marche, se cache, dégoupille une grenade, la lance... silence... la grenade éclate.) Mission accomplie!... Oh oui... je l'aurais fait sauter... le pont! Tel que je me connais, j'aurais sauté avec!... (Il repart dans le rêve... et voit devant lui... sa tombe :) Ci-gît un héros! (Se découvrant :) C'était un être exceptionnellement doué!... c'était un grand homme (il en indique la taille)... une forte tête! (il en montre la grosseur)... Ah! si seulement on l'avait aidé!... (Reprenant peu à peu ses esprits, il ramasse sa veste... jette un coup d'œil en coulisse, crie : « Tu es fou, toi! » à l'adresse de celui qui l'avait frappé... remet sa veste et sort...)

La *jota* c'est ça

(Il joue sur sa guitare le motif de la *jota*.)

Quand je joue ça... les gens disent :

— Tiens ! Il va jouer la *jota* !... la *jota* !... la vraie *jota* !... hein ?...

La *jota*, c'est ça ! (Il joue le motif initial.)

C'est ça la *jota* !... parce qu'il y en a qui font. (Il va pour faire un trait à la guitare, mais le rate.) Oui !... Mais la *jota*, c'est ça !... (motif initial).

C'est ça ! La *jota* !... parce que... il y en a qui font n'importe quoi. Vous comprenez ?

On dit :

— Oh ! il joue !... il joue !...

Alors il fait... (Il va pour faire un trait difficile... il le rate aussi.)

Oui !... Mais la *jota*, c'est ça !... (motif initial).

Un jour, il y a un copain qui m'a joué un truc comme ça ! (Il donne une cadence en frappant avec le plat de la main sur la table de la guitare.)

Je lui dis :

— Qu'est-ce que ça veut dire... ça? (Il refait le mouvement.)

— Ben!... il me dit, je frappe!

Je lui dis : Pour la *jota*, faut pas te frapper!... c'est ça la *jota*!... (motif initial).

Je ne sais pas ce que c'est comme rythme, la *jota*... ce n'est pas une bourrée! c'est... (Il va pour la jouer.)... Je ne sais pas!... mais la *jota* c'est ça!... (motif initial). Je ne sais pas ce que c'est comme rythme!... C'est dansant... Quoi!... Ce n'est pas un tango non plus!... Ce n'est pas un tango ça!... non!... le tango c'est... (Il cherche sur sa guitare, il ne trouve pas... et finalement esquisse quelques pas de tango... en fredonnant la musique.) C'est ça le tango!... Mais la *jota*! C'est ça!... (motif initial).

Un jour il y a une maman qui m'a présenté son bébé... elle me dit :

— Il joue déjà la *jota*, je voudrais que vous l'écoutiez...

Je dis :

— Quel âge a-t-il?

Elle me dit :

— Six mois.

— Oh!... je dis, il n'y a pas d'âge pour la *jota*!

Alors, avec ses petits doigts, il m'a joué une chose comme ça... (Il exécute un trait difficile.)

— Ah! je dis à la maman, pour six mois oui!... oui!... c'est la nouvelle école!... Mais... voulez-vous me permettre de vous dire ce que je pense... « Il truque »... parce que la *jota* c'est... (Il est incapable de se souvenir du motif initial.) Ça ne fait rien!...

Ça ne fait rien!... Je vais vous jouer une bourrée!... la vraie *bourrée*!... la *bourrée*, c'est ça!... (Rythme de la

bourrée.) C'est ça la *bourrée auvergnate*!... bien qu'il y ait des Auvergnats qui la connaissent mal!...
Un jour il y en a un qui m'a joué un truc comme ça!... (Il joue la *jota*, motif initial.) Je lui dis :
— Ce n'est pas la *bourrée* ça!... c'est la *jota*!... (Réalisant après coup :) Ça y est... je l'ai retrouvée!...
(Il sort en jouant le motif initial.) C'est ça! la *jota*!

Artiste ou ouvrier

(L'artiste entre, tenant une valise sur laquelle on peut lire l'inscription :)

ARTISTE DE VARIÉTÉS

L'ARTISTE (désignant l'inscription) :
Ça, c'est moi !... Enfin, c'est moi...
Maintenant que je l'ai dit, il faut le prouver, parce que c'est ça...
(Il fait tourner la valise. Sur le petit côté est inscrit : OU ; sur l'autre face, on peut lire :)

OUVRIER CHEZ RENAULT

... ou c'est ça ! C'est l'heure du choix !
(Il ouvre la valise, en sort une baguette et une pile d'assiettes.)
Alors... c'est... tourneur d'assiettes...
(il pose ces accessoires)
ou alors... c'est tourneur chez Renault !
(Il sort une salopette de la valise et la montre au public.)
Bon ! Allons-y...

(Il prend une des assiettes, la baguette et essaie de faire tourner l'assiette, mais celle-ci tombe et se casse.)

La première est toujours sacrifiée!

(A part :)

J'ai bien peur que tout le service ne le soit!

(Il prend une autre assiette, essaie de la faire tourner, mais celle-ci tombe et se casse de la même façon.)

(Il met sa casquette.)

Demain, c'est l'usine!

C'est la machine... Huit heures devant la machine...!

(Secouant sa baguette de la main gauche et la considérant :)

Je suis gaucher?!

LE PIANISTE : Comment?

L'ARTISTE : Je suis gaucher!

LE PIANISTE : Et alors?

L'ARTISTE : Alors, je suis adroit de la main gauche et je suis gauche de la main droite!

(Le pianiste lui mime de faire tourner l'assiette de la main gauche.

L'artiste essaie mais l'assiette tombe à nouveau et se brise.)

L'ARTISTE : Au boulot!

(Il prend le bleu de mécanicien et l'enfile...)

Passez-moi ma boîte à outils, s'il vous plaît... monsieur...

Donnez-moi ma carte que j'aille pointer...

mon marteau... ma faucille...

Ça fait trois mois que je répète tous les matins.

Pourquoi je n'y arrive pas?

(Il prend alors la dernière assiette et essaie de la faire tourner. Il y réussit parfaitement. Tenant alors la baguette sur laquelle tourne l'assiette d'une main, il se débarrasse lentement du bleu de mécanicien comme dans un strip-tease. Une fois terminé, il dépose les accessoires dans la valise qu'il jette loin de lui.)

Les petites annonces

(L'artiste entre, tenant plusieurs journaux sous son bras. Il les pose sur une chaise et parcourt le premier qu'il détache des autres.

Insensiblement, son regard glisse sur le second. Tout en lisant le deuxième journal, il pose le premier sur le dossier de la chaise, puis soulève le deuxième journal pour le parcourir.

Son regard glisse à nouveau par-dessous, sur le troisième journal qu'il lit, laissant le deuxième en suspens, presque au-dessus de sa tête. Puis tout en continuant la lecture du troisième journal, il laisse glisser le deuxième à terre. Ce petit manège terminé, il dit :)

— Dans l'ensemble, ce n'est pas brillant!... Ah! ce n'est pas tout ça!... Au boulot!... (Prenant un des journaux.) Voyons voir!... Petites annonces!... On demande... un plongeur!

Un plongeur? Mais oui!... Je pourrais faire ça.

Hop!... tablier!.. (Il met le journal autour de sa ceinture.) Hop!... nettoyer les assiettes!... Hop!... les sécher... Hop!... les nettoyer... Hop!... les sécher!... ça ne va pas!...

(Il s'essuie les mains au tablier qu'il garde.)

Il faut chercher autre chose!... voyons voir?... (Il prend le deuxième journal.) Il ne faut pas se décourager. Petites annonces... on demande... Etudiant... pour garder des enfants... Garder les gosses?... ça m'irait ça!... je les amuserais... (Joignant le geste à la parole :)

Ah!... alors!... vous pliez une partie du journal dans ce sens... l'autre comme ça!... vous ramenez la partie inférieure comme ça!... et vous rabattez l'autre de la même manière!... voilà... (Il en fait un chapeau qu'il met sur la tête.) Ça ne va pas!... Il faut chercher autre chose! Voyons!... (Il prend le troisième journal.) Il ne faut pas se décourager... On demande un garçon boucher... pourquoi pas! oui... tiens!... (Il plie le journal dans le sens de la longueur)... les quartiers de viande... là... Hop! (Il le soulève et le laisse retomber un peu lourdement sur l'épaule!... ce qui le fait tituber.)...

Ça ne va pas!...

Bon!... alors?... (Lisant le quatrième journal :)

On demande jeune homme bien fait pour strip-tease!

Ah ben tiens!... Voilà!...

Musique... (ambiance strip-tease).

Il se débarrasse tour à tour de son chapeau (qu'il laisse tomber avec beaucoup d'art), de son manteau (quartier de viande) qu'il laisse glisser... très lentement. Comme il va pour enlever son tablier, il réalise ce que cela signifie et dit :

— J'ai honte!...

Il sort.

Suspense

Je ne sais pas ce qui se passe en ce moment dans mon immeuble, c'est très mystérieux !...

Déjà, quand je rentre chez moi le soir après dix heures... la porte d'entrée est fermée.

Je tire le cordon... j'attends... clac !... la porte s'ouvre... toute seule !... Je rentre... j'appuie sur la minuterie... je passe devant la loge... les rideaux sont tirés... je dis mon nom... on ne me répond pas... je jette un coup d'œil... je vois un écriteau sur la porte où il y a marqué : « La concierge est dans l'escalier »... Je me dis : « Tiens ! Qu'est-ce qu'elle peut faire dans l'escalier à cette heure-ci ? »... Je monte... Arrivé au troisième... clic !... la minuterie s'arrête... j'appuie sur le bouton... dring !... j'entends sonner chez le voisin. Je me dis : « Tiens ! Je le croyais en vacances... et puis... comment se fait-il que la minuterie ne marche pas ?... »

Je rappuie sur le bouton... Dring !...

Je dis : « Oh ! Celui-là avec sa sonnerie !... il va réveiller tout le monde !... »

Je continue à monter dans l'obscurité... tout en tâtonnant... quatrième... cinquième... rien !... un silence ! Et puis je me dis... « Comment se fait-il que je n'aie pas rencontré la concierge... puisqu'elle est dans l'escalier ? » Je rentre chez moi.

Clac ! clac ! clac ! J'entends marcher au-dessus... c'est le voisin qui va et qui vient... je me dis... « Qu'est-ce qu'il peut faire ? »... Je n'allume pas... j'écoute... Clac ! clac ! clac !

Au bout d'un moment... j'ouvre la radio... je la monte... assez fort... tout se tait !... je la baisse... ça recommence... Clac ! clac ! clac !

J'en ai parlé à ma voisine du dessous qui m'a dit :

— Moi aussi... quand vous êtes là !... j'entends marcher au-dessus.

— Tiens !... pourtant je suis tout seul !...

— C'est peut-être vous !...

— Vous n'allez pas me soupçonner, non ?...

— Non !... mais...

Et puis elle m'a appris une chose qui m'a profondément troublé... Elle m'a dit :

— Dans la journée la concierge n'est jamais là !...

— Où est-elle ?...

— Dans l'escalier...

Je me dis : « Tiens ! dans la journée aussi... »

Et cette nuit... je ne me suis pas couché...

Jusqu'à minuit... Clac ! clac ! clac !... et puis après... plus rien...

Puis tout à coup... Tic ! tac ! tic ! tac ! tic ! tac ! Je me dis : « Qu'est-ce qui fait ce bruit-là ? » C'est mon réveil... Tiens ! dans la journée il fait moins de bruit !...

Deux heures... trois heures... Tic ! tac ! tic ! tac !

Quatre heures... cinq heures... Tic ! tac ! tic ! tac !

Et puis vers six heures... un bruit de poubelles... et puis...
Clac! clac!... les pas ont recommencé...
J'ai ouvert à nouveau ma radio... tout grand... alors là...
j'ai nettement entendu : « Moins fort... vous me cassez
les oreilles... arrêtez!!! »
Je me dis : « Ça y est!... on se bat!... »
J'ai baissé ma radio...
Krn! krn! krn!... j'ai collé mon oreille à la cloison... et j'ai
réussi à distinguer... la voix d'une femme qui disait : « Il
va mourir... passe-moi le tisonnier. »
Je me suis dit : « Qu'est-ce que je fais?... j'appelle ou
quoi? » Et puis, j'ai entendu quelqu'un descendre...
Alors j'ai ouvert ma porte... personne!... Je suis descendu... je suis passé devant la loge... l'écriteau « La
concierge est dans l'escalier » était toujours là!... alors
que j'en venais! La porte d'entrée que j'avais fermée la
veille était ouverte!... J'ai jeté un coup d'œil dans la rue...
Sur le trottoir d'en face... il y avait un agent qui faisait les
cent pas...
Eh bien!... ça m'a rassuré!

Le guide

Je devais faire visiter à une quinzaine de touristes plusieurs salles réservées aux maîtres de la peinture...

En mettant le pied sur le parquet ciré de la première salle.. *uitte*... J'ai glissé sur plusieurs mètres!... Comme j'avais dit : « Suivez le guide », — *uitte!* — tout le monde a suivi! Alors en me relevant, j'ai dit à mes clients :

— On a déjà fait quinze Maîtres; voyons les autres!

Et *uitte!* on a fini la galerie. On s'est arrêté au pied d'un Goya. Ça valait la peine. Quelqu'un a dit :

— C'est à se mettre à genoux...

Alors on s'est tous relevés... pour passer dans la pièce suivante. Là, j'ai dit :

— Après vous, messieurs et dames! » et *uitte!*... Ils y sont tous passés... Comme j'étais payé pour ça... *uitte!* J'ai suivi...

Je me suis dit : « Maintenant que je les ai sur le dos, je vais en profiter pour leur faire admirer les fresques du plafond... »

— Les fresques de ce plafond datent du seizième...

— Et le parquet? cria quelqu'un.

J'ai dit :

— Pour ce qui est du parquet, nous aurons l'occasion d'y revenir dans les salles suivantes.

Et je recommence mon laïus :

— Voyez que malgré la patine du temps...

— Pour ce qui est de la patine, ça ne vaut pas le parquet, dit un autre.

Je dis :

— Bon ! puisque le plafond n'a pas l'air de vous intéresser, je ne m'étendrai pas davantage sur le parquet !... Tout le monde debout !... mains sur la tête ! face au mur ! (Ça commençait à m'énerver.) Vous là, le gros, au tableau !... Citez-moi un peintre de l'école flamande.

— Breughel ! cria quelqu'un... et *uitte !*... le gros est passé dans la pièce à côté...

J'ai dit :

— Qui est-ce qui a soufflé ?... qui est-ce qui a soufflé ?

Voyant que ça prenait cette tournure, je me suis raccroché au Rembrandt de la porte... je me suis redressé... et j'ai crié :

— On ferme !

C'est alors que le directeur est arrivé... en courant !... faisant l'admiration de tous, car non seulement il n'est pas tombé, mais il n'est monté sur personne...

Il m'a dit :

— C'est vous qui avez crié : « On ferme » ?

— Oui ! pourquoi ? on ne ferme pas ?

— Vous voyez l'heure ?

— Oui ! mais vous voyez le tableau ?

— Où sont vos clients ?

— Ils sont parqués !

— ... Ça ne tient pas debout !

— Je ne vous le fais pas dire.

— Bon!... Si vous êtes malade, vous viendrez me voir après la visite.

J'ai dit à mes clients :

— Suivez la flèche... (en riant) et *uitte!*... ils sont sortis ventre à terre...

Alors je suis allé voir le directeur... J'ai frappé à la porte... Toc!... toc!... il m'a dit : « Entrez! » *Uitte!*...

Il m'a dit :

— Vous tombez bien...

— Je vous remercie...

— Moi aussi je vous remercie!...

Et il m'a foutu à la porte.

Ça n'a pas de sens

Il y en a des choses qui n'ont pas de sens!

Tenez! Moi qui vous parle, j'ai le pied gauche qui est jaloux du pied droit, alors quand j'avance le pied droit le pied gauche qui ne veut pas rester derrière... passe devant... le pied droit en fait autant... et moi... comme un imbécile... je marche!...

(Il fait le tour de la scène, revient au milieu.)

Ça n'a pas de sens!... (Regardant ses chaussures :) Et puis, j'ai les pieds qui sont comme ça (geste montrant que ses pieds sont trop serrés)... dans mes chaussures!... Elles ne me vont pas!... Je l'avais dit au vendeur :

— Elles ne me vont pas!

— De l'extérieur, elles font bien.

— Oui, mais à l'intérieur, elles font mal.

— De l'extérieur ça ne se voit pas!

— Alors vous n'avez qu'à me les retourner.

— Si je vous les retourne, ça se verra.

— Ah! Je ne veux pas que ça se voie. Je les garde comme ça!

En partant, il me dit :

— Si ça ne va pas, vous n'aurez qu'à me les retourner!
Ça n'a pas de sens!

Il y en a des choses qui n'ont pas de sens...

Un chapeau... Un chapeau, ça n'a pas de sens. Quand je mets le mien, il y en a qui me disent : « Pour porter un pareil chapeau, il faut être malade. » Et d'autres qui me disent : « Avec ce chapeau tu as bonne mine! »
Les avis sont partagés.

Remarquez, je mettrais bien un béret; mais un béret non plus ça n'a pas de sens. Vous pouvez le tourner de tous les côtés, il est toujours de face. Ou alors, il faut le mettre sur l'oreille à cause du soleil. Mais le soleil non plus, ça n'a pas de sens! Ça tourne!... Alors, quand le soleil est là (il trace une courbe)... le béret, il faut le changer d'oreille. Et quand le soleil se couche, le béret, il faut le mettre dans sa poche. Là aussi, les avis sont partagés; il y en a qui le mettent dans la poche droite, d'autres dans la poche gauche; il y en a qui le mettent dans la poche revolver, mais ça n'a pas de sens. On ne met jamais un revolver dans cette poche-là, on le met dans un tiroir. Là non plus, ça n'a pas de sens! Parce que si vous mettez votre revolver dans un tiroir et que vous êtes attaqué dans la rue, vous n'allez pas sortir votre béret de votre poche revolver pour vous couvrir? Faut mettre un casque. Un casque non plus ça n'a pas de sens; sauf en cas de guerre. Mais comme la guerre, ça n'a pas de sens, il vaut mieux garder son chapeau. Il y en a des choses qui n'ont pas de sens!

L'autre jour, j'étais dans la rue, je vois tomber un pot de fleurs du cinquième étage. Il y avait un monsieur qui était juste au-dessous.

J'ai dit : « C'est pour lui! »

Paf! Il l'a pris sur la tête!... Parce qu'il ne regardait pas en l'air.

Moi, quand je traverse la rue, je regarde en l'air. Alors, l'automobiliste... qu'est-ce qu'il fait?... il s'arrête, il regarde aussi... pendant ce temps-là, je passe!... Ben tiens!...

Il y en a un plus malin que les autres qui m'a dit :

— Oui mais alors, si, lorsque vous traversez, l'automobiliste regarde en l'air aussi, il ne vous voit pas... et il vous écrase!

— Comment voulez-vous qu'il m'écrase, s'il ne me voit pas!... Allons!

Ça n'a pas de sens!

Il y a quelque temps, j'étais sur la route, dans ma voiture. Je vois un moine qui traverse sans regarder. J'ai eu juste le temps de l'éviter. Je suis descendu; je lui ai dit :

— Mon père, je vous prie de m'excuser... il n'était pas dans mes intentions d'entrer dans les ordres.

Il m'a répondu :

— Mon fils, il n'est pas nécessaire de rentrer dans les ordres pour avoir une bonne conduite.

Un jour, je vois un monsieur descendre en marche de l'autobus... comme ça! (Il mime quelqu'un qui manque de tomber et qui se redresse avec peine.)... Je lui ai dit :

— Ne faites jamais ça!... vous allez tomber!...

Je lui ai dit :

— Si vous voulez descendre en marche de l'autobus!... Bon!... (Tout en mimant ce qu'il dit)... vous êtes sur la plate-forme arrière... l'autobus roule!... vous vous laissez déporter... (Il se laisse tomber raide, en avant)... et au dernier moment... (Il tombe à plat lourdement, se remet debout, et tout en se brossant conclut :)... Il faut attendre l'arrêt!

Le lion

Je suis inquiet!... Je suis inquiet!...
J'ai laissé mon lion tout seul à la maison!
J'ai un lion chez moi! Une bête magnifique!
Une crinière!...
Et je suis inquiet, parce que lorsque je laisse mon lion
tout seul à la maison, il a peur!...
Il a peur des voisins.
Parce que... quand mon lion rugit, il fait « GRRR! ».
Alors les voisins font « chut! ».
Mon lion reste comme ça! (Il prend une attitude de lion
apeuré.)
Alors les voisins :
— Il est comme ça ton lion... c'est un pauvre niais!
Je leur dis :
— Mais non! C'est parce que vous ne le laissez pas rugir
normalement! Laissez-le rugir, vous allez voir!
Je dis à mon lion :
— Rugis! Rugis!
Alors mon lion fait « GRRR! ».
Les voisins font « chut! ».

Alors mon lion... (Il reprend la même attitude apeurée.)
Les voisins :
— Il est fou ton lion... il faut le faire enfermer!
Ils ont fait une pétition!...
Le vétérinaire est arrivé.
Quand mon lion a vu arriver le vétérinaire, il a poussé un de ces rugissements « GRRR! ».
C'est ce qui l'a sauvé.
Le vétérinaire a dit :
— Ce lion rugit normalement, il n'y a aucune raison de l'enfermer!
Les voisins ont fait « GRRR! ».
Alors mon lion a fait « chut! ».
Il est intelligent!... Mais il m'attire des soucis... aussi.
Il m'en attire!
Ce matin la voisine me dit :
— Monsieur! Il y a votre lion qui a fait pipi devant ma porte!
J'ai dit :
— Ce n'est pas mon lion!
Elle me dit :
— Si monsieur! C'est votre lion!
Je lui dis :
— Madame... je vous dis que ce n'est pas mon lion!
Elle me dit :
— Alors, si ce n'est pas votre lion, qui est-ce?
Je lui ai dit :
— C'est moi, madame!

L'horoscope

Je ne sais pas si vous lisez l'horoscope... moi, je le consulte tous les matins.

Il y a huit jours... je vois dans mon horoscope : « Discussion et brouille dans votre ménage. »...

Je vais voir ma femme :

— Qu'est-ce que je t'ai fait ?

— Rien !

— Alors... pourquoi discutes-tu ?

Depuis, on est brouillé !

Ce matin, je lis dans mon horoscope : « Risques d'accidents. »

Alors, toute la journée, au volant de ma voiture, j'étais comme ça... à surveiller à droite... à gauche... rien !... rien !...

Je me dis : « Je me suis peut-être trompé »...

Le temps de vérifier dans le journal qui était sur la banquette de ma voiture... Paf !... ça y était !

Le conducteur est descendu... il m'a dit :

— Vous auriez pu m'éviter !

— Pas du tout, c'était prévu !

— Comment ça?

— L'accident est déjà dans le journal!

— Notre accident est déjà dans le journal?

— Le vôtre, je ne sais pas! Mais le mien, il y est!

— Le vôtre, c'est le mien!

— Oh!... Eh!... une seconde!... vous êtes né sous quel signe, vous?

— Balance!

— Balance?

Je regarde Balance! Je dis :

— Ah ben non! Vous n'avez pas d'accident!... vous êtes dans votre tort, mon vieux!

Il y a un agent qui est arrivé... il m'a dit :

— Vous n'avez pas vu mon signe?

— Prenez le journal! Regardez!... je ne vais pas regarder le signe de tout le monde!

Ça fait déguisé

L'autre jour, j'étais dans ma voiture, je me fais arrêter
par un agent de police. Il me dit :
— Donnez-moi vos papiers !
— A quel titre ?
— Police !
— Je ne vous crois pas.
— Puisque je vous le dis !
— Prouvez-le !
— J'ai l'uniforme !
— Justement, il ne vous va pas ! Ça fait déguisé !
— Vous ne m'avez pas bien regardé, non ?
— Si ! Et plus je vous regarde, plus je trouve que vous
n'avez pas l'air vrai !
— Qu'est-ce qui vous choque ?
— Tout !... Le képi est de travers !... les manches sont
trop longues... et votre bâton, il est douteux !
— C'est réglementaire !
— Bon ! Vous avez vos papiers ?
— Oui !
— Passez-les-moi... (Je regarde ses papiers.) Oui ! Il y a

bien marqué « agent de police » mais rien ne prouve que ces papiers soient les vôtres !

— Il y a ma tête !

— Justement ! Elle ne me revient pas !

— Ce sont mes traits !

— Vos traits ?... ils ne sont pas réguliers !

— !

— Vous prétendez être un agent de police ?

— Oui !

— Bon ! Eh bien ! Je vais vous demander quelques renseignements...

— A votre service !

— Où se trouve le boulevard Haussmann ? Oh ! Ce n'est pas la peine de regarder dans votre carnet !... vous ne savez pas ?

— Non !

— C'est grave ! C'est grave !... et la rue de la Chaussée-d'Antin ?

— Ça, je l'ai su !...

— Et vous ne le savez plus ?... c'est très grave !

— Les rues, ce n'est pas mon fort !

— Bon ! Je vais vous poser quelques questions sur le Code de la route... Je suis dans ma voiture, je roule à droite... une voiture venant sur la gauche me rentre dedans... qu'est-ce que vous faites ?

— Je fais un constat !

— Non, monsieur !

— Si !

— Non, monsieur !

— Pourquoi ?

— Parce que quand on a besoin de vous, vous n'êtes jamais là !

— C'est juste! Je n'y avais pas pensé.

— Faites attention! C'est que c'est grave! C'est grave!

— !

— Bon! Une autre question! J'arrive à un carrefour, je brûle un feu rouge... qu'est-ce que vous faites?

— Rien!

— Pourquoi?

— Parce que je ne suis pas là!

— Si, monsieur, quand on brûle un feu rouge, il y a toujours un agent qui est là!

— C'est juste! Je suis là! Je suis caché, mais je suis là!

— Bon! Que faites-vous?

— Je vous demande vos papiers!

— A quel titre?

— Police!

— Je ne vous crois pas!

— Puisque je vous le dis!

— Prouvez-le...

— Je ne peux pas... alors là... j'avoue... je ne peux pas.

— Bon! Vous allez me suivre au commissariat de police.

— J'en viens!

— Vous allez y retourner.

— Je ne veux pas y retourner! Je ne veux pas retourner au commissariat!

— Pas d'enfantillage! Ils ne vous feront pas de mal!

— Vous ne les connaissez pas!

— Écoutez!... vous prétendez être un agent de police... vous ne connaissez ni le code, ni le nom des rues... Savez-vous seulement où se trouve le commissariat de police?

— Oui! C'est à l'angle du boulevard Haussmann et de la rue de la Chaussée-d'Antin.

— Ah! C'est maintenant que ça vous revient?

C'est trop tard! Allez! Au poste!

Je l'ai emmené au poste. J'ai dit au commissaire :

— Vous connaissez ce monsieur?

— Oui!... Qu'est-ce qu'il a encore fait?

— Il veut me faire croire qu'il est un agent de police!

— C'est exact! C'est exact! Ce n'est pas la première fois qu'on nous le ramène! Il n'a pas le physique... personne n'y croit... nous-mêmes on n'y croit plus...

Les contraventions
ou le français conscient

Je viens de voir une chose qui m'a bouleversé... Ah!...
Je ne peux pas vous dire ce que ça m'a fait!
Devant un panneau de *stationnement interdit*, il y avait
un agent qui était là... avec ses petites contraventions à la
main... « Messieurs-dames, s'il vous plaît! »... et per-
sonne ne s'arrêtait.
Ça m'a fait une peine...
Ah! J'y suis allé... Je lui ai dit :
— Donnez-m'en une!
Si vous aviez vu ce sourire!... Il m'a dit :
— Vous êtes chic!
— Je fais mon devoir, c'est tout!
— Ce n'est pas pour moi vous savez!
— Je sais... l'État a besoin d'argent et personne ne veut le
comprendre! Il ne peut tout de même pas dire : « A votre
bon cœur, messieurs-dames! » C'est lui qui a interdit la
mendicité... alors... au lieu de mettre : « La mendicité est
autorisée » il met : « Le stationnement est interdit. »...
Mais personne ne comprend la délicatesse de ça!

— Ça fait deux heures que je suis là... je n'ai pas fait un rond! Pourtant, je suis bien placé... il y a deux interdictions de stationner et un sens interdit... ça devrait marcher quoi!... Je ne fais même pas mes frais!... Il y a un marasme chez nous; comme partout ailleurs.

— Écoutez!... Je vous ai vu faire... Je crois que vous avez une timidité dans le geste... vous manquez d'autorité! Tenez... donnez-moi vos contraventions... je vais vous en vendre quelques-unes... Passez-moi votre képi.

— En principe, je n'ai pas le droit...

— Et vous le faites quand même!... parfait!... contravention!... donnez-moi mille balles.

Il m'a dit :

— Vous êtes fort!

— Tenez, la première voiture qui se trouve là! Contravention!

— C'est la vôtre!

— Ah ben oui, tiens! C'est la mienne! Eh bien... elle n'avait pas à être là! Allez, contravention! Tenez!

La voiture noir et blanc qui est là... contravention!

— Ah non! C'est la voiture piège de la police!

— Je n'ai pas à entrer dans ces considérations... elle est prise à son propre piège, c'est tout!... Contravention!

— Comme vous y allez!

— Il faut! Il faut! Si vous leur dites : « Voulez-vous une contravention? », ils vous diront : « Non! » Mais si vous leur dites : « Vous avez droit à une contravention! », ils ne peuvent pas vous la refuser.

— C'est vous qui avez raison!... Rien que pour payer un déjeuner à l'Élysée... il faut en vendre des contraventions!... hein!

— Écoutez !... Je ne peux pas payer le repas complet...
mais j'offre le café...
— Le sucre aussi ?
— Ah non !... Ça... ils se sucrent eux-mêmes !

Il y a des choses bizarres

Il y a des choses bizarres!... il y a des choses inexplicables... des choses qui vous échappent!...

L'autre jour, au café... je commande un demi... j'en bois la moitié!... Il n'en restait plus!

Cet après-midi, dans la rue, une dame me dit :

— Monsieur, vous pouvez me donner l'heure?

— Oui, madame!... il est trois heures moins dix!

— Oh! la! la!... c'est trop tard! je l'ai raté de cinq minutes!

— C'est de votre faute, madame! si vous m'aviez demandé l'heure cinq minutes plus tôt, je vous l'aurais donnée.

Un jour, pour me prouver que j'étais un homme... j'ai voulu faire un hold-up!... oui moi! Moi, j'ai voulu faire un hold-up!... Je suis rentré dans une épicerie...

J'ai dit à l'épicière :

— Donnez-moi la caisse!

— Vous avez un revolver?

— Non!

— Alors, monsieur, je ne vous donne pas la caisse!

Deux jours plus tard, j'y suis retourné avec un revolver de gosse!

— Donnez-moi la caisse!

— Il est chargé votre revolver?

— Non!

— Alors, monsieur, je ne vous donne pas la caisse!

Depuis... je n'ose plus y retourner!... Elle a perdu un client... c'est tout ce qu'elle a gagné!...

Un jour, dans un salon... à côté de moi... il y avait une dame... magnifique! Elle avait des gants noirs!...

Elle commence à retirer ses gants... doucement... devant moi!...

— Écoutez, madame, je vous en prie, pas si vite!...

— Mais, monsieur, ce ne sont que mes gants!...

— Oui, madame; mais vous n'avez rien en dessous!

— Ce sont mes mains!

— Oui, madame, mais elles sont nues!

— Mais, monsieur... le reste aussi!

— Je vous demande pardon!... je n'avais pas remarqué!

Pourtant, j'en ai vu des choses!

Au Viêt-nam!... à Saigon... J'ai vu, en pleine rue... un bonze... brûler un feu rouge!

Ah! il y a des choses bizarres!

Musique caressante

(Le pianiste joue une musique douce...
L'homme écoute... et reconnaît un air qu'il a beaucoup
aimé et qui se rattache à ses souvenirs sentimentaux.)
— Ah!... cet air!... ce qu'il évoque pour moi!... je me
souviens... (il fredonne)... j'étais chez moi!... elle était
assise là... (à droite)... je lui avais pris la main... et... je la
caressais au-dessus... comme ça!... Je lui avais dit :
« Est-ce que vous m'aimez? » Et elle m'avait répondu :
« Non! » Alors, j'ai acheté le disque... parce que cette
musique... ah!... (Il fredonne l'air à nouveau.)...
Un jour, j'étais chez moi, j'avais mis le disque sur le
pick-up... ça tournait!... (le motif à nouveau fredonné)...
elle était à côté de moi... (réfléchissant)... c'était une
autre! Elle n'était pas aussi belle que la première...
Enfin! Elle était là... elle était là! Je lui avais pris la main
et... je la caressais... par en dessous... pour changer un
peu.
Je lui avais dit : « Est-ce que vous m'aimez? » Et elle
m'avait répondu : « Oui! » Mais moi, je ne l'aimais pas!...
Alors, j'ai cassé le disque... (Il reprend l'air.)...

Un jour, j'ouvre la radio... ça jouait ça! (l'air). Pourquoi ça plutôt qu'autre chose... elle était à côté de moi... c'était une troisième!... (il change l'emplacement et la situe à gauche) elle était de l'autre côté!... parce que j'étais chez elle!... Je lui avais pris la main... et je la caressais... dans les deux sens... parce que je voulais en finir! je lui avais dit : « Est-ce que vous m'aimez? » Elle m'avait répondu : « Oui! » Je lui ai dit : « Est-ce que vous voulez m'accorder votre main? »... Elle me dit : « Ça fait dix minutes qu'elle est dans la vôtre! »

« Ah! ai-je dit, oui! tiens! c'est vrai! »

Alors, je l'ai gardée... (Il fredonne d'abord l'air avec amour :) *la la la!* dix ans!... (puis avec lassitude :) *la la la!* dix ans! (puis avec rage :) *tin lin lin!*... dix ans! dix ans! (Il va vers le pianiste, et, frappant de la main sur le couvercle du piano :)... Assez!... assez!... assez!... Dix ans!

Pour gagner la Marne
ou les taxis de la Marne

Les taxis de la Marne!
Mon père était soldat à l'époque... il m'a dit comment ça
s'était passé; ce n'est pas du tout comme on l'a raconté!
Il m'a dit : « C'était écrit. »
C'était écrit dans le manuel du parfait soldat.
C'était écrit : « Pour gagner la Marne, prenez un taxi. »
Mon père hèle un taxi...
— Taxi!
Le chauffeur s'arrête... il dit à mon père :
— Vous allez où?
— Sur la Marne!
— Ça tombe mal! Moi, je rentre à Levallois!
— Vous n'allez pas dans le sens de l'Histoire, monsieur!
L'étendard sanglant est levé!
— Eh bien moi, monsieur, mon petit drapeau il est
baissé.
— Là, vous manquez d'élan patriotique!
— L'élan patriotique, moi, j'en ai jusqu'ici!
— Vous devriez avoir honte, monsieur, parce que moi,
j'en ai jusque-là! C'est la guerre!

— Bon! Va encore pour cette fois-ci, mais c'est la dernière!

Mon père est monté dans le taxi.

En cours de route, il jette un petit coup d'œil sur le compteur. Que voit-il? Deux cent cinquante francs!

MON PÈRE : Halte! Faites demi-tour! Je n'ai pas assez!

— Trop tard! on est dedans!

— On est dans quoi?

— On est dans la Marne!

Effectivement! Ils y étaient enfoncés profondément.

— Là, vous avez peut-être été un peu loin!

— Vous ne m'avez pas donné d'adresse exacte... la Marne, c'est vaseux!

— Vous me prenez pour une gourde, dit mon père qui commençait à se remplir, je vous ai dit : sur la Marne, je ne vous ai pas dit dedans!

— La Marne! La Marne! Moi, j'en ai jusque-là!

— Vous exagérez, monsieur, moi, je n'en ai que jusqu'ici!

Ils sont sortis en marche arrière; ils ont pris un petit chemin de traverse et ils sont rentrés dans un embouteillage de taxis; le gros de l'armée française. Alors là, mon père s'est dit : « Ce n'est pas tout ça... maintenant il faut payer le taxi. »

Il est allé voir le capitaine et il lui a dit :

— Mon capitaine, qui est-ce qui va payer le transport?

— Alors, vous aussi? Alors, tout le monde a pris un taxi!! Il n'y a que moi qui suis venu à cheval!

— Mon capitaine, c'était écrit dans le manuel du parfait soldat. C'était écrit : Pour gagner la Marne...

— Je vous foutrai dedans!

— C'est fait, mon capitaine!

— C'est bon! Les Allemands vont nous payer ça! (Il parlait des taxis.)

Il est remonté sur son cheval et il a crié : « En voiture!! »

Mon père est remonté dans le taxi, il a dit au chauffeur :

— Si vous voulez être payé, il faut aller en face!

Quand les Allemands ont vu arriver les gars en taxis, ils ont cru que la guerre était finie... ils sont rentrés chez eux.

Alors, mon père a dit au chauffeur :

— Écoutez!... Nous, on est venus pour rien; on ne voit pas pourquoi on vous paierait!

— C'est bon! dit le chauffeur, vous nous avez emmenés en bateau jusqu'ici... vous allez entendre parler de nous!

Et... effectivement, on en a entendu parler des taxis de la Marne!

Le progrès
c'est formidable

Moi, j'ai un copain, il est pilote d'essai... enfin, il ne l'est pas encore; pour l'instant, il essaie d'être pilote!
Il me dit :

— Tu n'as jamais franchi le mur du son?

— Jamais!

— Viens, tu vas prendre le baptême de l'air.

— Il n'y a pas de danger?

— Aucun! Tu mets simplement une ceinture de sauvetage, un parachute ventral... un parachute dorsal!... au cas où... parce que si le parachute que tu as sur le ventre ne s'ouvre pas, l'autre... tu l'as dans le dos!

— J'aime mieux prendre le train.

— Il n'y a pas de danger!

— Aucun?

— Aucun! Tu mets ton masque à oxygène, parce que sans cela, tu étouffes... Un casque pour que la tête n'éclate pas!

— J'aime mieux prendre le train.

— Il n'y a pas de danger!

— Aucun?

— Aucun!

— Bon.

Je monte dans un avion supersonique... double réacteur!...

Uuouh!... (Il imite le sifflement des réacteurs.)

Le pilote me dit :

— Attention, on décolle!

— Tiens! mes oreilles aussi!

Il me dit :

— C'est normal!

Arrivé à deux mille mètres, il me dit :

— Éteins ta cigarette!

— Je n'ai pas de cigarette!

— Tu ne fumes pas?

— Non!

— Alors, c'est l'avion!

Effectivement... une fumée!...

Alors là, il me dit :

— Ça, ce n'est pas normal!

Je jette un coup d'œil sur le côté; je lui dis :

— Dis donc, il y a le feu à ton réacteur.

— Alors c'est normal, il n'y a pas de fumée sans feu!

Tout à coup... j'entends... Bang!... je lui dis :

— Tiens! On a franchi le mur du son?

— Non! C'est le réacteur qui vient de sauter.

— Ah! Le progrès c'est formidable! Un réacteur saute, on ne s'en aperçoit pas!

Bang! Bang!...

— Double bang! Alors là, on a franchi le mur du son?

— Non! C'est l'autre réacteur qui vient de sauter.

— Ah! ah! (riant jaune)... le progrès c'est formidable!...

Les réacteurs sautent... on continue... on irait même plus vite que tout à l'heure!...

— C'est aussi qu'on descend !

— Le progrès c'est...

— Tu n'as pas peur ?

— Oh ! Maintenant, je suis baptisé !

— Alors fais ta prière, et fais-la courte, parce qu'on sera arrivé en bas avant que tu l'aies finie !

— Le progrès tout de même ! Ça va plus vite qu'une prière ! On sera en bas avant d'avoir fini sa prière ?

— Non, on sera là-haut !

— Ah ! Le progrès c'est...

Tout à coup il me dit :

— Saute !

— Comment ?

— Saute !

— Où ?

— A terre !

— Comment ! Je peux sauter... d'ici ?

— Oui !

— Et toi ?

— Je saute aussi !

— Et l'avion ?

— Il saute aussi !

— Tout le monde saute alors !... Le progrès c'est...

— D'ailleurs, on n'a plus le temps de sauter... je vais éjecter les sièges.

Il a appuyé sur un bouton. J'ai été projeté avec mon fauteuil dans l'espace... *(uitte)* lui dans son fauteuil ! Je lui dis :

— Qu'est-ce que tu fais ?

— Je sauve les meubles.

Alors, dans un fauteuil... assis, au grand air, avec un parasol qui s'est ouvert au-dessus de moi... lui la même chose... je lui dis :

— Ça, au bord de la mer, ce serait idéal!

— On y arrive!

Effectivement... Plouf!... Plouf!... double Plouf!... Dans l'eau jusque-là! Pas besoin de nager... la ceinture de sauvetage qui s'est gonflée d'elle-même!...

On s'est laissé emporter par les flots...

Deux jours plus tard, on s'est retrouvés sur la côte d'Azur... allongés sur la plage... sans connaissance!

Mon copain me dit :

— Qu'en penses-tu?

— Ce n'est pas mal... mais si on avait pris le train, on serait venus deux jours plus tôt! Alors le progrès... hein?..

Le lever du Roy

Il n'y a que Louis XIV qui pouvait se permettre de s'habiller en public!

Vous savez qu'au xviie siècle, le public était admis au petit lever du Roy...

J'ai lu ça dans les *Mémoires* de Saint-Simon.

Saint-Simon avait une mémoire prodigieuse! Que dis-je, une mémoire! Il en avait plusieurs! Il avait des *Mémoires* d'un volume! Que dis-je, un volume! Il en a écrit plusieurs! Et il dit que c'est parce que les finances du Royaume étaient mauvaises que Louis XIV eut l'idée, pour se faire un peu d'argent de poche, de donner en public ce qu'on a appelé : « Le lever du Roy ».

Ce n'était pas cher l'entrée.

Il fallait payer un Louis d'or!

Un Louis d'avant la guerre quatorze (rectifiant)... la guerre de Louis XIV.

On entrait dans la chambre du Roy... le Roy dormait...

Alors il y avait Monsieur!... Monsieur, qui était le frère du Roy, et aussi son imprésario... Il arrivait :

— Bonjour! bonjour!...

Il était un peu comme ça! N'est-ce pas!... comme dit Saint-Simon qui avait la mémoire des gestes! Il tapait dans ses mains! Il disait :

— Louis! c'est l'heure! Louis!

Mais le Roy, lui, il dormait comme une petite Reine!... Alors, le public s'impatientait!

— Commencez! Commencez!

Monsieur s'avançait... Il disait :

— Nobles Seigneurs et tas de paysans... commencez par vous taire! On n'est pas au Palais-Royal ici!

Il frappait les trois coups, sur la tête du Roy... et au troisième coup, le Roy, qui avait un sens prodigieux du théâtre, s'éveillait... Il ouvrait un œil... il disait :

— Il y a du monde?

Et Monsieur répondait :

— Sire, c'est bourré!

Alors le Roy criait :

— Habilleuse!

Et Monsieur répondait :

— Sire, je suis là!

Le Roy s'habillait en cadence... (Musique de Lulli; habillage du Roy; première partie mimée sur un pas de deux; deuxième partie chantée.)

Jabot bouffant.

Manche de dentelle.

Ruban par-ci.

Par-là quelques plumes.

Une perruque... de la poudre.

Et quand le Roy était habillé, il se retirait « dans son petit cabinet », comme dit Saint-Simon qui avait la mémoire des lieux.

Le Roy qui avait plusieurs maîtresses sur les bras... c'est-à-dire qu'il avait besoin d'écus... On appelait ça comme ça à l'époque!... Enfin! bref! le Roy a dit :

— Je vais donner une matinée supplémentaire! c'est-à-dire qu'il donnait deux représentations par jour.

Alors, lorsque Saint-Simon est arrivé à Versailles, par la poste, la première levée était faite!... Il a glissé un mot dans la boîte pour dire qu'il assisterait à la deuxième levée.

Et, ce jour-là, il n'y avait pas beaucoup de monde.

Monsieur est arrivé... « Bonjour! bonjour!... » de plus en plus « comme ça! » comme dit Saint-Simon qui avait la mémoire radoteuse! Il a frappé dans ses mains :

— Louis... c'est l'heure! Louis!... grand paresseux!

Le Roy a ouvert un œil... il a dit :

— Il y a du monde?...

Et Monsieur a répondu :

— Sire, ce n'est pas bourré!...

Alors le Roy a dit :

— Je ne me lève pas! Je fais la grasse matinée...

Monsieur a dit :

— Bon! Je vais faire une annonce!

Il s'est avancé... il a dit :

— Nobles pelés et tas de tondus... (il était fort troublé...) le Roy ne peut pas se lever... il a la goutte!

Alors les gens :

— Remboursez! remboursez!

Monsieur a dit :

— Ça, jamais! puisque le Roy est malade... faites-vous rembourser par les assurances sociales!

Alors les gens ont commencé à casser les fauteuils!... Quand Louis XIV a pris un fauteuil Louis XIII sur les reins... il s'est habillé en moins de deux... et il est sorti par la petite porte.

447

Et puis un jour, il est arrivé ce qui devait arriver, le Roy qui avait passé la nuit dehors... « Il avait fait la tournée des grands-ducs avec la Montespan »... comme dit Saint-Simon qui avait la mémoire en trou de serrure... Louis XIV est entré dans sa chambre complètement beurré... (mimé)... Il marchait à la Louis XV... ce qui était très audacieux pour l'époque !... la perruque à la Beatles ! « Salut les copains ! »... Stupeur !... Le Roy a ouvert un œil... c'est-à-dire qu'il a fermé l'autre... il a dit ·

— Il y a du monde ?

Et Monsieur a répondu :

— Ça y est, il est bourré !

Que faire ?... impossible de faire lever le Roy puisqu'il ne s'était pas couché !...

C'est là que Monsieur a montré qu'il était un homme, si j'ose m'exprimer ainsi. Il a crié :

— Strip-tease ! (musique de Lulli).

Et le Roy s'est déshabillé... avec une volupté... dévoilant les dessous de sa politique... avec une franchise... et après avoir montré... qu'il n'avait aucun préjugé ridicule, il est tombé dans les bras de Morphée !...

A partir de ce jour, le Roy, supprimant les matinées, ne se montra plus qu'au coucher du soleil... dans un déshabillé somptueux ! frivole !... et fort coûteux... comme dit Saint-Simon, qui avait lu les Mémoires du ministre des Finances !

L'accident
assuré

Vous voyez!... aujourd'hui... je suis content!... j'ai eu un accident!... L'assurance va pouvoir me rembourser. Oui! Parce que ça fait dix ans que je paye une assurance pour ma voiture... et ils ne me remboursaient jamais. J'étais allé voir mon assureur... je lui avais dit :

— Vous allez me rembourser quand?

— Quand vous aurez un accident...

— Je n'arrive pas à en avoir! Je ne sais pas comment font les autres!... Vous en avez, vous?

— J'en ai régulièrement... deux fois par semaine!

— Comment faites-vous?

— Je ne réfléchis pas! Je fonce!

— Alors, si je fonce et ne réfléchis pas...?

— C'est l'accident assuré!

— Vous pouvez me l'assurer?

— Ah non! Je vous assure déjà contre les accidents... je ne peux pas vous assurer pour un accident...

— Alors... où puis-je en avoir un?

— Écoutez! Je ne devrais pas vous le dire, parce que... ce n'est pas dans mon intérêt... mais si vous voulez un accident... voyez du côté de la place de la République... il y en a pas mal en ce moment!

— Bon!...

Je me dis : « Qu'est-ce que je risque? »

Je prends la voiture!... J'arrive place de la République... pan! pan! deux accidents... un à ma droite, l'autre à ma gauche...

Je me dis : « Le coin est bon! Le troisième, il est pour moi. »

Je vois arriver une voiture sur la gauche... je fonce dessus sans réfléchir... Ah, dis donc!... Le gars se dérobe! Je le rattrape... j'arrive à sa hauteur, je lui dis :

— Qu'est-ce qui vous prend?

— Je croyais que vous alliez me rentrer dedans!

— C'est ce que je voulais faire, mais vous avez bifurqué!

— Si vous aviez roulé un peu plus vite, j'étais bon!

— Excusez-moi! La prochaine fois, je ferai attention!

J'appuie sur l'accélérateur et je fonce droit devant moi, sans regarder... Vous ne pouvez pas savoir comme c'est reposant! Parce que, ce qui est fatigant dans la conduite d'une voiture, c'est d'être obligé de regarder à droite ou à gauche... Mais quand on ne pense plus à rien... qu'on roule à tombeau ouvert... les yeux fermés... si vous saviez comme ça détend!

Au bout d'un moment, comme il ne se passait rien, j'ouvre les yeux... Ah! dis donc! Qu'est-ce que je vois? Toutes les voitures qui m'évitaient! A telle enseigne que je me suis dit : « Est-ce que je leur fais peur? » J'en étais là de mes réflexions lorsque boum! Un choc terrible à l'arrière... Je descends... Qui je reconnais dans celui qui m'était rentré dedans? Mon assureur! Je lui dis :

— C'est gentil d'avoir pensé à moi!

— Je ne l'ai pas fait exprès!

— Exprès ou pas exprès... vous avez eu un beau geste!

— C'est un accident!

— Justement... vous allez pouvoir me rembourser!

— Non! Parce que, comme vous êtes dans votre tort... l'assurance ne marchera pas!

— Écoutez! J'ai bien envie de vous casser la figure!

— Ça me rendrait bien service!

— Pourquoi?

— Parce que, depuis dix ans, je paye une assurance contre coups et blessures et je n'arrive pas à en recevoir.

— S'il n'y a que ça pour vous faire plaisir!

Je l'ai bourré de coups... il avait une tête comme ça!

— Ça suffit! Je suis déjà largement remboursé!

— Oui! Mais moi je ne le suis pas! Tant que vous n'aurez pas dit que vous êtes dans votre tort, je continuerai.

Il m'a regardé de son œil blanc... l'autre était déjà noir... et il m'a dit :

— Je suis dans mon tort...

— Vous pouvez me l'assurer?

— Noir sur blanc.

Si bien que je serai remboursé! Pas lui!

Comme il a reconnu être dans son tort, l'assurance contre les coups et blessures ne marchera pas.

Sévère mais juste

Je suis sévère mais je suis juste!
Hier soir, je rentre chez moi... qu'est-ce que j'apprends?
Que le chat avait mangé la pâtée du chien?
Dehors le chat!
Là-dessus, qu'est-ce que j'apprends?
Que le chien avait mangé la côtelette de ma femme?
Dehors le chien!
Là-dessus, qu'est-ce que j'apprends?
Que ma femme avait mangé mon bifteck?
Dehors la femme!
Là-dessus, qu'est-ce que je découvre?
Que le lait que j'avais bu le matin était celui du chat!
Alors, j'ai fait rentrer tout le monde et je suis sorti...
Sévère mais juste!

Jehanne d'Arc

Jadis on se permettait des choses qu'on n'oserait plus faire maintenant...

Jehanne d'Arc entendait des voix; tout le monde trouvait ça normal.

Allez dire maintenant : « J'entends des voix! » On va dire : « Il est fou! »

Eh bien moi, j'ai reçu un coup de téléphone curieux... Déjà la sonnerie... n'était pas comme d'habitude...

Je décroche :

— Allô!... Qui est à l'appareil?

J'entends une voix de femme qui répond :

— C'est Jehanne!

— Qui?

— La Pucelle!

Je ne connaissais pas de pucelle...

— Je vous demanderais de préciser!

— Jehanne d'Arc!

— C'est une plaisanterie?

— Pas du tout! Je suis une femme sérieuse... Je voudrais vous parler.

— Je vous écoute, Jehanne.

— Pas au téléphone, on pourrait nous entendre!

— Où?

— Dans le jardin...

Je raccroche... je vais dans le jardin... j'entends :

— Raymond! Raymond!

Je lui dis :

— Où êtes-vous?

Elle me dit :

— Là-haut!

Je ne voyais pas bien, je n'avais pas mes lunettes...

— Ah oui! Je vois comme une petite flamme...

— C'est tout ce qui me reste...

— !!!

— Raymond! Vous allez aller à l'Élysée...

— Oui, Jehanne!

— Vous allez voir le président de la République...

— Comment le reconnaîtrais-je?

— A vue de nez, c'est le plus grand!

— !!!

— Vous direz au président de la République que son histoire de tunnel sous la Manche, moi, Jehanne d'Arc, je considère ça comme une offense personnelle!

Ce n'est pas la peine de les avoir rejetés par au-dessus, pour les faire rentrer par en dessous!

MOI : C'est tout?

JEHANNE : C'est tout!

Pfuitt!... disparue!!!

Ça n'a l'air de rien!... Mais allez frapper à la porte de l'Élysée... allez dire au président de la République : « Je viens de la part de Jehanne d'Arc! »

Il va dire :

— Il est dérangé!

Eh bien, j'y suis allé. Pas du tout... Il m'a dit :

— Comment va-t-elle ?

— Elle va bien, monsieur le Président, je vous remercie ! Elle est un peu éteinte... mais...

— Toujours jalouse ?

— De qui ?

— De moi !

— Elle ne m'en a pas parlé, monsieur le Président ! Elle m'a chargé de vous dire...

— Je sais ! Le tunnel sous la Manche...

— Vous êtes au courant ?

— Oui !... Et vous répondrez à Jehanne d'Arc que les ordres... je les reçois directement d'en haut !

Suicide spectaculaire

— Est-ce que je vous ai dit que j'avais failli me suicider?... Ah! Je ne vous l'ai pas dit... Ah! Si! Si!... J'ai failli me suicider... Enfin! on a failli me suicider. Vous savez que nous les artistes, nous avons ce qu'on appelle un « public relation ». Public relation! En France on dit : un attaché de presse. C'est celui qui s'occupe de vos relations avec la presse. Bref! Mon attaché de presse vient me voir et me dit :

— Raymond, on ne parle pas assez de vous!

— Parlons-en! Qu'est-ce qu'il faut faire?

— Je vous ai organisé un coup de publicité terrible! Venez avec moi.

— On prend un taxi ?

— Non, c'est moi qui paye... on prend le métro.

Dans le métro, il m'explique :

— Voilà, vous allez vous jeter du deuxième étage de la tour Eiffel.

— Ah!... Ça me semble une idée amusante!

— Ça peut être très rigolo!... J'ai convoqué la Radio, la Télévision! Tout le monde sera là pour vous recevoir.

— ... Alors, je vais me jeter du deuxième étage de la tour Eiffel?... Plouf!

— Oui!

— Et... qui va m'en empêcher?... Non... parce que, je suppose qu'au dernier moment... Il y aura bien quelqu'un qui sera là pour me retenir?

— Oui! Les pompiers!

— Vous les avez convoqués aussi?

— Non! Au dernier moment! L'effet de surprise!

On arrive au Champ de Mars... bourré! Vous savez que pour remplir le Champ de Mars, il faut être connu! Mon attaché de presse me montre le deuxième étage... il me dit :

— Vous voyez cette poutrelle, là? Vous allez vous tenir en équilibre dessus...

— Mais... il y a déjà quelqu'un!

— C'est le présentateur.

— Qu'est-ce qu'il fait là?

— Il vous annonce.

— Ah! je suis en retard!

Je gravis les escaliers quatre à quatre... j'arrive au deuxième étage de la tour Eiffel... j'enjambe le garde-fou... et je me tiens en équilibre sur une petite poutrelle! Il faut avoir envie de réussir! Je dis à mon attaché de presse :

— Il faut tenir combien de temps, là?

— Il faut faire au moins vingt minutes...

Heureusement, en bas les gens m'encourageaient :

LA FOULE : Vas-y, Raymond, saute!

MOI : Une seconde, on n'est pas pressé! Il n'y a pas le feu!

Je dis à mon attaché de presse :

— A propos, vous avez téléphoné aux pompiers?

— Oui, mais ce n'est pas libre!

— !!!

En bas, les gens commençaient de s'impatienter : « Alors, il saute ou il ne saute pas »... parce que... les réflexions que l'on entend dans ces moments-là!

LA FOULE : Oui! C'est un artiste! Il veut se lancer! Dans ce métier, on descend plus vite qu'on ne monte!

Il y en a même un qui a dit :

— Il va se ramasser.

Là j'ai eu peur! J'ai dit à mon attaché de presse :

— Alors, les pompiers?

— Toujours pas libre!

— !

J'ai dit :

— Écoutez!... Écoutez!... Vous allez dire à ces gens-là que je ne me sens pas très bien!... J'ai des vertiges... une petite crise de foie qui s'annonce!... Ce n'est rien... mais enfin!... ce serait imprudent de sauter aujourd'hui.

L'ATTACHÉ DE PRESSE : !

— Eh bien! Dites-leur qu'ils reviennent demain!

— Vous êtes fou! Que vont dire les journalistes?

— Comment! Vous avez convoqué les journalistes aussi?...

— Oui.

— Alors!... Si je rate mon suicide, demain dans la presse, ils vont m'assassiner. Je ne veux pas prendre ce risque-là. Tant pis, je vais sauter... Ah! Je vais sauter...

J'ai dit : Mesdames et messieurs... je vais sauter!

LA FOULE : Ah!...

Il y en a même qui ont applaudi... moi... je n'osais pas saluer... parce que... là...

Il n'y a pas de rappel!

Je me suis dit : « Je ne saluerai qu'au dernier moment ! »
Avant de sauter, je dis à mon attaché de presse :

— Je me demande comment ils vont m'accueillir en bas ?

— Vous allez tomber sur des gens très bien !

— Et si je tombe sur quelqu'un qui ne m'aime pas ?

— Il s'inclinera avec les autres !... ne vous cassez pas la tête !

Je vais pour sauter, j'entends : « Vas-y Fernand ! Vas-y Fernand ! »

Je jette un coup d'œil, et je vois que les gens regardaient dans une autre direction... au-dessus de moi.

Je lève la tête... qui je vois qui voulait sauter du troisième étage de la tour Eiffel ? Fernand Raynaud ! Je dis à mon attaché de presse :

— Qu'est-ce que ça veut dire ?

— Eh bien ! Comme je suis aussi l'attaché de presse de Fernand Raynaud, j'ai voulu faire d'une pierre deux coups.

A ce moment-là, les pompiers sont arrivés, ils m'ont dit :

— C'est bien ici qu'il y a un fou qui veut se jeter dans le vide ?

J'ai dit :

— Non ! C'est à l'étage au-dessus !

L'auteur critique ou un cas de dédoublement

Le dédoublement de la personnalité, ça existe !...
Je vais vous citer un cas... tenez !
Je connais un critique... qui est en même temps auteur...
ce qui le met en tant qu'auteur dans une situation critique ! Il a écrit une pièce qu'il a fait jouer, et le soir de la
générale c'est lui qui était dans la salle pour faire la
critique ! Comme il est sévère mais juste, le lendemain
dans la presse, il s'est éreinté... il s'est littéralement
traîné dans la boue ! Quand l'auteur a lu sa critique, il
s'est envoyé une lettre dans laquelle il disait qu'il n'avait
rien compris à sa propre pièce... Depuis... il ne se parlait
plus ! Quand il se rencontrait dans une glace, il ne se
saluait plus ! Et puis, il n'arrêtait pas de s'envoyer des
lettres d'insultes ! « En tant que critique, disait-il à
l'auteur, vous écrivez comme un manche ! » Et en tant
qu'auteur, il répondait au critique : « Critiquer, c'est
facile... mais pour écrire, c'est une autre paire de
manches ! »
Après s'être envoyé plusieurs lettres, il s'est envoyé une
gifle ! Comme ce n'était pas un lâche, il se l'est rendue.

Après s'être envoyé plusieurs gifles, quand il eut compris que d'un côté comme de l'autre, c'était toujours lui qui prenait, il se dit : « C'est trop bête ! »

Alors, il s'est invité à déjeuner... tout seul ! En tête à tête ! A la fin du repas, il s'entendait avec lui-même comme deux larrons en foire.

A partir de ce moment-là, il s'est appelé « nous ».

« Nous allons écrire une pièce, de concert, nous la ferons jouer, et nous la critiquerons de conserve. »

Je l'ai connu à cette époque-là...

Un jour, on sonne à ma porte...

Ma bonne qui était allée ouvrir me dit :

— Il y a deux messieurs qui vous demandent.

Je dis :

— Deux messieurs ?

Elle me dit :

— Il n'y en a qu'un, mais il me dit qu'ils sont deux.

Je dis :

— Alors, c'est lui !... Faites-les entrer.

Effectivement, c'était eux !

Je dis :

— Asseyez-vous !... Qu'est-ce que vous prenez ?

Il me dit :

— Deux whiskies !

Comme j'allais à la cuisine préparer les whiskies... j'entends des éclats de voix... : « Ce que c'est laid ici ! C'est d'un mauvais goût, mon cher ! »

Je reviens... je lui dis :

— Vous me parliez ?

Il me dit :

— Non ! Non ! Nous discutions entre nous !

461

Je lui dis :

— Comment trouvez-vous mon appartement?

Il me dit :

— Moi, très bien! Mais il y en a qui ne peuvent pas s'empêcher de critiquer!

Il en vient au but de sa visite.

Il me dit :

— Voilà! Nous avons écrit une pièce à deux personnages et nous voudrions que vous la jouiez.

Je dis :

— Qui?

Il me dit :

— Vous deux!

Je dis :

— Moi et qui?

Il me dit :

— Vous et vous!... Vous êtes comédien?

Je dis :

— Oui!

Il me dit :

— Alors, vous vous dédoublez!...

Là, j'ai compris qu'il n'était pas simple.

Je dis :

— Oui! Mais en ce moment, nous ne sommes pas libres.

Il me dit :

— Ah! Qu'est-ce que vous faites en ce moment?

Je dis :

— Je joue les deux orphelines!

Il me dit :

— Alors, je regrette!

Il s'est levé en se faisant passer devant et en se disant :

— Après vous!

Devant la porte, ça n'en finissait plus, alors j'ai ouvert la porte à double battant et il est sorti l'un derrière l'autre!

Quand je repense à cela, quelquefois, je me dis :
— Tu aurais peut-être mieux fait d'accepter de jouer sa pièce!
— Ah! je me dis, non!... Elle ne pouvait pas être bonne!
— Qu'est-ce que tu en sais?... tu ne l'as pas lue!
— Je ne vais pas lire la pièce d'un fou!
— Qui te dit qu'il est fou?
— Plutôt deux fois qu'une! Non?... Il parlait tout seul, il n'arrêtait pas de discuter avec lui-même!
— Et toi, en ce moment... que fais-tu d'autre?
— Tu as raison!... je ne suis qu'un sot... doublé d'un bel imbécile!... Si on allait prendre l'air?... ça nous ferait du bien!
(S'avançant :)
— Mesdames-messieurs, excusez-nous... nous allons prendre l'air!... et quand nous serons calmés... je reviendrai! Vous voyez hein? Souvent, on se prend pour quelqu'un, alors qu'au fond on est plusieurs!
(Il remonte vers le fond... en se faisant passer devant... et en se disant : « Après vous! », et sort par la porte à double battant.)

Moi j'fous le camp

Il y a des jours où j'en ai marre ! Marre !... je laisserais tout tomber !... je ferais la valise et salut !... je foutrais le camp !... j'irais... peuh !... peuh !... j'irais... peuh !... j'irais... voir ma femme...

Je lui dirais :

— Je fous le camp !

Elle me dirait :

— Où vas-tu ?

Je lui dirais :

— N'importe où, je m'en vais !

Ah ! Je l'entends d'ici, tiens ! C'est comme si elle était dans la pièce à côté :

— Ouais ! Quand tu pars, tu ne sais jamais où tu vas... tel que je te connais, tu es foutu de revenir...

Je lui dirais :

— Bon !... Ça va ! J'ai compris ! Allez ! Salut.

Quand on se retrouve tout seul avec sa valise à la main ! Sans sa femme !... par un froid de canard !... croyez-moi, c'est dur ! Surtout que c'est de sa faute tout ça ! Si elle

n'était pas restée à la maison, jamais je ne serais parti!...
jamais! Ah! Tiens! Je fous le camp!
Je vais aller aux îles... (Musique.)
La mer! (Il chante.)
Le bruit que font les vagues...
Les filles qui dansent au soleil...
La sieste dans le hamac...
Ce qu'il faut, c'est l'argent pour le voyage... bah!... j'irais
voir mon frère...
Je lui dirais :
— Prête-moi de l'argent!
Ah! Je l'entends d'ici, tiens! C'est comme s'il était dans la
pièce à côté!...
— Ouais! La dernière fois que je t'ai prêté de l'argent, tu
as oublié de me le rendre!
Je lui dirais :
— Oublié! oublié! ça arrive à tout le monde d'oublier!...
Crois-tu que si je m'étais souvenu que je te devais de
l'argent, je serais revenu t'en emprunter?... Un peu de
bon sens!
Quand on se retrouve tout seul, avec sa valise, sans sa
femme, sans argent... par un froid de canard! Croyez-
moi, c'est dur! Surtout que... qu'est-ce qu'il va en faire de
son argent? Il va le dépenser!... C'est bien fait pour lui!
Je n'étais pas exigeant moi! Qu'est-ce que je deman-
dais?... peuh!... pas grand-chose, simplement (Musique;
il chante :)
Le bruit que font les vagues...
Les filles qui dansent au soleil...
La sieste dans le hamac...
Je sais ce que je vais faire... je vais vendre mon âme au
diable!... ça me fera un peu d'argent!

J'irais voir Satan...

Je lui dirais :

— Combien tu m'en donnes ?

Il me dirait :

— Combien en veux-tu ? Parce qu'il marchande toujours.

Je lui dirais :

— Le prix du voyage !... les îles aller et retour !

Ah ! Je l'entends d'ici, tiens ! C'est comme s'il était dans la cave du dessous...

— Ouais ! C'est beaucoup trop cher !... Je ne vais pas payer ce prix-là une âme que je finirais par avoir pour rien !

Je lui dirais :

— Tu n'auras pas mon âme !

Il me dirait :

— Si, je l'aurai !

Je lui dirais :

— Tu peux toujours courir !... Essaye de l'attraper !

Quand on se retrouve tout seul !... avec sa valise... sans sa femme... sans argent... avec le diable qui vous court derrière, par un froid de canard ! Croyez-moi, c'est dur !!!

Avec l'autre derrière qui insiste... :

— Viens chez moi... il y a du feu !

« *Vade retro Satanas !* »

Où aller ?... A qui s'adresser ?... là-haut ?

— Mon Dieu, voyez ma détresse !... m'entendez-vous ?

Ah ! Je l'entends d'ici, tiens ! C'est comme s'il était à l'étage au-dessus !

— Ouais ! Quand tout va bien, tu m'ignores ! Il n'y a que lorsque tout va mal que tu t'adresses à moi !

Je lui dirais :

— Mon Dieu, je ne sais plus où aller !

Il me dirait :
— Bon! Allez! Monte!
Je lui dirais :
— Comment?
Il me dirait :
— Monte!
Je lui dirais :
— Monte! Monte! C'est vite dit! Moi, j'ai ma valise!... et puis elle est lourde! Ah! Il est bon lui!... Il est tranquillement assis dans les nuages... tandis que moi, je suis là... à me débattre!... Ah tiens! Je fous le camp!... Je rentre à la maison!
(Tandis qu'il sort, la musique reprend l'évocation musicale.) (Joué :)
Le bruit que font les vagues... (soupir).
Les filles qui dansent au soleil... (soupir).
La sieste dans le hamac... (soupir).

Atome 1

(Le conférencier à la salle :)

Mesdames et messieurs,

Je crois qu'il est temps de répondre aux questions que vous m'avez posées tout à l'heure...

Il y a un monsieur qui m'a posé une question... Voulez-vous répéter votre question, monsieur?...

Bien! Je vais essayer d'y répondre.

C'est à propos de l'atome...

Vous savez ce que c'est qu'un atome? Si vous voulez, je vais vous en rappeler l'essentiel.

Vous avez un « proton » qui est électriquement positif... ensuite vous avez un « électron » qui est électriquement négatif... n'est-ce pas?... et qui se met à tourner autour du « proton »... à une vitesse vertigineuse; parce que la particularité de l'électron, c'est que, lorsqu'il voit un « proton »... il se jette dessus et il tourne autour... on ne sait pourquoi... c'est prodigieux!

Ensuite, vous avez un « neutron » qui est neutre, comme son nom l'indique, qui vient se juxtaposer au proton, et qui est maintenu au proton par une force prodigieuse qu'on appelle la force nucléaire.

Alors là!... il y a quelque chose qui m'échappe!... (Après réflexion :) Ah oui!... Ah oui!... c'est ce qu'on appelle un atome simple!

Je sais ce que vous pensez!... Vous vous dites : « Au lieu de nous parler de l'atome, pourquoi ne nous en montre-t-il pas un?... Moi, je veux bien, mais si je vous en montre un, c'est tellement petit... vous allez être déçu! Non! Alors... vous avez les atomes lourds, comme celui de l'uranium.

Vous savez que l'uranium irradie? Il irradie... il se trans-mute!... D'uranium il passe en « thorium »... de « tho-rium » en « polonium »... de « polonium » en « radium »... et de Charybde en Scylla... il devient du plomb!... du gros plomb! Alors là, il n'irradie plus rien du tout... Il est éteint... c'est de l'étain d'ailleurs... je crois que c'est de l'étain!...

Je pense avoir répondu à votre question... n'est-ce pas, monsieur?

Quelqu'un m'a posé une autre question... à propos de l'énergie qui se transforme en masse, et la masse en énergie, c'est bien ça?

Je vais essayer de répondre clairement!

Je vais vous citer un exemple : vous savez que si vous pesez les éléments d'un atome séparément, les éléments de l'atome séparés pèsent plus lourd que l'atome consti-tué! (Au public :)... S'il y a quelque chose qui n'est pas clair, il faut le dire!

Je vais prendre un exemple simple, sans ça, je ne m'y retrouve pas!

Vous savez que si vous remontez le ressort d'une montre,

lorsque le ressort de la montre est monté, la montre pèse plus lourd que lorsque le ressort est détendu! Prodigieux!

Je crois avoir répondu à la question.

Quelqu'un m'a posé une dernière question...

Quelqu'un m'a dit : « Est-ce que vous en avez encore pour longtemps? »

Je vous répondrai que je me porte bien, mais enfin, je ne suis pas immortel!

Je vous remercie de votre attention.

J'en ris
J'en pleure

(Souriant :) Aujourd'hui, ça va... ça va!...
ça va parce que je suis de bonne humeur... Parce que...
(les larmes aux yeux)... qu'est-ce que j'ai comme soucis
en ce moment!
Mais enfin, aujourd'hui ça va...
(heureux) j'ai payé mon loyer, les petites dettes...
(malheureux) je ne sais pas comment je vais faire
pour finir le mois...
Mais enfin, je suis de bonne humeur...
(chanté) « Y a du soleil dans les ruelles
y a d'la joie partout... »
(parlé) y a d'la misère partout...
(Très ému :) Je voyais tout à l'heure, dans la rue,
un pauvre... blême... sa femme l'avait quitté...
Quand il m'a dit ça, j'ai éclaté de rire; je lui ai dit :
— Je vous demande pardon, mais la mienne aussi...
(s'effondrant) sans un mot, sans rien...
elle est partie comme ça!
(Sortant son mouchoir :) Je ne voudrais pas
que vous pensiez que c'est dans mes habitudes

de pleurnicher... Justement, aujourd'hui,
je suis de bonne humeur...
(s'éclairant) je suis plutôt farceur habituellement !
Un jour, devant moi, il y avait une dame
qui portait un chapeau avec une grande plume...
Alors moi... avec une paire de ciseaux,
j'ai coupé la plume, hop !... (geste de feuille morte qui
tombe)
(riant)... Si vous aviez vu la tête de la dame...
humiliée !... humiliée !
Je ne peux pas vous dire ce que cela m'a fait !
(sanglotant) ce que c'est bête ce genre de plaisanteries...
(riant) mais la tête de la dame... mais ça ce n'est rien !
Un jour, avec un copain, un gars...
(pleurant) il est mort... il a souffert.
C'était un boute-en-train terrible !
(s'éclairant) il voulait toujours aller au bal...
(riant) il adorait l'accordéon...
(pleurant) moi, je le déteste ! ça me fout le cafard...
(s'éclairant) mais lui, il adorait l'accordéon...
(riant) il disait toujours :
« L'accordéon, c'est le piano du pauvre. »
Il chantait : ...
« Le piano du pauvre se pend autour du cou... »
(pleurant)... il s'est pendu !
(riant) il se moquait toujours de moi
parce que j'avais un oncle qui jouait de la cornemuse
(pleurant)... il est mort aussi... en soufflant...
il devenait tout rouge et comme il n'avait pas de veines...
elles ont éclaté...
(s'éclairant) il jouait toujours le même air ;
(chanté) : « L'avez-vous ben tous connu

l'Père Larue et sa musette, oin, oin... etc. »
Depuis que cet homme n'existe plus...
(s'effondrant)... je vous assure que je le regrette !
Il disait toujours : « La cornemuse,
c'est le piano du paysan. »
(En riant :) Je ris, parce que ce matin
en sortant de chez moi...
(riant de plus belle) c'est ça qui m'a mis de bonne
humeur...
je rencontre un copain... il avait un énorme pansement
autour de la tête ;
je lui dis (éclatant de rire) :
— Qu'est-ce qui t'arrive ?
Il me dit... — C'est un accident de chasse !
Je lui dis :
— Quoi, c'est en tirant ?
Il me dit :
— Oui (pleurant)... c'est en tirant la chasse d'eau, le
réservoir m'est tombé dessus !

Le plaisir des sens

Mon vieux!... le problème de la circulation... ça ne s'arrange pas!...

J'étais dans ma voiture...

J'arrive sur une place...

Je prends le sens giratoire...

Emporté par le mouvement, je fais un tour pour rien...

Je me dis : « Ressaisissons-nous. »

Je vais pour prendre la première à droite : *sens interdit.*

Je me dis : « C'était à prévoir... je vais prendre la deuxième. »

Je vais pour prendre la deuxième : *sens interdit.*

Je me dis : « Il fallait s'y attendre!... prenons la troisième. » *Sens interdit!*

Je me dis : « Là! Ils exagèrent!... Je vais prendre la quatrième. »

Sens interdit!

Je dis : « Tiens. »

Je fais un tour pour vérifier.

Quatre rues, quatre sens interdits!...

J'appelle l'agent.

— Monsieur l'Agent ! Il n'y a que quatre rues et elles sont toutes les quatre en sens interdit.
— Je sais... c'est une erreur.
— Alors ? pour sortir ?...
— Vous ne pouvez pas !
— ! Alors ? qu'est-ce que je vais faire ?
— Tournez avec les autres.
— ! Ils tournent depuis combien de temps ?
— Il y en a, ça fait plus d'un mois.
— ! Ils ne disent rien ?
— Que voulez-vous qu'ils disent !... ils ont l'essence... ils sont nourris... ils sont contents !
— Mais... il n'y en a pas qui cherchent à s'évader ?
— Si ! Mais ils sont tout de suite repris.
— Par qui ?
— Par la police... qui fait sa ronde... mais dans l'autre sens.
— Ça peut durer longtemps ?
— Jusqu'à ce qu'on supprime les sens.
— ! Si on supprime l'essence... il faudra remettre les bons.
— Il n'y a plus de « bon sens ». Ils sont « uniques » ou « interdits ». Donnez-moi neuf cents francs.
— Pourquoi ?
— C'est défendu de stationner !
— !...
— Plus trois cents francs !
— De quoi ?
— De taxe de séjour !
— ! Les voilà !
— Et maintenant filez !... et tâchez de filer droit !... Sans ça, je vous aurai au tournant.
Alors j'ai tourné... j'ai tourné...

A un moment, comme je roulais à côté d'un laitier, je lui ai dit :

— Dis-moi laitier... ton lait va tourner?...

— T'en fais pas!... je fais mon beurre...

— !

Ah ben! je dis : « Celui-là! il a le moral!... »
Je lui dis :

— Dis-moi? qu'est-ce que c'est que cette voiture noire là, qui ralentit tout?

— C'est le corbillard, il tourne depuis quinze jours!

— Et la blanche là, qui vient de nous doubler?

— Ça? c'est l'ambulance!... priorité!

— Il y a quelqu'un dedans?

— Il y avait quelqu'un.

— Où il est maintenant?

— Dans le corbillard!

— !

Je me suis arrêté... J'ai appelé l'agent... je lui ai dit :

— Monsieur l'Agent, je m'excuse... j'ai un malaise...

— Si vous êtes malade, montez dans l'ambulance!

Poète et paysan

(Un paysan, coiffé d'une casquette et fumant la pipe, entre, conduisant un tracteur qui tire une remorque, sur laquelle est posée une harpe.

Arrivé au centre de la scène, le tracteur s'arrête.)

LE PAYSAN : Je suis crevé ou quoi?

(Il examine les pneus... descend du tracteur... et essaie de remettre le moteur en route à la manivelle... peine perdue!)

(En colère :) *Rrr!...* ces engins-là! ça ne roule bien que dans les ornières! Dès que c'est sur du plat... ça s'arrête... (jetant sa casquette) *rrr!* (se calmant)

Oh là!...

(Il prend place devant la harpe et joue...) (Chanté :)

Je crois en Toi...

Maître de la nature

Semant partout la vie

Et la fécondité.

(Reposant sa harpe :) Ça détend!

C'est une de mes petites inventions!.. à l'usage des paysans coléreux!... Parce que, la colère des paysans, elle est terrible! Déjà, j'ai supprimé la herse... le côté irritant! et je l'ai remplacée par la harpe... c'est plus doux! Il y a deux parties... n'est-ce pas : la partie tracteur... que j'ai appelée la partie Pisani (parce que le moteur est italien...) et la partie Malraux!... C'est la partie artistique! Alors... suivez ma démonstration... Le paysan s'en va-t-aux champs... Il tombe en panne... comme moi, tout à l'heure. Grosse colère du paysan! « Cré vingt dieux! »

Pas de garage à l'horizon... Que fait le paysan? Il démonte le moteur... Comme il n'y connaît rien, il le remonte tel qu'il était et il s'imagine que ça va repartir...

LE PAYSAN : Hue donc, hé, bourrique!

Un cheval repartirait... pas un moteur! Regrosse colère du paysan : « Cré vingt dieux! »

... Pour peu que le prix du blé ait baissé et celui du tabac augmenté... c'est le barrage agricole! Armé d'une clef anglaise, le paysan va-t-il frapper Pisani? Non! car, grâce à mon système, un simple demi-tour et de Pisani, il passe chez Malraux... alors là, c'est la prière! c'est l'extase!

(Le paysan chante en s'accompagnant à la harpe :)

Dieu tout-puissant,

Qui fit la créature.

Je crois en Ta grandeur,

Je crois en Ta bonté.

(Le paysan sort de cette épreuve, transfiguré! Il a une petite auréole, des petites ailes dans le dos... c'est la béatitude...)

Le paysan remonte sur son tracteur.)

— Qui est-ce qui va partir au quart de tour?... c'est mon petit Pégase!

Le paysan est devenu poète...

(Le paysan remet en route le moteur qui part aussitôt.)

Il n'y a que la foi qui sauve...

(Le tracteur fait un mètre... le moteur cale!)

« Cré vingt dieux! C'est comme pour la subvention!
chaque fois que l'on sollicite Pisani, il vous renvoie chez
Malraux! »

(Il exécute un demi-tour sur son siège et se retrouve
devant la harpe. Tirant sur une corde élastique, il dit : « Il
y a un désaccord quelque part! »

Quand il relâche la corde, le moteur se remet en route.)
Ah!

(Jouant de la harpe et chantant : Je crois en Toi... etc.)
Tandis que le tracteur, entraînant le paysan et sa harpe,
part tout seul et s'éloigne vers le fond, le rideau tombe.

L'attente

(Assis sur un banc, un homme attend...)

L'HOMME (consultant sa montre) : Que peut-il faire ?

L'INTOXIQUÉ (entrant) : Tu m'attendais ?

— !! Depuis plus d'une heure !

— C'est long une heure !...

— Plutôt, oui !... Où étais-tu ?

— Chez moi !

— Que faisais-tu ?

— Rien !

— Tu avais oublié le rendez-vous ?

— Non ! Non !

— Alors, pourquoi ne venais-tu pas ?

— J'attendais...

— Quoi ?

— Que tu aies assez attendu !

— Comment ! Tu faisais exprès de me faire attendre ?

— Je ne le fais pas exprès, c'est plus fort que moi ! Il faut
que je fasse attendre les gens... c'est un vice !

— Mais pourquoi ?

— Va savoir !... Pourquoi fumes-tu, toi ?

— !! Pour passer le temps!

— Eh bien voilà!... Moi, je fais attendre les gens pour leur faire passer le temps!

— Ça t'a pris il y a longtemps?

— Depuis... depuis que je ne fume plus, tiens!

— Et ça se manifeste comment?

— Eh bien!... Tout à coup, j'ai envie de faire attendre quelqu'un!

— Alors?

— Je téléphone à un ami...

— Parce qu'il faut que ce soit un ami?

— Ah oui!... Si ce n'est pas un ami, je ne viens pas!

— Ah non?

— Ah non!... Je ne fais pas attendre n'importe qui!

— Ah bon!

— Ah non!... tout de même, je n'en suis pas là!

— Tu me rassures!... Alors, tu lui donnes rendez-vous?

— C'est ça!... et il attend.

— Et... qu'est-ce que tu éprouves?

— Un plaisir mon vieux!... mais un plaisir!

— Un plaisir oui! Mais moi, en attendant, tu me fais perdre mon temps!

— Et mon temps à moi... tu crois que je ne le perds pas?

— Non! Puisque c'est ton plaisir!

— Ah pardon! Mon plaisir n'est pas d'attendre, mais de faire attendre les gens!

— Et tu en fais attendre beaucoup comme ça?

— Tout le monde! Au début, je les faisais attendre cinq minutes... ensuite, ça a été un quart d'heure... maintenant, j'ai dépassé l'heure... je suis intoxiqué quoi! Tiens! L'autre jour, j'en ai fait attendre un vingt-quatre heures!...

— Il devait être furieux?

— Pas du tout, il s'est excusé!

— Comment ça! Tu avais un jour de retard!

— Oui! Mais comme il a cru qu'il s'était trompé d'un jour, il s'est excusé!

— Alors, pourquoi s'est-il excusé?

— Parce qu'il m'avait fait attendre cinq minutes! Moi, je déteste ça! Tiens! Ce jour-là, j'ai manqué avoir une crise!

— Parce que tu as des crises?

— Ah ben oui!... Ah ben oui!... Quand j'ai une crise, c'est effroyable!... Je donne rendez-vous à dix personnes à une heure d'intervalle, et je m'y rends... mais avec une heure de décalage!

— Et s'il y en a une qui ne vient pas?

— Je l'attends...

— Et les autres?

— Elles m'attendent!

— Comme moi?

— Comme toi!

— Bon!... Tu as quelque chose à me dire?

— Non!

— Pourquoi m'as-tu fait venir?

— Pour rien!

— Quoi?

— Pour le plaisir... quoi!

— Bon! Allez, viens!... On va prendre quelque chose!

— Non merci mon vieux! Je suis pressé!

— Hein?

— On m'attend!...

(Il sort rapidement.)

Échange d'idées

RAYMOND : Bonjour, mon cher Président-Directeur Général ! Comment vont vos affaires ?

PIERRE : Aucune idée !

— Ah ben ! Tant mieux ! (Tout en marchant)... A propos, comment va votre secrétaire ?

— Pas mal merci ! Et la vôtre ?

— Très bien !... Je ne vous demande pas des nouvelles de votre femme !

— Moi non plus !

— Cela va de soi !... Si nous échangions quelques idées ?

— Cela devient de plus en plus difficile...

— Eh !... C'est que les idées... ça ne court pas les rues !

— Les secrétaires non plus !

— La vôtre va bien m'avez-vous dit ?

— Oui ! La vôtre aussi ?

RAYMOND (pris d'un malaise) :... Ah !

— Qu'avez-vous ?

RAYMOND (souffrant) : J'ai une idée !

— Vous avez une idée ?

— Oui !...

— Ça vous a pris subitement?

— Oui!... une idée, une idée terrible! Hah! qui vient de me traverser l'esprit. Il y a longtemps que ça ne m'était pas arrivé!...

— Puis-je vous aider?

— Non! non!... il faut qu'elle suive son cours.

— Où avez-vous pris ça?

— Ben!... vous savez... les idées... elles sont dans l'air... il suffit que quelqu'un vous en parle de trop près, pour que vous les attrapiez!

— Qu'est-ce que vous ressentez?

— Des mots... dans la tête!

— Des mots violents?

— Non!... des mots doux!

— Tiens!... ma secrétaire a eu ça la semaine dernière.

— A propos! Comment va-t-elle? Vous ai-je dit que je l'avais vue?

— Qui?

— Votre secrétaire!

— Non!

— Si! J'avoue que lorsque je suis allé la voir... j'avais une idée de derrière la tête.

— Il fallait la coucher sur le papier!

— Je ne pouvais pas faire ça dans votre bureau!

— C'est juste!

— Alors, je suis revenu dans le mien, toujours avec mon idée de derrière la tête... Eh bien, quand j'ai vu ma propre secrétaire, mon idée est tombée!

— A propos, comment va-t-elle?

— Ma secrétaire?

— Non, votre idée.

— ... Elle passe!

— Ah ben tant mieux!

— Quand je pense qu'il y en a qui sont bourrés d'idées, et qui ne sont jamais malades!

— Question d'entraînement!...

— Vous croyez?

— Ben tiens! Vous connaissez mes idées?

— Bien sûr! Ce sont les mêmes depuis dix ans!

— Oui! J'avoue que je ne me suis pas beaucoup renouvelé!

— Il faut dire que, pour trouver une idée nouvelle, il faut se lever de bonne heure!

— Moi, à l'heure tardive à laquelle je rentre chez moi, je n'ai plus qu'une idée... me coucher!

— Oui!... ce n'est pas nouveau!

— A propos... à quelle heure se couche votre secrétaire?

— Je n'en ai aucune idée!!!

— Il n'y a aucune idée entre votre secrétaire et vous?

— Non! On a eu des mots, c'est tout!

— Des mots doux?

— Non, des mots violents!

— Ah ben tant mieux!

— Pourquoi me parlez-vous toujours de ma secrétaire?

— Parce que je suis... je suis mon idée!

— Vous avez une idée?

— Oui! Depuis un certain moment... et je ne m'en rendais pas compte.

— Ah! Ah!

PIERRE (souffrant) :... C'est vous qui me l'avez passée!

— Ne dites pas cela!

— Ah! C'est sournois! Comment la vôtre vous est-elle venue?

— Moi?... Ça y est! Elle me revient!

— Quoi?

— Mon idée!

— Ce doit être la même!

— Peut-être!... Vous avez des idées sur ma secrétaire, hein?

— C'est bien ça! Et vous des idées sur la mienne? Non?

— C'est ce que je ressens!

— Eh bien! Changeons de secrétaire!

— Ouf! Ça fait du bien d'échanger des idées!

QUATRIÈME PÉRIODE

Extraits du spectacle « Les pupitres »
donné au Théâtre Fontaine de 1961 à 1963

Le Pont-Neuf

(Au bord de la Seine, sur le Pont-Neuf, un mendiant chante, en s'accompagnant à l'orgue de Barbarie, la complainte du Vieux Pont-Neuf :)

Il a bon dos le Vieux Pont-Neuf,
Bras étendus d'une rive à l'autre;
Il en a vu de toutes les couleurs
Le Vieux Pont-Neuf.
Le Vieux Pont-Neuf,
Il en a vu défiler des bateliers
Et des bateaux
Sur la Seine;
Il en a vu des défilés et des parades,
Des bateleurs et des badauds...
Sur la Seine.
Il en a vu de toutes les couleurs,
Il en a fait couler de l'encre,
Le Vieux Pont-Neuf.
Il en a vu passer et trépasser
Du monde,
Depuis Henri IV

Jusqu'à la Ve de nos Républiques;
Il en a vu, revu, palsambleu!
Depuis le panache blanc, jusqu'au tricolore,
Il en a vu de toutes les couleurs.
Le Vieux Pont-Neuf sans histoires
Tout doucement est entré dans l'Histoire;
Il a bon dos le Vieux Pont-Neuf.

Taxe illicite

(Un agent paraît en haut du pont, descend l'escalier qui accède aux quais... tandis que prudemment X et Z s'éloignent...

Après avoir jeté un regard circulaire, l'agent fait signe à un homme qui était resté en haut des marches de le rejoindre.

L'homme qui tient une trompette à la main... obtempère. L'agent lui désigne un endroit sous la voûte... L'homme va s'y cacher.

On entend alors un bruit de moteur d'auto qui se rapproche...)

L'AGENT (au trompette) : Allez! Vas-y.

(Le trompette souffle dans son instrument. L'agent monte rapidement les marches. Tout en sifflant, il disparaît. Bruit de voiture qui s'arrête.)

(Dialogue *off* :)

VOIX DE L'AGENT : Dites donc, vous!

VOIX D'AUTOMOBILISTE : Oui?

VOIX DE L'AGENT : Vous ne savez pas qu'il est interdit de klaxonner?

VOIX D'AUTOMOBILISTE : Mais je n'ai pas klaxonné!

VOIX DE L'AGENT : Vous me prenez pour un contractuel?

VOIX D'AUTOMOBILISTE : Voyons, monsieur l'Agent! Je vous assure que je n'ai pas klaxonné.

VOIX DE L'AGENT : Allez! Allez! Ne discutez pas! Votre carte grise!

VOIX D'AUTOMOBILISTE : Voilà!

VOIX DE L'AGENT : C'est mille francs.

VOIX D'AUTOMOBILISTE : Combien dites-vous?

VOIX DE L'AGENT : Mille francs.

VOIX D'AUTOMOBILISTE : Eh bien ça alors!

(L'auto repart... L'agent descend rapidement l'escalier. Le trompette sort de sous la voûte.)

L'AGENT (lui comptant la monnaie) : Tiens! Quarante... cinquante...

(Bruit de moteur de voiture qui se rapproche.)

L'AGENT : Eh! En voilà une autre!

LE TROMPETTE (empochant rapidement son argent) : Oui! Attends!

(L'agent remonte rapidement les escaliers. Le trompette souffle dans la trompette. L'agent disparaît en sifflant. Bruit de voiture qui s'arrête.)

(Dialogue *off* :)

VOIX DE L'AGENT : Dites donc, vous!

VOIX DE FEMME : Monsieur l'Agent?

VOIX DE L'AGENT : Vous ne savez pas qu'il est interdit de klaxonner, non?

VOIX DE FEMME : Mais je n'ai pas klaxonné, monsieur l'Agent!

VOIX DE L'AGENT : Vous êtes toute seule?

VOIX DE FEMME : Ah oui, mais je n'ai pas klaxonné.

VOIX DE L'AGENT : Bon! Allez! Votre carte grise.

VOIX DE FEMME : Voilà!

VOIX DE L'AGENT : C'est mille francs.

VOIX DE FEMME : Combien?

VOIX DE L'AGENT : Mille francs.

VOIX DE FEMME : Mille francs! Eh ben! ça alors!

VOIX DE L'AGENT : Et n'y revenez pas!

(L'auto repart, bruit de moteur.)

(L'agent rejoint rapidement le trompette.)

L'AGENT : Tiens! Sur cent.

LE TROMPETTE : Voilà dix qui nous font cent.

(Bruit de voiture se rapprochant.)

L'AGENT : Eh dis! ça roule ce soir!

(Il remonte rapidement.)

LE TROMPETTE : On a même pas le temps de souffler.

(La voiture est tout près.)

(L'agent siffle, mais la voiture ne s'arrête pas, car le trompette joue l'ouverture de *Tannhauser*. Tout en sifflant, l'agent descend rapidement vers le trompette qui continue à jouer et qui, sur les coups de sifflet, s'arrête enfin.)

L'AGENT : Qu'est-ce qui te prend? Tu es fou? Tu viens de nous faire perdre un client!

LE TROMPETTE (tout penaud) : Je ne sais pas... je ne sais pas... Tu comprends, avant, j'étais soliste aux Concerts Pasdeloup, alors, ce bruit de moteur, tout à coup, ça m'a rappelé Wagner.

L'AGENT : Wagner?

LE TROMPETTE : Ah! J'étais parti, là!... si tu n'avais pas sifflé... (Il le prend par le revers de son veston et le repousse assez brutalement vers la cour.)... Car tu m'as sifflé pendant mon solo!

L'AGENT (se dégageant) : Le turbin c'est le turbin, non?

LE TROMPETTE : Wagner...

(Bruit de voiture se rapprochant.)

L'AGENT : Je t'en supplie! Ressaisis-toi! Une note, une simple note.

(Le trompette souffle dans sa trompette. L'agent remonte rapidement et disparaît en sifflant.)

(Bruit de voiture qui s'arrête.)

(Dialogue *off*:)

VOIX DE L'AGENT : Dites donc, vous! Savez pas qu'il est interdit de klaxonner? Non?

VOIX DE L'IMPRÉSARIO : Mais je n'ai pas klaxonné, monsieur l'Agent.

VOIX DE L'AGENT : Eh! Vous me prenez pour qui?

VOIX DE L'IMPRÉSARIO : Pour un contractuel.

VOIX DE L'AGENT : Quoi?

VOIX DE L'IMPRÉSARIO : Rien!

VOIX DE L'AGENT : Bon ! Allez! Votre carte grise.

VOIX DE L'IMPRÉSARIO : Voilà!

VOIX DE L'AGENT : Dites donc, vous n'êtes pas français, vous?

VOIX DE L'IMPRÉSARIO : Ah non! Pas encore, non!

VOIX DE L'AGENT : Allez, c'est mille francs.

VOIX DE L'IMPRÉSARIO : Combien?

VOIX DE L'AGENT : Mille francs.

VOIX DE L'IMPRÉSARIO : Oh! la la!

(Bruit de voiture qui repart.)

(L'agent redescend. Même jeu.)

L'AGENT : Tiens! Voilà tes dix pour cent.

LE TROMPETTE (lui tournant le dos) : Non!

L'AGENT (stupéfait) : Quoi! Tu n'en veux pas?

LE TROMPETTE : J'en veux quinze.

L'AGENT : Mais tu es fou?

LE TROMPETTE : Non! J'ai de la dignité. Quand on joue de la trompette comme j'en joue, on se fait payer.

L'AGENT : On ne te demande pas de jouer de la trompette, on te demande de klaxonner.

LE TROMPETTE : Écoute, si tu n'es pas content, hein, tu n'as qu'à en prendre un autre. (Il va à lui.) Tiens! Tu n'as qu'à prendre le p'tit Louis du pont de l'Alma, il accepte n'importe quoi. Seulement, pour s'en sortir, il est forcé de doubler. Alors, il fait deux ou trois ponts dans la même soirée. Résultat : plus de lèvres... le souffle court et quand il pousse... ça se coince. Moi, je serais automobiliste, je donnerais pas mille balles pour ça! (Il revient vers la voûte.) Mais prends-le, va, prends-le!

L'AGENT : C'est bon! Je prendrai un gars de la Garde Républicaine!

LE TROMPETTE : Ah! Celui-là, tu l'auras pour rien! Seulement, acceptera-t-il de jouer dans l'ombre?

(Bruit de voiture se rapprochant.)

L'AGENT : Je t'en supplie! Ne me laisse pas tomber! Une note, une simple note!

(Le trompette souffle dans sa trompette.)

(L'agent remonte rapidement en sifflant.)

(Bruit de voiture qui s'arrête; en haut des escaliers apparaissent un brigadier et deux agents. Ils resteront en place jusqu'à la fin de la scène.)

LE BRIGADIER : Qu'est-ce qui vous prend?

L'AGENT : Rien chef! C'est quelqu'un qui a klaxonné.

LE BRIGADIER : Eh bien, dressez-lui procès-verbal.

L'AGENT : Oui, chef! (Il descend rapidement vers le trompette.)

L'AGENT : Dites donc vous! Vous ne savez pas qu'il est interdit de klaxonner, non?

(Il l'entraîne rapidement, premier plan court.)

LE TROMPETTE : Qu'est-ce qui te prend, dis ?

L'AGENT : D'abord, ne me tutoyez pas et donnez-moi mille francs.

LE TROMPETTE : Je ne les ai pas, on n'a fait que cinq voitures.

LE BRIGADIER : Qu'est-ce qu'il dit ?

L'AGENT : Il dit qu'on n'a fait que cinq... (se reprenant) heu... qu'il n'a pas de voiture.

LE BRIGADIER : Alors, pourquoi a-t-il un klaxon ?

LE TROMPETTE (à l'agent) : Qu'est-ce qu'il dit ?

L'AGENT : Il demande pourquoi tu as un klaxon ?

LE TROMPETTE : C'est pas un klaxon, c'est une trompette de cavalerie.

LE BRIGADIER : Qu'est-ce qu'il dit ?

L'AGENT : Il dit que c'est une trompette de cavalerie.

LE BRIGADIER : Alors, où est son cheval ?

LE TROMPETTE (à l'agent) : Mais qu'est-ce qu'il dit ?

L'AGENT : Il demande où est ton cheval ?

LE TROMPETTE : J'ai pas de cheval !

L'AGENT (au brigadier) : Il n'a pas de cheval !

LE BRIGADIER : Qu'est-ce qu'il dit ?

LE TROMPETTE : Il dit que j'ai pas de cheval.

LE BRIGADIER : Alors, il nous emmène en bateau !

LE TROMPETTE : Qu'est-ce qu'il dit ?

L'AGENT : Il dit que tu les emmènes en bateau.

LE TROMPETTE : Mais j'ai pas de bateau.

LE BRIGADIER : Allez ! Embarquez-le !

LE TROMPETTE : Qu'est-ce qu'il dit ?

L'AGENT : Il dit embarquez-le ! Allez ! En route ! (Il l'entraîne vers l'escalier.)

LE TROMPETTE : A pied ?

L'AGENT : Non, en voiture! (Il le pousse vers les marches.)

LE TROMPETTE (montrant les marches et sa trompette) : Mais, puisque c'est une trompette de cavalerie!

LE BRIGADIER : Qu'est-ce qu'il dit?

LE TROMPETTE (il s'arrête. Il est au milieu des escaliers. Il fait face à la salle) : M... (muet).

(Jeu muet de l'agent.)

LE BRIGADIER : Quoi?

L'AGENT (vivement) : Il ne l'a pas dit! Il ne l'a pas dit!

LE BRIGADIER : J'aime mieux ça! Allez! Embarquez-le! Allez! Ouste!

Soutien moral

(Changement de décor. Une rue près du Pont-Neuf.
L'imprésario qui vient de payer mille francs pour avoir
usé d'un klaxon qu'il n'a pas... cherche le commissariat
de police le plus proche.)

L'IMPRÉSARIO (interpellant une péripatéticienne) : Mademoiselle, s'il vous plaît, pouvez-vous me dire où se trouve
le commissariat de police ?

LA PÉRIPATÉTICIENNE : Je ne connais que ça !

L'IMPRÉSARIO : Ah ! Est-ce loin ?

LA PÉRIPATÉTICIENNE : Non ! C'est dans la rue à Lulu... tu
connais ?

L'IMPRÉSARIO : Lulu ? Non ! Ça ne me dit rien !

LA PÉRIPATÉTICIENNE : Et moi, est-ce que je te dis quelque
chose ?

L'IMPRÉSARIO : Oui ! Vous me dites où est le commissariat
de police.

LA PÉRIPATÉTICIENNE : Ce n'est pas ce que je te demande !

L'IMPRÉSARIO : Non ! Mais moi, c'est ce que je voudrais
savoir.

LA PÉRIPATÉTICIENNE : Je t'ai dit que c'était dans la rue à Lulu !

L'IMPRÉSARIO : La rue à Lulu ! La rue à Lulu !... où est-ce la rue à Lulu ?

LA PÉRIPATÉTICIENNE (à elle-même) : Y connaît rien ! (A l'imprésario :) Tu prends le trottoir à Juliette... ensuite... là où c'est mal éclairé, tu verras Irma... tu lui diras bien des choses de ma part et tu continues jusqu'à ce que tu voies la Carmen... tu me suis ?

L'IMPRÉSARIO : Je vous suis ! Je vous suis...

LA PÉRIPATÉTICIENNE : Non ! Il vaut mieux que tu évites la Carmen, tu n'en sortirais pas !... A Irma, tu traverses... là, t'es tranquille, il n'y a personne. Arrivé au coin, tu prends la rue à Cricri, tu la montes...

L'IMPRÉSARIO : ... La rue à Cricri ?

LA PÉRIPATÉTICIENNE : C'est celle qui est étroite ! Tu la connais ?

L'IMPRÉSARIO : Ça ne me dit rien !

LA PÉRIPATÉTICIENNE : Bon ! Alors tu prends l'autre... je ne sais pas son nom... elle grimpe aussi, mais moins fort ! Et tu tournes à la deuxième à droite !... tu me suis toujours ?

L'IMPRÉSARIO : Oui ! La deuxième à droite !

LA PÉRIPATÉTICIENNE Oui ! La première, c'est Jacqueline ! Tu ne t'arrêtes pas. elle va en faire une gueule !... L'autre, c'est Lulu, tu la suis... mais seulement quand elle remonte... elle t'y mène.

L'IMPRÉSARIO : Le commissariat est là ?

LA PÉRIPATÉTICIENNE (concluant) : Elle passe devant !

L'IMPRÉSARIO : Merci beaucoup !

LA PÉRIPATÉTICIENNE : Je m'appelle Zizi...

L'IMPRÉSARIO : Tenez ! Voici ma carte : Alfred, imprésario.

LA PÉRIPATÉTICIENNE : J'en ai déjà!

L'IMPRÉSARIO : Vous avez un imprésario?

LA PÉRIPATÉTICIENNE : Pas folle! Je travaille seule!

L'IMPRÉSARIO : Alors, qu'est-ce qui vous soutient?

LA PÉRIPATÉTICIENNE : Le moral.

L'IMPRÉSARIO : Prenez quand même ma carte... quand vous n'aurez plus le moral pour vous soutenir... venez me voir.

LA PÉRIPATÉTICIENNE : Je croyais que tu t'occupais d'artistes...

L'IMPRÉSARIO : Dans votre genre, vous êtes une artiste!

LA PÉRIPATÉTICIENNE : Dans quel genre?

L'IMPRÉSARIO : Mauvais! Le mauvais genre!... C'est ce qu'il y a de plus difficile!... Qui est-ce qui vous a appris le métier?

LA PÉRIPATÉTICIENNE : Personne! Je fais ça d'instinct!

L'IMPRÉSARIO : Remarquez, vous êtes douée!... Marchez un peu pour voir!... (La péripatéticienne fait quelques pas.) Oui! Les intentions sont bonnes... c'est dans la réalisation que ça pèche.

LA PÉRIPATÉTICIENNE : Ça pèche?

L'IMPRÉSARIO : Tout à l'heure, vous ne m'avez pas eu vous savez!

LA PÉRIPATÉTICIENNE : Pour t'avoir, toi, il faut se lever de bonne heure!

L'IMPRÉSARIO : Non! Il faut se coucher tard et travailler!... Faites encore quelques pas... (Elle marche.) Ben oui! On n'y croit pas!... Je vais vous montrer... passez-moi les accessoires... le sac...

LA PÉRIPATÉTICIENNE : C'est pas un sac, c'est une aumônière!

L'IMPRÉSARIO : Oui! Enfin, c'est le porte-monnaie quoi!

Alors, ouvert le porte-monnaie... et bien en vue hein! Bon! Passez-moi le chapeau... (Elle le lui passe, il s'en affuble.)... Le chapeau est indispensable?

LA PÉRIPATÉTICIENNE : Oui!

L'IMPRÉSARIO : Moi, je ne le mettrais pas, mais enfin!... L'allure enveloppante... calculée! Hop!... coup de rein!... appel du pied... un temps!... et vous posez la question... hanhan? Allez! Refaites-moi tout ça.

LA PÉRIPATÉTICIENNE (reprenant ses accessoires) : Si tu faisais le boulot toi-même, tu ferais fortune!

L'IMPRÉSARIO : C'est mon drame... j'ai essayé! Je ne peux pas! Allez...

LA PÉRIPATÉTICIENNE (elle ondule... hop!... coup de rein!... appel du pied... un temps) : Hanhan?

L'IMPRÉSARIO : Non! Non! Ce n'est pas assez commercial ce que vous faites! C'est étriqué! Vous travaillez pour les petites rues... Élargissez!... travaillez pour les avenues... les grands boulevards... voyez loin! Pensez boulevard! Boulevard!... Allez... le chapeau!

LA PÉRIPATÉTICIENNE : Quoi le chapeau?

L'IMPRÉSARIO : Il est indispensable?

LA PÉRIPATÉTICIENNE : Oui!

L'IMPRÉSARIO : Moi, je ne... enfin!... Allez! Boulevard! Pensez boulevard!... Ça vient... ça vient!

LA PÉRIPATÉTICIENNE : Coup de rein!... appel du pied!...

L'IMPRÉSARIO (l'arrêtant) : Un temps!

LA PÉRIPATÉTICIENNE (questionnant) : Hanhan?

L'IMPRÉSARIO : Oui! Oui! ça vient!... ça y est! là!... vous êtes terriblement boulevard!

LA PÉRIPATÉTICIENNE : Boulevard Zizi!!! Tu vois ça d'ici?

L'IMPRÉSARIO : Vous y verriez défiler le Tout-Paris!

LA PÉRIPATÉTICIENNE : Boulevard Zizi!

L'IMPRÉSARIO : Après, je vous fais faire Londres!

LA PÉRIPATÉTICIENNE : Zizistreet!

L'IMPRÉSARIO : Ensuite Berlin!

LA PÉRIPATÉTICIENNE : Zizistrasse!

L'IMPRÉSARIO : Rome!

LA PÉRIPATÉTICIENNE : Via Zizi!

L'IMPRÉSARIO : Venise!

LA PÉRIPATÉTICIENNE : Non! Pas Venise!

L'IMPRÉSARIO : Pourquoi?

LA PÉRIPATÉTICIENNE : Il n'y a pas de trottoirs!

L'IMPRÉSARIO : C'est juste! Alors, le commissariat, c'est la Street... la Strasse... tss!... C'est la rue?

LA PÉRIPATÉTICIENNE : C'est la rue à Lulu! Alors, tu prends Juliette, ensuite Irma...

L'IMPRÉSARIO : Oui! Carmen...

LA PÉRIPATÉTICIENNE : Non! Carmen, tu la sautes!

L'IMPRÉSARIO : Eh oui!... et puis Cricri, Jacqueline... et à Lulu c'est là!

LA PÉRIPATÉTICIENNE : Dis bonjour au commissaire, de la part de Zizi.

L'IMPRÉSARIO : Vous le connaissez?

LA PÉRIPATÉTICIENNE : Oui! Moralement! Ciao bambino!

L'IMPRÉSARIO : Ciao!

LA PÉRIPATÉTICIENNE : Good bye darling!

L'IMPRÉSARIO : Good bye!

LA PÉRIPATÉTICIENNE : Aufwiedersehen!

L'IMPRÉSARIO : Aufwiedersehen!

(Entre un passant. L'imprésario attire l'attention de la péripatéticienne... par un claquement des doigts... Celle-ci se retourne... voit le passant et s'avance vers lui, provocante!)

L'IMPRÉSARIO (la conseillant à voix basse) : Alors, attention! Le coup de rein!... appel du pied... un temps! Là!

LA PÉRIPATÉTICIENNE : ... Hanhan?

LE PASSANT : Niet! (Il sort.)

(La péripatéticienne et l'imprésario se regardent... ils ont un geste d'impuissance.)

L'affaire du pont
(Les dessous et les dessus)

LE COMMISSAIRE : Voyons!... L'agent vous a sifflé parce que vous jouiez de la trompette!... C'est bien ça?

LE TROMPETTE : Oui, monsieur le Commissaire! Sous le pont!

LE COMMISSAIRE : Pourquoi sous le pont?

LE TROMPETTE : Parce que ça fait moins de bruit que dans un parc!

LE COMMISSAIRE : Je me demande bien pour quelle raison vous iriez jouer de la trompette dans un parc!

LE TROMPETTE : Moi aussi!

LE COMMISSAIRE : Vous n'avez qu'à jouer chez vous!

LE TROMPETTE : Écoutez, monsieur le Commissaire... quand je joue chez moi... on me fout dehors... et si je joue dehors... vous me foutez dedans!

LE COMMISSAIRE : C'est juste, mais ça n'explique rien!

LE TROMPETTE : Non! Mais ça aide à comprendre!

LE COMMISSAIRE : A comprendre quoi?

LE TROMPETTE : Pourquoi je jouais sous le pont!

LE COMMISSAIRE (éclatant) : Ou je suis un imbécile... ou vous vous foutez de moi!

LE TROMPETTE : Qu'est-ce que vous voulez que je vous dise?

LE COMMISSAIRE : Répondez!

LE TROMPETTE : Si je dis que je me fous de vous, c'est que vous êtes un imbécile... et si je dis que vous êtes un imbécile, vous allez penser que je me fous de vous!

LE COMMISSAIRE : Bien sûr!... il n'y a pas de problème! (A l'agent :)... C'est très juste ce qu'il dit là!... Et vous?... Quand il jouait de la trompette sous le pont, que faisiez-vous?

L'AGENT : Je sifflais dessus!

LE COMMISSAIRE : Pourquoi, puisqu'il était dessous?

L'AGENT : Si j'avais sifflé dessous... on n'aurait rien entendu au-dessus!

LE COMMISSAIRE : On entendait bien la trompette!

L'AGENT : Parce que la trompette jouait un ton au-dessus!

LE COMMISSAIRE : Au-dessus?... (Au trompette :) Vous m'aviez dit en dessous!

LE TROMPETTE : Moi, j'étais en dessous!... C'est la trompette qui était au-dessus!

LE COMMISSAIRE : Et le sifflet alors?

L'AGENT : Il était en dessous!

LE COMMISSAIRE : Alors, pourquoi étiez-vous au-dessus?

L'AGENT : Ce n'est pas moi, c'est la trompette!

LE COMMISSAIRE : Il y a quelque chose qui m'échappe dans cette affaire.

(On frappe à la porte.)

L'AGENT : Entrez!

(Entre la péripatéticienne.)

LA PÉRIPATÉCIENNE (tendant une carte de visite au commissaire) : Monsieur le Commissaire...

LE COMMISSAIRE (après y avoir jeté un coup d'œil) : Merci ! C'est celui du dessus ?

LA PÉRIPATÉTICIENNE : Je ne sais plus, je suis sens dessus dessous. Ça doit être celui du milieu ! (Elle sort.)

LE COMMISSAIRE (au trompette) : Vous, vous étiez où ?

LE TROMPETTE : Heu... en dessous. (Geste.)

LE COMMISSAIRE : En dessous ! Bien ! (A l'agent :) Vous, vous étiez ?

L'AGENT : Au-dessus. (Geste.)

LE COMMISSAIRE : Au-dessus ! Bon ! Et la trompette ?

LE TROMPETTE : La trompette, elle était au-dessus. (Même jeu.)

LE COMMISSAIRE : Au-dessus...

L'AGENT : Au-dessus du sifflet.

LE COMMISSAIRE : C'est ça !... qui était, lui...

L'AGENT : En dessous. (Geste à l'appui.)

LE COMMISSAIRE (triomphant) : Eh bien ! Il n'y a pas de problème. (A l'agent :) C'est vous qui jouiez de la trompette. (Au trompette :)... Et c'est monsieur qui sifflait !

L'AGENT : Ah non ! monsieur le Commissaire, non ! C'est le contraire (Geste pour inverser les rôles.)

LE COMMISSAIRE : Ou je suis un imbécile, ou vous vous foutez de moi, vous.

L'AGENT : Qu'est-ce que vous voulez que je vous dise ?

LE COMMISSAIRE : Eh bien répondez !

L'AGENT : Si je vous dis que je me fous de vous... c'est que vous êtes un imbécile... et si je dis que vous êtes un imbécile...

LE COMMISSAIRE : Ça va, ça va, vous n'allez pas toujours répéter ce que les autres ont dit avant vous, non ? (On frappe à la porte.)

Entrez !

(Entre l'imprésario.)

L'IMPRÉSARIO : Monsieur le Commissaire?... enchanté de vous... Bon! Alors voilà! Chaque soir, pour les besoins de ma profession, je passe en voiture sur le Pont-Neuf... Or, chaque soir, je me fais siffler par un agent qui, sous prétexte que j'ai klaxonné, m'oblige à m'arrêter et...

LE COMMISSAIRE : Attendez! attendez!... l'agent qui vous siffle, ça n'est pas celui-là? (Il désigne l'agent.)

L'IMPRÉSARIO (dévisageant l'agent) : Si, monsieur le Commissaire!

LE COMMISSAIRE : Vous êtes sûr?

L'IMPRÉSARIO : Certain! C'est lui!

LE COMMISSAIRE (à l'agent) : C'est vous qui aviez raison. (Désignant le trompette.) C'est bien monsieur qui jouait de la trompette, il n'y a pas de problème.

L'IMPRÉSARIO : Mais le problème, c'est que l'agent m'a sifflé pour abus de klaxon. Or, je n'ai pas de klaxon.

LE COMMISSAIRE : Eh bien! Il a bien fait!

L'IMPRÉSARIO : Comment ça?

LE COMMISSAIRE : Vous devriez en avoir un.

L'IMPRÉSARIO : Attendez! L'agent ne m'a pas sifflé parce que je n'avais pas de klaxon, mais parce que je m'en servais.

LE COMMISSAIRE : Eh bien! Il a bien fait!

L'IMPRÉSARIO : Alors là, je ne comprends pas.

LE COMMISSAIRE : Vous n'avez pas le droit de vous servir d'un klaxon.

L'IMPRÉSARIO : Mais puisque je n'en ai pas!

LE COMMISSAIRE : Achetez-en un mon vieux. Je ne vois pas où est le problème!

L'IMPRÉSARIO : Le problème, c'est qu'à chaque fois, c'est moi qui paie.

LE COMMISSAIRE : Vous ne voudriez tout de même pas que ce soit moi qui vous paie un klaxon?

L'IMPRÉSARIO : Mais il ne s'agit pas de klaxon, monsieur le Commissaire.

LE COMMISSAIRE (éclatant) : Ou je suis un imbécile, ou... (Au trompette :) Vous! Taisez-vous!... Alors, s'il ne s'agit pas de klaxon, de quoi s'agit-il, monsieur?

L'IMPRÉSARIO : De contraventions.

LE COMMISSAIRE : Quelles contraventions?

L'IMPRÉSARIO : Les contraventions que je paie chaque fois que je me sers d'un klaxon que je n'ai pas!

LE COMMISSAIRE : Attendez! Attendez!... ces contraventions, vous les payez à qui?

L'IMPRÉSARIO : A monsieur l'Agent.

LE COMMISSAIRE : Des contraventions?

L'IMPRÉSARIO : Des contraventions!

LE COMMISSAIRE : Tiens! tiens!... (A l'agent :) Comment se fait-il que dans vos rapports, il n'en soit pas fait mention?

L'AGENT : Ben... j'ai dû... je...

LE COMMISSAIRE : Ne me dites pas que vous les empochiez?

L'AGENT : Pas toutes!... je partageais...

LE COMMISSAIRE : Avec qui?

L'AGENT : Avec le trompette! (Il montre le trompette.)

LE COMMISSAIRE : Qui était en dessous...

L'AGENT : C'est ça!

LE COMMISSAIRE : Il n'y a pas de problème... Ou je suis un imbécile... ou j'ai compris!

L'AGENT et LE TROMPETTE (ensemble) : Vous avez compris, monsieur le Commissaire!

LE COMMISSAIRE : Vous qui avez toujours eu une conduite irréprochable, pourquoi avez-vous fait ça, hein?

(Il se trouve devant l'imprésario en finissant sa phrase.)

L'IMPRÉSARIO : C'est pas moi...

LE COMMISSAIRE (se rendant compte) : Pardon! (A l'agent :) Pourquoi avez-vous fait ça, hein?

L'AGENT : Je voulais m'acheter un sifflet à deux tons.

LE COMMISSAIRE : Un sifflet à deux tons, vous savez bien que c'est introuvable!

L'IMPRÉSARIO (dans un cri) : Ah! ah!... Je vous demande pardon si je m'immisce, mais des sifflets à deux tons, je peux vous en procurer, si vous voulez...

LE COMMISSAIRE : Vous pouvez nous avoir des sifflets à deux tons, vous?

L'IMPRÉSARIO : Oui! En y mettant le prix, je peux vous en procurer quelques-uns si vous voulez...

LE COMMISSAIRE : Mettez-m'en une douzaine de côté.

L'IMPRÉSARIO : Une douzaine de sifflets de côté?

LE COMMISSAIRE : S'il vous plaît.

L'IMPRÉSARIO : Je vous marque ça sur un petit papier.

LE COMMISSAIRE : S'il vous plaît. (Il fait asseoir l'imprésario.) (A l'agent :) Vous n'avez pas honte, non? (A l'imprésario :) Douze sifflets.

L'IMPRÉSARIO : Douze...

LE COMMISSAIRE (à l'agent) : Que vous ayez pris de l'argent à monsieur... passe encore! Mais que vous en ayez frustré l'État, c'est indigne de l'uniforme que vous portez! (A l'imprésario :) Douze... (A l'agent :) Outre que dans la course à la contravention, notre arrondissement n'arrive qu'en sixième position... si nous n'augmentons pas notre rendement, la saison prochaine, nous retomberons en deuxième division... alors que l'été dernier nous étions leader... outre que nous manquons de pèlerines... (A l'imprésario :) Des pèlerines? Est-ce qu'à la rigueur vous pourriez nous procurer des pèlerines?

L'IMPRÉSARIO : C'est pas impossible du tout, hein!

LE COMMISSAIRE : Eh bien! Mettez-en de côté.

L'IMPRÉSARIO : Combien?

LE COMMISSAIRE : Quelques-unes...

L'IMPRÉSARIO : Dix mille?

LE COMMISSAIRE : C'est bien...

L'IMPRÉSARIO : C'est bien pour commencer, hein...

LE COMMISSAIRE : Je suis preneur! dix mille pèlerines... (A l'agent :) Et je ne parle pas des bâtons... l'hiver s'annonce rude, et nous manquons de bâtons... (A l'imprésario :) Nous manquons de bâtons...

L'IMPRÉSARIO : Vous manquez de bâtons?... en y mettant le prix, je peux vous en procurer des bâtons...

LE COMMISSAIRE : Eh bien! Mettez-en un cent de côté.

L'IMPRÉSARIO : Un cent de bâtons.

LE COMMISSAIRE : Un cent de bâtons...

L'IMPRÉSARIO : Alors dites... pour le règlement?

LE COMMISSAIRE : Quel règlement?

L'IMPRÉSARIO : Ben! Le règlement pour les bâtons, les pèlerines, les sifflets à deux tons...

LE COMMISSAIRE : Le règlement... ne prévoit pas de règlement...

L'IMPRÉSARIO : Il n'y a pas de règlement prévu pour ça?

LE COMMISSAIRE : Non.

L'IMPRÉSARIO : Ah bon... (D'un coup de crayon, il annule la commande.)

LE COMMISSAIRE (à l'agent) : Il faudra multiplier les contraventions. Il faudra toucher des primes de rendement... il faudra envoyer les patrouilles de nuit changer les sens interdits de place... puis, au petit jour, poster des voitures pièges à tous les carrefours. Rabattre les voitures, les traquer... jusque dans les impasses... et les verbaliser jusqu'à la nuit tombante... et le lendemain, recommencer! Il faudra supprimer les jours pairs. Interdire le stationnement les jours impairs. Vous prendrez une échelle et vous irez peindre en rouge tous les feux verts. Il faudra étendre la zone bleue jusqu'à la zone libre, et rétablir la zone occupée.

L'IMPRÉSARIO (dans un cri) : Ah non!

LE COMMISSAIRE (avec force) : Je rétablirai la zone occupée! Alors nos agents auront des pèlerines et nos pèlerines des bâtons!

L'AGENT : Oui mais... et nos sifflets à deux tons, monsieur le Commissaire?

LE COMMISSAIRE : Ah ben... j'ai oublié les sifflets à deux tons. Alors là, mes calculs sont faux! Tout est à refaire.

L'IMPRÉSARIO : Mais non, monsieur le Commissaire! Si j'ai bien compris, à part les sifflets à deux tons, les pèlerines et les bâtons, ce qui vous manque c'est l'argent?

LE COMMISSAIRE : Voilà! Je n'osais pas vous le dire.

L'IMPRÉSARIO : Eh bien, en y mettant le prix, je peux vous en procurer moi!

LE COMMISSAIRE : De l'argent?

L'IMPRÉSARIO : De l'argent! Je vous organise un gala gratuit, mais avec des entrées payantes... je ne sais pas si vous voyez ce que... (mimique du commissaire qui a compris)... au profit de la Caisse des Contraventions.

LE COMMISSAIRE : Très bien.

LE TROMPETTE (à l'imprésario) : Eh! dites donc! J'en suis comme premier trompette?

L'IMPRÉSARIO : Entendu!

L'AGENT : Monsieur le Commissaire, si j'ai mon sifflet à deux tons, je peux tenir ma partie?

LE COMMISSAIRE : D'accord! Et la prochaine fois que vous

entreprendrez une histoire comme celle-ci, mettez-moi dans le coup, hein? Ça vous évitera pas mal d'ennuis.

L'AGENT : Bien, monsieur le Commissaire.

LE COMMISSAIRE : Allez! allez! (Il congédie l'agent et le trompette qui sortent.)

L'IMPRÉSARIO : ... Dites donc, monsieur le Commissaire, mes petites contraventions, vous pouvez me les faire sauter... oui?

LE COMMISSAIRE : Y a pas de problème!

L'IMPRÉSARIO : Parfait! Voilà ma carte. (Il la lui donne.)

LE COMMISSAIRE (après l'avoir regardée) : Merci!... c'est la mienne!

L'IMPRÉSARIO : C'est la... c'est Zizi qui me l'a donnée... oui... elle est gentille...

LE COMMISSAIRE (lui tendant une carte) : Voici la vôtre. C'est Lulu qui me l'a...

L'IMPRÉSARIO : Ah! C'est Lulu... qui vous l'a... ah! elle est gentille aussi...

LE COMMISSAIRE : Oui!

L'IMPRÉSARIO : Alors monsieur le Commissaire, pour le concert?

LE COMMISSAIRE : Carte blanche.

On entend à nouveau l'orgue de Barbarie...
Le mendiant revient chanter devant le rideau la fin de la complainte du Vieux Pont-Neuf :

Le Vieux Pont-Neuf sans histoires
Tout doucement est entré dans l'Histoire;
Il a bon dos le Vieux Pont-Neuf!
Il a bon dos
Le Vieux Pont-Neuf!
Le Vieux
Pont-Neuf!...

Le vase

(Paris. Au bord de la Seine, sous le Pont-Neuf, un clochard X.

Un autre clochard Z arrive, tenant un bouquet de fleurs à
la main.)

Z — T'as pas un vase ?

X — Pour quoi faire ?

— Pour mettre mes fleurs !

— Non !

— Il y avait un vase ici.

— Je te dis qu'il n'y a pas de vase !

— Moi je te dis qu'il y en avait un !

— Moi je te dis qu'il n'y en a jamais eu !

— Dis plutôt que tu l'as cassé.

— Si je l'avais cassé, je te le dirais !...

— C'est pour mettre mes fleurs !

— Rah !

— Si j'avais un vase...

— Tu vas me foutre la paix avec ton vase !... Si j'en avais
un, j'te...

— Tu me le donnerais pour mettre mes fleurs !

— Je te le casserais sur la tête, oui! Pauvre idiot!

— !

— Bouffon!

— !

— Larbin, va!

— !

— T'es une paillasse!

— !

— Une lavette!

— !

— Réponds-moi, quoi!

— Que veux-tu que je réponde?

— Réagis!

— Je ne peux pas!

— Lâche!

— Non je ne suis pas un lâche!... Je ne peux pas me mettre en colère...

— C'est pas normal, ça!

— Non! J'suis vaseux!

— Qu'est-ce que tu ressens?

— Rien! Justement, rien! Et c'est ce qui m'inquiète. Pourtant je t'ai écouté attentivement, là! Je me disais : il va peut-être me dire le mot qui va... déclencher la colère! Mais... rien!

— C'est pas normal!

— Non! J'suis vaseux!

— Remarque... je n'ai peut-être pas été assez désobligeant!

— Ah si! si! Ce n'est pas ta faute... t'as mis le paquet, là... non, non, c'est moi... j'ai peut-être mal entendu... je ne sais pas!

— Veux-tu que je recommence?

— Ça ne t'ennuie pas?

— Non! Non! Euh!... qu'est-ce que j'avais dit au début?

— Pauvre idiot!

— !

— Pauvre idiot!

— Ah oui!... (Se remettant en colère :) Pauvre idiot!

— !

— Bouffon, va!

— !

— Larbin!

— !

— Larbin... ça ne te fait rien?

— Ah non alors! Rien du tout!

— Bon! Paillasse!

— Non!... paillasse, lavette, tout ça... tu peux passer!

— Ça te laisse froid?

— Pas ça!... Il m'en faudrait au moins le double!

— Chanteur de charme!

— Quoi?

— Chanteur de charme!

— Tu ne me l'avais pas dit tout à l'heure ça!

— Non!

— Ça c'est dur! ça c'est dur!

— Eh bien, fâche-toi!

— Ah ben oui! Ah ben oui! Là, je vais me fâcher! (Il va, vient, râle... on sent qu'il s'excite.) C'est vrai, chanteur de charme... c'est offensant! (Il rugit, tape du pied) Chanteur de charme!... Il me faudrait un objet... un vase... (à X :) T'as pas un vase?

— Non, j'ai pas de vase! Allez!

— Sans vase, je ne peux pas!

— Là, tu y mets de la mauvaise volonté!

— RRR! Je te jure, sans vase, je ne peux pas!

— C'est pas normal, ça!

— Non! Je suis vaseux!

— Tu es décourageant, tiens!

Z — (pleurant) — Ça y était! J'étais presque en colère... je la sentais venir... si j'avais eu un vase!...

X — (exaspéré) — Y a pas de vase!

— Ou un pot! Simplement un pot!

— Y a pas de pot!

— C'est drôle qu'on ne puisse pas trouver un pot!

— Assez!... clochard, va!

— Clochard?

- Oui, clochard!

— Là, tu es odieux!... mais odieux!

— Et... ça ne te fait rien?

— Rien!

— C'est pas normal, ça.

— Non! Je suis vaseux!

— Et... torchon?

— Torchon?

— Oui, torchon!

— Non!

— Torchis!

- Torchis?... qu'est-ce que c'est?

— C'est un mélange de terre glaise et de paille séchée!

— Ben! Faut le savoir! oui!... mais alors là, ce n'est pas du jeu! torchis!

— Excuse..

Z — (se montant) — Ah ben non! C'est trop facile!... tu me prends pour un idiot?

— Mais non!

— Mais si!... Traite-moi de bouffon pendant que tu y es!

516

— J'ai pas dit ça!
— Mais si!... De larbin!
— Mais non!
— Paillasse va!
— !
— Lavette!
— !
— Torchon! Torchis!
— Écoute, traite-moi de tous les noms, mais ne te mets pas en colère!
Z — (au comble de la colère) — Si j'avais un vase, tiens!
— !
— Ben, réponds!
X — (hurlant) — Y a pas de vase!
Z — (détendu) — Alors moi, où est-ce que je vais mettre mes fleurs?

Fugue et variations

(En scène, un pupitre.

Sur ce pupitre, une partition : *Fugue n° 28*.

Pierre, qui en termine la composition, écoute un ami...)

L'AMI : Si j'ai bien compris... chaque fois que votre femme fait une fugue... vous, vous en écrivez une !

PIERRE : C'est ça ! Celle-ci... c'est la vingt-huitième !

L'AMI : Votre femme a fait vingt-huit fugues ?

PIERRE : Non ! vingt-neuf... Seulement, comme les dernières étaient toutes petites, je les ai comptées pour une.

L'AMI : Ah ben ! c'est gentil, ça !

PIERRE : Qu'est-ce que vous voulez ! Il ne faut pas être regardant !

L'AMI : Oui ! Une de plus... une de moins !

PIERRE : Ne croyez pas ça !... On ne fait pas une fugue aussi facilement ! Bon !... On a un départ !... Encore faut-il savoir où l'on va !

L'AMI : En général, où va-t-elle ?

PIERRE : Ça dépend de la richesse du sujet ! Plus le sujet est riche... plus la fugue est longue !

L'AMI : Et dans le cas contraire ?

PIERRE : Il s'épuise tout de suite.

L'AMI : Et il faut lui trouver un autre sujet?

PIERRE : Oui! Et ça repart!

L'AMI : Et quand elle revient?

PIERRE : Je la lui joue...

L'AMI : Et alors?

PIERRE : Elle repart!

L'AMI : Pourquoi? Elle n'aime pas ça?

PIERRE : Si...! puisqu'elle revient!

L'AMI : Tout de même! vingt-huit fugues...

PIERRE : Eh oui! J'approche de la trentaine!

L'AMI : On ne vous les donnerait pas, dites donc!

PIERRE : Vous verriez ma femme... vous m'en donneriez plus!

(On frappe. Pierre va ouvrir, c'est sa femme qui revient.)

PIERRE : Ah! c'est toi?

HORTENSE : Oui! Tu ne me dis pas bonjour?

PIERRE (empressé) : Si! Bonjour! Entre! Je suis heureux que tu sois de retour parce que... tiens! Je te présente un ami! Un amateur de fugues...

HORTENSE (à l'ami) : Tiens! Vous aussi?... Enchantée!

PIERRE : Puisque tu es là... je vais te jouer ma...

HORTENSE : Ah! tu as encore fait une fugue pendant mon absence!

PIERRE : Je t'en demande pardon... c'était plus fort que moi!

HORTENSE : C'est grotesque!

PIERRE : Je te prie de m'excuser.

HORTENSE : Tu ne recommenceras plus?

PIERRE : Je te le jure! C'est la dernière!

HORTENSE : Alors, j'écoute.

PIERRE : Ah!

L'AMI : ... Je vais prendre congé...

HORTENSE : Non! Restez! Vous n'êtes pas de trop!

PIERRE : Oui! Oui! Asseyez-vous!

(Hortense et l'ami prennent place sur le canapé. Pierre commence l'exécution du morceau à la flûte.)

HORTENSE (à l'ami) : Il met toutes mes fredaines en musique.

(Pierre poursuit l'exécution de la fugue. Hortense pose doucement sa main sur celle de l'ami.)

L'AMI (surpris et retirant sa main) : Vous m'avez touché!

PIERRE (croyant que c'est à lui que ce discours s'adresse) : Je vous remercie.

(Il poursuit.)

HORTENSE (caressant la joue de l'ami) : Ça ne manque pas de piquant!

PIERRE : ... Je vous remercie... mais plus bas, c'est encore mieux!

(Il poursuit. Hortense et l'ami sont un peu gênés.)

PIERRE : Excusez-moi! J'ai été trop vite! Je reprends plus haut!

HORTENSE : C'est ça! (Elle caresse de nouveau la joue de l'ami.)

L'AMI (à Hortense) : C'est très agréable!

PIERRE : Je vous remercie!

(Il poursuit.)

HORTENSE : C'est séduisant!

PIERRE : Je vous remercie!

(On entend le bruit d'un baiser.)

PIERRE : Tiens!

(Nouveau bruit de baiser).

PIERRE : Tiens! (Parlant de sa flûte :) Elle ne bouche pas bien!

(Il recommence à jouer. Hortense et l'ami se donnent des signes de tendresse mutuelle.)

PIERRE (s'arrêtant) : Comment la trouvez-vous?

L'AMI : Très belle!

PIERRE : Elle vous plaît?

L'AMI : Beaucoup!

PIERRE : Eh bien, la prochaine, je l'écrirai pour vous.

HORTENSE : Chéri! Tu as du génie!

PIERRE : Je te remercie!

(Et pendant qu'il poursuit sa fugue, Hortense et l'ami sortent, amoureusement enlacés.)

Quand Pierre a terminé sa fugue, il se retourne, satisfait, mais, se retrouvant seul, il comprend!

Alors, il déchire la partition... tranquillement... Il jette les morceaux... et écrit sur du papier à musique vierge : *Fugue n° 29.*

Le sens du ridicule

— Moi, Monsieur, ce que j'admire en vous, c'est que vous avez le courage d'être vous-même ; avec tout ce que cela comporte de ridicule !

— Je maintiens une tradition... c'est tout !

— Vous avez mis du temps pour devenir ridicule ?

— On ne devient pas ridicule, on naît ridicule ou on ne l'est pas !

— Et vous, vous l'êtes ?

— Ah oui ! De père en fils, depuis trois générations !

— C'est dans le sang alors ?

— Oui !... Le sang du ridicule est très fort ! A tel point que mon père, effrayé par son atavisme ridicule, avait épousé une demoiselle qui n'était pas née ridicule, mais d'une famille des plus modestes !... Savez-vous ce que ça a donné ?

— Un mariage ridicule ?

— Exactement !

— Et moi, à votre avis, suis-je ridicule ?

— Ah non ! Vous, vous n'êtes pas ridicule !

— Ah !

— Non! Vous êtes grotesque!

— Ça se voit donc?

— Ben tiens!... Vous n'avez pas le sens du ridicule, vous!

— C'est drôle... je ne me rends pas compte!

— C'est pourquoi vous êtes grotesque!

— Pourtant quelquefois, je vous assure, je me sens ridicule!

— Je ne voudrais pas vous faire de peine, mais ça m'étonnerait.

— Un exemple : l'autre jour, j'avais mis un chapeau... il était trop petit... eh bien, je me suis senti ridicule!

— L'avez-vous gardé ce chapeau?

— Ah non!

— Alors, vous êtes grotesque!... Moi, quand j'ai le bonheur de tomber sur un chapeau qui ne me va pas, monsieur, je le garde.

— C'est ridicule!

— Je ne vous le fais pas dire!

— Eh bien moi, je préfère un chapeau à ma tête.

— C'est grotesque!

— Pourquoi?

— Parce que, même à votre tête, un chapeau ne vous va pas!

— Tandis qu'à vous?

— Moi, je suis ridicule... tout me va!

— Oui... mais les gens se moquent de vous?

— Les gens qui se moquent de moi sont grotesques!

— Dites... on dit que le ridicule tue! Est-ce vrai?

— Pas du tout! Regardez autour de vous, il n'y a que des gens bien portants.

— Les gens bien portants ne sont pas forcément ridicules!

— Si, monsieur! Tous les médecins vous le diront.

— Et ceux qui sont malades alors?

— Ils sont grotesques!

— Mais alors... si je vous disais que je me porte bien, je serais ridicule?

— Oui, monsieur!

— Eh bien, je me porte bien!

— Sans blague!... Ainsi, vous ne seriez pas grotesque?

— Non, monsieur... ni ridicule!

— Alors, vous êtes stupide!

— Pourquoi?

— Parce que, si vous n'êtes pas grotesque, je ne vois pas pourquoi vous avez peur d'être ridicule... Bonsoir!

Sursaut

(Une chambre à coucher.

Une dame en déshabillé joue du violon.

Soudain, par la fenêtre ouverte, un homme déboule tête la première au milieu de la pièce.)

LA DAME (effrayée) : Ah! Qu'est-ce que c'est que ça?

L'HOMME (se relevant) : C'est moi! Bonjour, madame!

— Mais, qu'est-ce que vous faites chez moi?

— Rien, rien, madame. Je passais... la fenêtre était ouverte. je suis entré...

— Mais enfin, d'où venez-vous?

— Je viens d'en face. L'immeuble en face... de l'autre côté de la rue, madame!

— Vous ne pouvez pas passer par la porte comme tout le monde?

— Si ma femme m'avait mis à la porte, je serais passé par la porte, mais elle m'a jeté par la fenêtre, ma femme.

— Hein? Votre femme vous a jeté par la fenêtre?

— Oui! Et comme la vôtre est juste en face... *uitte*... ça m'a évité de descendre.

LA DAME (regardant par la fenêtre) : Mais dites donc, c'est que ça fait tout de même quatre étages... et à pic!

— Oui! Tandis qu'à vol d'oiseau... *uitte...* c'est direct!

— Mais qu'est-ce que vous lui aviez fait à votre femme?

— Oh! Rien, madame, je dormais!

— Et elle?

— Elle dormait aussi!

— Et alors?

— Le téléphone a sonné.

— Je ne vois pas le rapport!

— Si, madame! Quand le téléphone sonne, ma femme sursaute.

— Et alors?

— Alors? Comme elle pèse cent kilos, quand elle retombe, le matelas fait tremplin, et... *uitte!...* moi, je sors!

— Par la fenêtre?

— Par la fenêtre, oui madame!

— Dites donc! Ça doit vous surprendre!

— Oh! J'y suis habitué!

— Ah! Parce que ça vous arrive souvent?

— Toutes les nuits, madame! Chaque fois que le téléphone sonne!

— Tiens!

— Oui!

— Il me semble pourtant que c'est la première fois que je vous reçois chez moi.

— Oui! Habituellement, je descends à l'étage au-dessus, chez votre voisine.

— Tiens! Et qu'est-ce qu'elle en dit la voisine du dessus?

— Bah! Au début, ça l'a surprise, mais maintenant elle

ne fait plus attention. Quand elle me voit arriver, elle organise même des petites sauteries! (Il rit.)

LA DAME (riant) : Alors, comment se fait-il que ce soir, vous soyez descendu chez moi?

— Parce que, depuis que j'ai pris du poids, je monte moins haut!

LA DAME (perplexe) : Tiens! tiens!

— Vous me prenez pour un sauteur, madame?

— Ah non, non, non, non... mais dites-moi, votre femme!

— Quoi, ma femme?

— Oui! Elle doit se demander ce que vous êtes devenu?

— Elle ne s'est rendu compte de rien, ma femme!

— Ah! Parce que ça ne l'a pas réveillée?

— Non! Elle a sursauté, c'est tout!

— Eh bien dites donc, elle a le sommeil lourd! (Elle rit.)

— Oui! Et comme le mien est léger... *uitte*... (Il fait le geste.)

— Par la fenêtre?

— Par la fenêtre, oui, madame.

— Ah oui! Je vois! Incompatibilité d'humeur...

— Non! Je ne fais pas le poids, c'est tout!

— Ah!

L'HOMME (allant à la fenêtre) : Quand je vois le trajet... il y a au moins quinze mètres... (Il s'assoit sur le divan.) J'en ai le vertige! Rétrospectivement! (La dame vient s'asseoir près de lui, mais à peine s'est-elle assise sur le divan, que l'homme bondit vers la fenêtre.)

— Allons bon! Qu'est-ce que c'est que ça maintenant?

— Rien! L'habitude. Quand vous vous êtes assise... (il fait le geste de passer par la fenêtre) instinctivement.. je...

— Oh non! Non, non, non. Asseyez-vous! (Elle lui fait signe de s'installer près d'elle.)

L'HOMME (prenant place) : Si je vous disais que je ne peux plus voir un lit sans sauter par la fenêtre, madame!

LA DAME (apitoyée) : Ah!

— J'avoue que je commence à en avoir assez.

— De quoi?

— De passer par la fenêtre, madame.

— Ah! Parce que ça fait longtemps que...

— Dix ans!

— Dix ans?

— Ça va faire dix ans que... *uitte!*... oui, madame.

— Dix ans! (Elle rit.)

— Au début, ça m'amusait, j'étais jeune!

— Oui?

— L'enthousiasme! (Il fait le geste de passer par la fenêtre.) Ah, j'y allais! Tandis que maintenant, j'avoue que lorsque je vois arriver la nuit, j'ai des inquiétudes.

LA DAME (sincère) : Oh! Mais vous n'êtes pas si vieux que ça!

— Ah! Je sais! Je sais! Je sais qu'il y a des jeunes qui ne feraient pas ce que je fais!

— Ah ça! C'est sûr!

— Hein? C'est qu'il ne faut pas la rater, la fenêtre!

— Hé!

— Et quand elle est fermée, madame!

— Ah! Parce que ça arrive?

— Ben tiens!

— Alors, qu'est-ce que vous faites?

— Je m'agrippe et je frappe.

— Et on vous ouvre?

— On me connaît!

— Oui, bien sûr! Mais s'il n'y a personne?

— S'il n'y a personne, je casse la vitre.

— Dites donc! Mais c'est que ça peut aller chercher loin ça!

— Mais madame, c'est vol avec effraction!

— Oh! la la! Eh bien, ça ne doit pas être gai cette vie-là!

— Surtout qu'en rentrant, je vais encore me faire attraper par ma femme.

— Comment ça?

— Elle va me demander d'où je viens!

— Eh bien! Vous n'avez qu'à lui dire la vérité!

— Elle ne me croira pas, madame!

— Ah! Eh bien alors, je ne sais pas moi... téléphonez-lui.

— Elle va sursauter, c'est tout!

— Qu'est-ce que ça peut faire, puisque vous ne serez pas là!

— Justement, c'est inutile

— Oui...

— Non, je vais rentrer! (Il se lève, passe devant la dame pour sortir.) Et puis je vais lui dire que, comme d'habitude, je suis allé faire un tour.

LA DAME (elle se lève aussi) : Alors... alors vous... vous partez déjà?

— Oui madame! Je vous prie de m'excuser, je vous ai dérangée, vous alliez vous coucher.

— Ah non! Ah non! Au contraire... revenez me voir...

— C'est ça, je ferai peut-être un saut un de ces soirs... Madame, si ce n'est pas trop indiscret de ma part, combien pesez-vous?

— Pardon?

— Votre poids! Net!

— Net?

— Dépouillée de tout artifice!

LA DAME (un peu gênée mais souriante) : Oui! Oui! Dépouillée, oui! Dépouillée, eh bien... cinquante kilos.

L'HOMME (dans un cri) : Idéal!

— Oui, hein!

— Cinquante kilos!

— Oui! Oui! (Elle rit de satisfaction.)

— Cinquante kilos! Avec vous, on doit pouvoir dormir tranquille.

LA DAME (croyant avoir mal entendu) : Comment?

L'HOMME (voulant se rattraper) : Non! Je veux dire : avec vous il n'y a pas de quoi sauter au plafond.

LA DAME (qui n'en croit pas ses oreilles) : Pardon?

— Non, non... (affolé)... je veux dire : il n'y a pas de quoi s'en relever la nuit.

LA DAME (furieuse) : Sortez, monsieur!

L'HOMME (en allant vers la fenêtre) : Je suis maladroit, je suis maladroit, je suis maladroit! (Il enjambe la fenêtre.)

LA DAME (dans un cri) : Ah non! Non, non, non, par la porte!

L'HOMME (se retourne sur place) : Original, madame! (De sa poche il sort une casquette.) Je mets ça, madame. (Il passe devant elle et va à la porte)... Parce que pour traverser la rue, c'est plus décent. (La main sur la poignée.) Par la porte, ça fait tout drôle, madame! (Il sort et referme la porte.)

(La dame reste un instant pensive... elle prend le Bottin... l'ouvre... cherche un numéro de téléphone... referme le Bottin, prend le téléphone... compose un numéro... et... *uitte!*... l'homme revient par la fenêtre.)

LA DAME : Vous devez me prendre pour une sauteuse, hein!

— Je n'ai même pas eu le temps d'enlever ma casquette que... *uitte!*... (Il ramasse sa casquette et ressort par la porte...)

La dame déçue reprend son violon et joue quelques mesures... *uitte!*... nouveau plongeon de l'homme par la fenêtre.

L'HOMME (désignant le téléphone qui est resté décroché) : Raccrochez, madame, vous empêchez ma femme de dormir.

Au gendarme, au voleur

(Un agent est en faction. Un quidam entre rapidement, bouscule l'agent, s'excuse auprès de lui... puis sort.)

L'AGENT (après avoir jeté un coup d'œil sur son poignet) : Ma montre! Ma montre! On m'a volé ma montre! Au voleur! Au voleur! Au voleur! Police, ma montre.

LE QUIDAM (entrant précipitamment) : Monsieur l'Agent, je viens d'entendre quelqu'un crier au voleur, au voleur!

— Je sais, c'est moi! On vient de me voler ma montre.

— Est-ce que je peux faire quelque chose pour vous?

— Eh bien, appelez un agent!

— Oui!... (Il va pour sortir, se ravise :) Je vous demande pardon, monsieur l'Agent, mais vous êtes un agent, vous!

— Eh bien, appelez-moi!

— Monsieur l'Agent...

— Monsieur?

— Je viens d'entendre quelqu'un qui criait au voleur, au voleur!

— On avait dû lui voler quelque chose sans doute.

— Oui! Sa montre!

— Parfait ! Je vais faire un rapport. Le nom de la victime ?

— Ah ben, je n'en sais rien, c'est... (Il montre l'agent.)

— Demandez-lui ses papiers.

(Le quidam passe derrière l'agent et vient se placer à sa droite. Il s'adresse à l'agent pris en tant que victime.)

— Donnez-moi vos papiers ! (L'agent les lui donne.)

(Le quidam refait le mouvement en sens inverse et vient se placer à la gauche de l'agent.)

LE QUIDAM (lui « rendant » ses papiers) : Voilà, monsieur l'Agent !

(Pendant tout ce qui va suivre, le quidam passera de la gauche à la droite de l'agent et vice versa, donnant l'impression de passer de la « victime » à « l'agent ».)

— Dites donc, cette carte d'identité n'est plus valable...

LE QUIDAM (même jeu que plus haut) : Dites donc, votre carte d'identité n'est plus valable !

— J'ai fait ma demande de renouvellement.

— Il a fait sa demande de renouvellement, monsieur l'Agent !

— Qui me le prouve ? Vous avez de la chance que je sois bien disposé, hein ?

— Vous me dites ça, vous savez... moi...

— Dites-le-lui à lui.

— Ah bon ! Ah oui ! (Même jeu.) Vous avez de la chance que monsieur l'Agent soit bien disposé, vous savez.

— Remerciez-le !

— Heu oui ! Il vous remercie, il vous remercie !

— Et que ça ne se renouvelle pas, hein ? Dites-moi..

— Oui...

— Quand vous êtes arrivé sur les lieux, où était la victime ?

— La victime? La victime, elle était là! (Il désigne l'endroit.)

— Là?

— Oui.

— Et quand vous avez appelé, moi, j'étais ici?

— C'est ça! C'est ça, monsieur l'Agent.

— Mais dites donc, il y a une contradiction dans ce que vous dites. Si j'étais ici...

— Oui.

— Et la victime, là...

— Oui.

— J'aurais dû entendre ses appels!

— Vous n'avez rien entendu?

— Rien!

— La victime n'a peut-être pas crié assez fort!

— Voyons! Voyons! Quand la victime a crié, elle était là!

— Là!

— Bon! Vous qui étiez de l'autre côté, vous l'avez bien entendue?

— Ah oui! oui!

— A plus forte raison, moi qui me trouvais ici, j'aurais dû l'entendre.

— Ah oui! Mais, dites-moi, monsieur l'Agent, il y a quand même quelque chose qui me semble bizarre.

— Ah?

— C'est que, en supposant que vous n'ayez rien entendu, d'où vous étiez, vous auriez dû le voir.

— Qui?

— Le voleur!

— Ah! mais je l'ai vu!

— Ah bon!

— J'ai son signalement.

— Ah bon !

L'AGENT (il écrit sur son carnet) : Veste claire... pantalon noir... chapeau... ah ça, le chapeau...

— Mou !

— Je ne pourrais pas l'affirmer...

— Si, si, il était mou le chapeau, je vous le dis, moi, il était mou.

— Mettez-le sur votre... (Le quidam se couvre d'un chapeau mou.) Ah ! c'est ça ! (Il inscrit sur son carnet) Chapeau...

— Mou !...

— Mou...

— Voilà.

L'AGENT (il lui prend le poignet) : Police !

— Je suis refait.

— Allez, suivez-moi ! (Il l'entraîne.)

— Une seconde, monsieur l'Agent. (Ils s'arrêtent.) Vous n'avez pas de témoins.

— Si. Vous ! D'où vous étiez, vous avez tout entendu !

— Oui. Mais je n'ai rien vu !

— Ah oui, mais moi, j'ai vu !

— Oui, mais d'où vous étiez, vous n'avez rien entendu.

— Ah ! je suis refait !

— Ah oui ! D'une montre, monsieur l'Agent ! (en sortant) d'une montre !

— Au voleur ! Au voleur !

Le procès du tribunal

LE JUGE : Messieurs, la séance est ouverte... Accusé, levez-vous...

(L'accusé se lève...)

LE JUGE : Avouez que c'est vous qui avez volé « l'objet du délit » ?

L'ACCUSÉ : Oui, monsieur le Juge, c'est moi !

LE PUBLIC (surpris) : Oh !

LE JUGE (surpris) : Ce n'est pas possible !

L'ACCUSÉ : Quoi ?

L'AVOCAT : Vous n'avez pas compris la question ?

L'ACCUSÉ : Si.

L'AVOCAT : On vous a demandé d'avouer !

L'ACCUSÉ : Eh bien, oui ! Quoi, j'avoue !

RUMEURS dans le public : Oh !...

QUELQU'UN : Réfléchissez avant de répondre !

UN AUTRE : L'affaire rebondit trop tôt !

UN TROISIÈME : Pour le tribunal, ce n'est plus une affaire !

UN QUATRIÈME : Pour redonner du suspense à l'audience, il faudrait la suspendre !

TOUS : Suspension ! Suspension ! Suspension !

LE JUGE : Silence! L'accusé a été surpris par ma question!

L'AVOCAT (compréhensif) : Il a répondu n'importe quoi!

LE JUGE : Cher ami, répondez avec calme et sang-froid... Le tribunal appréciera!... Ce n'est sûrement pas vous qui avez dérobé « l'objet du délit » ?

L'ACCUSÉ : Si. C'est moi !

RUMEURS : Oh!...

QUELQU'UN : C'est un scandale!

UN AUTRE : L'affaire du fourgon postal... ça oui... c'était quelque chose!

UN TROISIÈME : Et celle des ballets roses!... On n'en fait plus!

UN QUATRIÈME : Maintenant qu'il a dit que c'était lui, il va falloir qu'il le prouve!

TOUS : Des preuves! Des preuves! Des preuves!

LE JUGE : Silence!... J'en fais une affaire personnelle! Le tribunal appréciera... (A l'accusé :) Très cher ami!... Nous ne sommes plus au temps où il suffisait de dire tout bonnement la vérité pour être cru!... Nous vivons à une époque où les gens sont intelligents et cultivés!... La vérité, nous la discutons!... Le tribunal et moi-même comprendrions fort bien que, pour votre défense, vous inventiez un alibi qui semblerait, à priori, indiscutable!... Cela nous obligerait à chercher dans votre entourage les gens qui auraient eu intérêt à vous fournir cet alibi... C'est pourquoi le tribunal et moi-même, nous vous prions instamment de trouver cet alibi... Cela, dans l'intérêt et pour l'honneur d'une cause qui risque, par votre aveu prématuré, de tourner court. Allons!... Avouez que vous avez un alibi!

L'ACCUSÉ : Non!

RUMEURS : Oh!...

QUELQU'UN : Il y met de la mauvaise volonté!

UN AUTRE : C'est une affaire pourrie!

UN TROISIÈME : Quelle tape pour la justice!

UN QUATRIÈME : Quel fiasco!

TOUS : Fiasco! Fiasco! Fiasco!

LE JUGE : Silence! La parole est à l'accusation!

L'ACCUSATEUR : Je n'ai rien à ajouter, il a tout dit!

LE JUGE : Vous voyez dans quel embarras vous nous mettez!

L'ACCUSÉ : Je ne peux pas mentir!

L'AVOCAT : Si vous ne mentez pas pour vous, mentez pour moi!

LE JUGE : Mentez pour lui!

TOUS : Oui! Mentez pour lui!

LE JUGE : Mentez pour les témoins!

TOUS : Oui! Mentez pour les témoins!

LE JUGE : Mentez pour nous!

TOUS : Oui! Mentez pour nous!

LE JUGE : Le tribunal appréciera!

L'ACCUSÉ : Puisque c'est moi!

RUMEURS : Oh!...

QUELQU'UN : Il insiste!

UN AUTRE : Il n'a pas d'envergure!

UN TROISIÈME : Ce n'est pas un homme d'affaires!

TOUS : Un autre! Un autre! Un autre!

LE JUGE : Silence! La parole est à l'accusation!

L'ACCUSATEUR : Messieurs les Jurés!... Ne croyez pas qu'il suffise que l'accusé reconnaisse sa culpabilité pour qu'aussitôt on referme le dossier et que chacun retourne chez lui en disant : « L'affaire est classée!... » Ce serait trop facile!

TOUS : Trop facile! Trop facile! Trop facile!

LE JUGE : Silence! La parole est à la défense!

L'AVOCAT : Messieurs, si mon client a reconnu qu'il était coupable, ce n'est pas de sa faute! C'est qu'il y a été poussé!

RUMEURS : Oh!...

L'ACCUSÉ : Je demande la parole... Monsieur le Président, avec tout le respect que je vous dois, je me permets de vous dire que, tant que vous poserez des questions idiotes...

L'AVOCAT : Il n'y aura plus de procès possible!

L'ACCUSÉ : A question idiote, réponse idiote! C'est dans le Code pénal!... Or, demander à un honnête homme s'il est coupable, sachant fort bien qu'il l'est..., est maladroit, indélicat et frise la muflerie!

LE JUGE : Que devais-je faire?

L'ACCUSÉ : Des sous-entendus! Des allusions! Des insinuations!... Laisser planer le doute sur ma culpabilité!... Mais, pour mener ce jeu subtil, il faudrait ne pas avoir, monsieur le Président, l'esprit fumeux!... Or, ainsi que chacun a pu s'en rendre compte, le vôtre n'est pas des plus clairs!... Nous savons, de source sûre, que non seulement vous fumez beaucoup, mais encore, au dire des témoins, que vous buvez davantage et, de plus, que la cigarette et le verre de rhum que vous buvez sont réservés normalement aux condamnés! Ce qui est proprement dégueulasse!... Je demande pardon au tribunal d'employer ce mot, mais c'est le seul qui convienne!

L'ACCUSATEUR : Vous faites le procès du tribunal, ma parole!

L'AVOCAT : Oui! Puisque c'est le seul que nous puissions faire ici!

L'ACCUSÉ : Oui! J'accuse!

L'ACCUSATEUR : Ne renversez pas les rôles!

L'ACCUSÉ : Taisez-vous, jean-foutre!... J'accuse le juge ici présent de maladresse impardonnable! (Il se rassied.)

RUMEURS : Ah!...

QUELQU'UN : Adroit renversement!

UN AUTRE : Audacieux! C'est une relance!

UN TROISIÈME : C'est un défi!

UN QUATRIÈME : Une démission!

TOUS : Démission! Démission! Démission!

L'ACCUSÉ : Silence! Monsieur le Président, levez-vous!... Qu'avez-vous à répondre?

LE JUGE : ... J'en ai le souffle coupé!

L'ACCUSATEUR (se levant) : Permettez-moi, monsieur le Président, d'assurer votre défense!

LE JUGE : Si vous le pouvez, ça me rendrait bien service!

L'ACCUSATEUR : Messieurs les Jurés!... L'homme qui est devant vous est un vieillard!...

LE JUGE (montrant ses cheveux) : J'ai les cheveux tout blancs!

L'ACCUSATEUR : Il a commis une maladresse... Soit! Alors, moi, je dis... et alors?

LE JUGE : Oui!... Et alors?

L'ACCUSATEUR : Et alors?

QUELQU'UN : Alors?

UN AUTRE : Alors quoi?

UN TROISIÈME : Ben oui, quoi?

TOUS : Et alors? Et alors? Et alors?

L'ACCUSATEUR : Allez-vous pour autant crier « haro » sur le baudet et le rejeter impitoyablement du banc de la magistrature?

LE JUGE : Oh! ils le feraient!...

L'ACCUSATEUR : Erreur magistrale! Pour une simple étourderie, imputable à une défaillance de mémoire!

LE JUGE : C'est vrai, il y a des moments où...

L'ACCUSATEUR : Il ne nie pas!... Voyez sa bonne foi! Peut-on en vouloir à un homme qui ne jouit point de toutes ses facultés?

LE JUGE : J'ai des circonstances atténuantes!

L'ACCUSATEUR : Messieurs les Jurés, vous en tiendrez compte! Quant à l'abus de tabac et d'alcool dont on nous fait grief...

QUELQU'UN : Oui, notre tabac!

UN AUTRE : Notre alcool!

UN TROISIÈME : Nos cigarettes!

UN QUATRIÈME : Notre opium!

TOUS : Opium! Opium! Opium!

L'ACCUSÉ : Silence!...

(Le juge fait signe à l'accusation et lui parle à l'oreille.)

L'ACCUSATEUR : Oui!... C'est vrai!

RUMEURS : Oh!...

L'ACCUSATEUR : Sauf sur un point essentiel! M. le Président ne fumait et ne buvait que la cigarette et le verre de rhum du condamné qu'il graciait!... Il faut donc remplacer le mot « condamner » par celui de « gracier », et c'est ce que je demande au tribunal de faire... à propos de son président!

LE JUGE (à l'accusateur) : Très bien!

L'AVOCAT (au juge) : Avez-vous quelque chose à ajouter?

LE JUGE : Je réclame l'indulgence de l'accusé!

L'ACCUSÉ : Le jury appréciera...

L'AVOCAT (se levant) : Nous allons délibérer!

(Les jurés, l'accusateur, l'avocat et l'accusé se concertent... puis regagnent leurs places.)

L'ACCUSÉ (se levant) : Attendu que... etc., et tenant compte du grand âge de monsieur le Président.. etc., lui accordons les circonstances atténuantes... etc., et le condamnons aux frais et dépens du procès...
(La séance est levée.)

Cet ouvrage a été composé par EUROCOMPOSITION (Sèvres)
et imprimé par BCA à SAINT-AMAND-MONTROND (Cher)
pour le compte des Éditions Olivier Orban
12, avenue d'Italie, 75627 Paris Cedex 12

Achevé d'imprimer le 6 décembre 1991

Imprimé en France

N° d'impression : 91/78
Dépôt légal : décembre 1991